SECCIÓN DE OBRAS DE HISTORIA

LA REVOLUCIÓN EN LA PROVINCIA

PAUL H. GARNER

LA REVOLUCIÓN EN LA PROVINCIA

Soberanía estatal y caudillismo
en las montañas de Oaxaca (1910-1920)

FONDO DE CULTURA ECONÓMICA
MÉXICO

Traducción de
MERCEDES PIZARRO

Primera edición, 1988

Título original:
A Provincial Response to the Mexican Revolution: State Sovereignty and Highland Caudillismo in Oaxaca 1910-1920

ISBN 968-16-2468-8

D.R.   1988, FONDO DE CULTURA ECONÓMICA, S.A. de C.V.
Av. de la Universidad, 975; 03100 México, D.F.

Impreso en México

UNA RESPUESTA DE LA PROVINCIA A LA REVOLUCIÓN MEXICANA: OAXACA 1910-1920

PARA JEANNETTE

RECONOCIMIENTOS

El presente estudio se inició como una tesis doctoral para la Universidad de Liverpool. La investigación obtuvo el financiamiento del Departamento de Educación y Ciencia de la Gran Bretaña de 1978 a 1981. El año académico de 1979 a 1980 se dedicó a investigar en los archivos de la ciudad de México y de Oaxaca. Yo desearía agradecer al personal de todas las bibliotecas y archivos en los que he trabajado, la ayuda que me prestaron: me siento particularmente agradecido con Alejandra Moreno Toscano, cuya intervención en mi favor me permitió tener acceso a los archivos de la Secretaria de la Defensa Nacional. Tengo una especial deuda de gratitud con John Fisher y Brian Hamnett por sus consejos y sus criticas, siempre constructivas, del manuscrito.

También desearía expresar mi agradecimiento a todos mis amigos y colegas en la Gran Bretaña y en México, quienes me prestaron ayuda y consejo desde la iniciación del proyecto: son demasiados para poder mencionarlos individualmente. Siempre estaré en deuda con mis padres por su constante generosidad y apoyo. Dedico la presente obra a Jeannette Mclellan, como una inadecuada muestra de mi aprecio y afecto.

PAUL GARNER

Londres, 1985.

INTRODUCCIÓN

Dos grandes tendencias han surgido en años recientes para predominar en la historiografía de la Revolución mexicana: el regionalismo y el revisionismo.[1] El regionalismo es difícilmente un concepto nuevo en el desarrollo de las ciencias sociales;[2] pero su particular significado con respecto a México lo demuestra la aseveración de Harry Bernstein de que "la historia de México es tanto un movimiento de progreso hacia la asimilación de las legítimas demandas y culturas de las diversas regiones en una armonía equilibrada, como la historia de la revolución y de los problemas laborales, agrarios, constitucionales y de la tierra".[3] También pueden ver los observadores del México contemporáneo que el desequilibrio regional persiste hasta en la actualidad en la planeación económica, en la representación política y en la inversión nacional.[4] Como resultado, en la última década una nueva generación de microhistoriadores, inspirada por el estudio de Luis González de su pueblo nativo de San José de Gracia, ha intentado revisar las anteriores suposiciones acerca de la naturaleza del desarrollo histórico de México desde una perspectiva regional o provincial.[5]

Este enfoque ha demostrado ser particularmente ilustrativo en cuanto a la Revolución de 1910. Los estudios regionales desde Chihuahua hasta Chiapas han suministrado una gran abundancia de detalles sobre la génesis y la exégesis de los conflictos políticos provinciales que brotaron durante la turbulenta década transcurrida de 1910 a 1920.[6] Se ha mostrado que los grupos que en toda la República se levantaron en armas para derrocar a la dictadura de Porfirio Díaz en

[1] Barry Carr, "Recent Regional Studies of the Mexican Revolution", *Latin American Research Review*, vol. XV, núm. 1. 1980, pp. 3-14; David C. Bailey, "Revisionism and the Recent Historiography of the Mexican Revolution", *Hispanic American Historical Review*, 58:1, 1978, pp. 62-79.
[2] Véase, por ejemplo, Joseph L. Love, "An Approach to Regionalism", en *New Approaches to Latin American History*, Richard Graham y Peter H. Smith, comps., University of Texas Press (1974); y Kevin R. Cox, "On the Utility and Definition of Regions in Comparative Political Sociology", en *Comparative Political Studies* vol. II, núm. 1, abril de 1969.
[3] Harry Bernstein, "Regionalism in the National History of Mexico", en Howard P. Cline comp., *Latin American History: Essays in Its Study and Teaching 1898-1965*, 2 vols, Austin., University of Texas Press, 1967, p. 389.
[4] Paul W. Drake, "Mexican Regionalism Reconsidered", en *Journal of Inter-American Studies and World Affairs*, vol. 12, núm. 3, julio de 1970, pp. 401-415.
[5] Luis González, *Pueblo en vilo: microhistoria de San José de Gracia* (1968); y también su *Invitación a la microhistoria* (1973); para un temprano reconocimiento de la importancia de una perspectiva regional, véase Ernest Gruening, *México and Its Heritage* (1928).
[6] Respecto a Chihuahua, véase William Beezley, *Insurgent Governor: Abraham González and the Mexican Revolution in Chihuahua* (1973); Michael Meyer, *Mexican Rebel: Pascual Orozco and the Mexican Revolution 1910-1915* (1967) y Mark Wasserman, "The Social Origins of the 1910 Revolution in Chihuahua", *Latin American Research Review*, vol. XV, núm. 1, 1980, pp. 17-38; respecto de Chiapas, Alicia Hernández Chávez, "La defensa de los finqueros en Chiapas 1914-1920", *Historia Mexicana* 28:3, 1979, pp. 335-369; en el caso de Durango, Paul Eiser-Viafora, "Durango and the Mexican Revolu-

1910 lo hicieron por muy diferentes razones y en ambientes socioeconómicos muy diversos: los campesinos despojados en Morelos, los hacendados de Coahuila, los rancheros en Chihuahua y Guerrero.[7]

La más significativa consecuencia de la caída de la dictadura de Díaz fue por lo tanto la desintegración de la autoridad central. En estas circunstancias, el poder político se alejaba del centro para caer en manos de los hombres fuertes regionales que eran capaces de manipular, movilizar y armar a un gran número de partidarios suyos. Los estudios regionales, en consecuencia, han identificado claramente el regreso del caudillo al centro del escenario político en México durante la Revolución.[8]

Interpretaciones recientes han visto la guerra civil que siguió al cisma en las filas revolucionarias en 1914 como una lucha por la hegemonía nacional entre dos tipos distintos de caudillismo: entre un modelo "clásico" y un modelo "revolucionario" o "modernista", de los cuales ambos actuaban dentro de un marco específico regional. El tipo de caudillismo que se desarrolló dentro de una determinada región estaba relacionado directamente con ese marco, y la diversidad regional de México explica las subcategorías de cada tipo. Así es como Pancho Villa en Chihuahua, Emiliano Zapata en Morelos y Saturnino Cedillo en San Luis Potosí, son representativos, cada uno a su manera, de los caudillos "clásicos". Álvaro Obregón en Sonora es un obvio ejemplo de caudillo "revolucionario". Cualquiera que fuese su antecedente, ambos grupos de caudillos manipulaban las formas de autoridad que existían o que se desarrollaban en sus respectivas regiones.[9]

De acuerdo con la tipología de Weber de la que Alan Knight es partidario, la diferencia esencial entre los caudillos rivales no era de clase sino de visión política, y, consecuentemente, de movilización política. Lo tradicional, carismático e informal de la autoridad de los caudillos clásicos perdió la batalla militar ante la autoridad burocrática, reformista y legalista de los caudillos revolucionarios, que vieron que su tarea era la reconstrucción del Estado nacional después de la pacificación. El caudillismo revolucionario se transformó en el moderno sistema de gobierno presidencial, que lleva aparejada la integración corporativa del sec-

tion", *New Mexico Historical Review* 49:3 1974, pp. 219-240; acerca de Sonora, Héctor Aguilar Camín, *La frontera nómada: Sonora y la Revolución Mexicana* (1977); en el caso de Yucatán, Gilbert Joseph, *Revolution from Without: Yucatán, México, and the United States 1880-1924* Esta tendencia ha sido alentada por el Instituto Nacional de Estudios Históricos de la Revolución Mexicana (INEHRM), que desde principios de la década de 1960 ha publicado cierto número de historias narrativas de los acontecimientos regionales en Durango (1963), San Luis Potosí (1964), Sonora (1964), Michoacán (1964), Colima (1973), Tabasco (1972) y Veracruz (1971).

[7] Sobre Morelos, véase John Womak, *Zapata and the Mexican Revolution* (1970); acerca de Coahuila, Douglas Richmond, "Factional Strife in Coahuila 1910 to 1920", *Hispanic American Historical Review* 60:1, 1980, pp. 49-68; respecto de Guerrero, Ian Jacobs, *Ranchero Revolt: The Mexican Revolution in Guerrero* (1981).

[8] Los estudios regionales recientes más estimulantes se podrán encontrar en Brading, comp., *Caudillo and Peasant in the Mexican Revolution* (1980), en particular las colaboraciones de Héctor Aguilar Camín (Sonora), Dudley Ankerson (San Luis Potosí), Gilbert Joseph (Yucatán), Heather Fowler Salamini (Veracruz), Raymond Buve (Tlaxcala) y Friedrich Katz (Chihuahua).

[9] Hans Werner Tobler, "Peasant Mobilization and the Revolution", en Brading comp., *op. cit.*, pp. 245-256.

tor campesino y el sector laboral y campesinos en el partido oficial del Estado. La autonomía regional, a la que se había dejado que floreciera en ausencia de una autoridad política central, se erosionó gradualmente por la creciente centralización durante las décadas que siguieron al brote de violencia de 1910. En este sentido la Revolución continuó el proceso de centralización iniciado en el porfiriato.[10] Tal como pretendo demostrarlo, estos temas tienen un significado particular en la historia de la Revolución en Oaxaca.

Resulta notable, no obstante, que el reciente entusiasmo por el regionalismo y el revisionismo haya dejado a Oaxaca relativamente incólume. Algunos estudios se han concentrado en la época colonial y principios del periodo nacional, pero el siglo XX ha quedado casi exclusivamente bajo el dominio de los historiadores de provincia, sobre todo de Jorge Fernando Iturribarría, Francisco Alfonso Ramírez y Jorge Tamayo.[11] Las excepciones son la biografía de Félix Díaz, de Peter Henderson, y la comparación que hace Ronald Waterbury de la participación revolucionaria de las comunidades campesinas en Oaxaca y Morelos.[12] El reconocimiento que hace Waterbury de que es ante todo un antropólogo y en segundo lugar un historiador, proporciona una clara indicación de la propensión a la antropología en los estudios de la Oaxaca contemporánea. El artículo de Waterbury indica igualmente la posible razón de la falta de atención histórica a Oaxaca en esa época: la ausencia de una rebelión campesina coordinada, dinámica (exótica, y por lo tanto de moda). Las particulares condiciones socioeconómicas que estimularon al zapatismo en Morelos estaban ausentes en Oaxaca. La continuidad en los sistemas de tenencia de la tierra, en el modo de producción agrícola y la supervivencia del pueblo libre como unidad demográfica y económica predominante aseguraban que no se desarrollara una revolución agrarista en Oaxaca. No obstante, hubo en Oaxaca un movimiento popular con abierta participación campesina durante la Revolución: el Movimiento de la Soberanía en Oaxaca (1915-1920).

La mayor preocupación del Movimiento de la Soberanía fue proteger la soberanía constitucional de Oaxaca dentro de la Federación, que se vio amenazada por la estrategia de Carranza de impulsar la centralización política entre 1915 y 1920. La organización militar estaba basada en la milicia del estado (Fuerzas

[10] Alan Knight, "Peasant and Caudillo in Revolutionary Mexico", en Brading comp., *op. cit.*, pp. 17-59.

[11] Jorge Fernando Iturribarría, *Oaxaca en la historia* (1955); Francisco Alfonso Ramírez, *Historia de la Revolución Mexicana en Oaxaca* (INEHRM, 1970); Jorge Tamayo, *Oaxaca en el siglo XX*, (1956); acerca de la época colonial, William B. Taylor, *Landlord and Peasant in Colonial Oaxaca* (1972); John K. Chance, *Race and Class in Colonial Oaxaca* (1978); Brian R. Hamnett, *Politics and Trade in Southern Mexico* (1750-1821) (1971); sobre el siglo XIX, Charles Berry, *The Reform in Oaxaca 1856-1876* (1981); Moisés González Navarro, "Indio y propiedad en Oaxaca", *Historia Mexicana* 8:2 1958, pp. 175-191; Frank S. Falcone, *Federal-State Relations During Mexico's Restored Republic: Oaxaca, A Case Study 1867-1872*. Tesis doctoral inédita (1974); T. G. Cassidy, *Haciendas and Pueblos in 19th Century Oaxaca*. Tesis inédita para optar al Doctorado en Filosofía, 1981.

[12] Peter V.N. Henderson, *Félix Díaz, the Porfirians, and the Mexican Revolution* (1981); e igualmente "Un gobierno maderista: Benito Juárez Maza y la Revolución en Oaxaca", *Historia Mexicana* 24:3 1975, pp. 372-389; Ronald Waterbury, "Non-Revolutionary Peasants; Oaxaca compared to Morelos in the Mexican Revolution", *Comparative Studies in Society and History* 17:4, 1975, pp. 410-442.

Defensoras del Estado) creadas en noviembre de 1914 para proteger al estado contra la violación de su soberanía territorial; consecuentemente, la esfera de las operaciones estaba estrictamente restringida a los límites geográficos del estado. Según me propongo demostrar, la resistencia que se manifiesta en el Movimiento de la Soberanía alcanzó el éxito sobre todo al impedir la implantación del carrancismo en Oaxaca con anterioridad a 1920.

La mayoría de los estudios publicados hasta ahora sobre el Movimiento de la Soberanía comparten la opinión de Waterbury de que el movimiento tenía un carácter "reaccionario".[13] Iturribarría califica a la defensa del principio de la soberanía del estado como "burdo sofisma político".[14] José Valadés ha afirmado que el Movimiento de la Soberanía "sólo pretendía el restablecimiento del orden porfirista".[15] Los jefes del Movimiento han sido objeto de críticas particularmente severas: eran "vampiros hipócritas, corruptos y tonsurados" (Odriózola), "reaccionarios tediosos y débiles" (Richmond), "antirrevolucionarios" (Tamayo) o simplemente ignorantes: "no entendieron la Revolución, en la cual no deseaban participar" (Waterbury).[16]

Los protagonistas del Movimiento de la Soberanía han contradicho estas acusaciones por medio de dudosos intentos de establecer una legitimidad revolucionaria. Onésimo González, secretario particular de Guillermo Meixueiro, caudillo serrano de Ixtlán y jefe de las Fuerzas Defensoras del Estado en Oaxaca de 1914 a 1919, ha pretendido que el Movimiento "buscaba las reivindicaciones sociales a través de la reforma de la ley", y destaca la alianza entre los soberanistas y Zapata. Gaspar Allende Avellanes, militante en el Partido Liberal de Flores Magón en 1906, y posteriormente general en las Fuerzas Defensoras del Estado, señala también las simpatías de muchos militantes soberanistas con el agrarismo de Zapata, y declara que "la denominación de felicista (es decir, partidario de Félix Díaz) al nacimiento de la soberanía de Oaxaca... fue tan equivocada como llamar bandidaje al movimiento agrarista jefaturado por el señor general Emiliano Zapata".[17] Para numerosos participantes, el hecho de que el pacto con Obregón en 1920 reconociera la legitimidad de los principios de la soberanía es una prueba suficiente y adecuada de que los propósitos del Movimiento estaban totalmente de acuerdo con la Revolución.[18]

La clasificación faccional o ideológica (ya sea "revolucionaria" o "reaccionaria") ha sido un perenne obstáculo en la historia de la Revolución, y en muchos casos parece que tan sólo hace confuso el asunto. En el cuerpo de este libro argu-

[13] Waterbury, *ibid.*, p. 440.

[14] Iturribarría, *op. cit.*, p. 345.

[15] José Valadés, *Historia general de la Revolución Mexicana,* vol. V, p. 270, citado por Ramírez, *op. cit.,* p. 196.

[16] Colección Odriózola (en el Colegio de México), documento 4; Douglas Richmond, *The First Chief and Revolutionary Mexico: The Presidency of Venustiano Carranza 1915-1920,* tesis para optar al Doctorado en Filosofía (1976), p. 196; Tamayo, p. 6; Waterbury, p. 433.

[17] González y Allende Avellanes citados por Ramírez, *op. cit.,* pp. 190-195.

[18] Leovigildo Vázquez Cruz, *La soberanía de Oaxaca en la Revolución* (1959), dice que en 1920 "todo se acabó con el triunfo de la Revolución en la actitud asumida por Oaxaca, y nuestro estado volvió al seno de la Federación", p. 560; el general Isaac Ibarra, *Memorias* (1975) declara que el pacto con Obregón reconoció "la justicia de nuestra causa", p. 268.

mentaré que la respuesta de Oaxaca a la invasión del constitucionalismo que se manifiesta en el Movimiento de la Soberanía estaba completamente de acuerdo con la naturaleza de la relación política entre Oaxaca y la Federación desde antes de la Revolución, y aun durante todo el siglo XIX. La base ideológica de esa relación era el federalismo, principio que defendieron *ambos* sectores de la élite liberal provincial: el conservador (los borlados) y el radical (los rojos); e igualmente por generaciones sucesivas de caudillos de la Sierra de Juárez, que levantaron la bandera de la soberanía a fin de defender su *status* económico y político creciente dentro del estado con posterioridad a 1870. Como consecuencia, en el contexto de la Revolución, el Movimiento de la Soberanía abarcó un amplio espectro de oposición provincial a la centralización política carrancista: la de quienes eran antirrevolucionarios (porque eran reaccionarios) y la de aquellos cuyo concepto de la Revolución era federalista (y decididamente anticentralista).

La primera parte de este libro se dedica principalmente a relatar la interacción entre la política nacional y provincial entre 1911 y 1915 que precipitó la Declaración de la Soberanía en junio de 1915. La segunda parte se dedica a hacer un análisis de los adversarios en el conflicto que se planteó entre el soberanismo y el constitucionalismo en Oaxaca entre 1915 y 1920, y a investigar las circunstancias que rodeaban a la reintegración de Oaxaca a la Federación en 1920. El Epílogo examina el destino tanto de los protagonistas como de los principios del Movimiento de la Soberanía.

Primera Parte

Los antecedentes de la soberanía.
1910-1915

El propósito general de esta primera parte es trazar un cuadro de los acontecimientos políticos ocurridos en Oaxaca entre 1910 y 1915, concentrándose en los conflictos cada vez más graves entre la administración estatal y el gobierno central, que culminaron en la determinación de separarse de la Federación en junio de 1915. El más amplio contexto nacional del conflicto es la serie de levantamientos políticos de 1911, 1913 y 1914: la Revolución de Madero, el golpe militar de Huerta y el triunfo de la coalición antihuertista (a lo cual siguió el cisma entre los convencionistas y los constitucionalistas). Dentro de Oaxaca, se destaca la progresiva debilitación de la autoridad política de la capital del estado en las zonas rurales con posterioridad a 1911, que presagiaba la reaparición del caudillismo regional.

El relato de los acontecimientos políticos contenido en los capítulos II, III y IV, va precedido de un capítulo introductorio acerca de la sociedad provincial y la economía en Oaxaca con anterioridad al brote de la Revolución de Madero en noviembre de 1910. Este capítulo procura aprovechar las principales conclusiones y las preocupaciones de la reciente investigación historiográfica a fin de poner de relieve la disparidad en el desarrollo particular y periférico de Oaxaca, especialmente en el siglo XIX.

CAPÍTULO PRIMERO

I. LA ECONOMÍA Y LA SOCIEDAD EN OAXACA EN VÍSPERAS DE LA REVOLUCIÓN

UNA DE las obras trascendentales en la tradición popular que ha descrito a México bajo el Porfiriato (1876-1911) como una sociedad semifeudal, que padecía la opresión y la injusticia a manos de una dictadura cruel y déspota, es *México bárbaro*, de John Kenneth Turner. Esta obra contiene relatos sensacionales y emotivos de las inhumanas condiciones de trabajo y de la penuria a que estaban sometidos los trabajadores contratados por las plantaciones de tabaco y henequén en la región del sur de México. Turner describe especialmente las plantaciones de tabaco en Valle Nacional, al noreste de Oaxaca, como

indudablemente la peor región esclavista de México. Probablemente es la peor del mundo... El dueño de esclavos de Valle Nacional ha descubierto que resulta más barato comprar un esclavo por 45 dólares y hacerlo trabajar y dejar que muera de hambre en siete meses, y luego erogar otros 45 dólares en un nuevo esclavo, que lo que sería dar al primer esclavo una mejor alimentación, hacerlo trabajar menos arduamente y distribuir su vida y sus horas de trabajo a lo largo de un mayor periodo de tiempo.[1]

La descripción de Turner indignó a las conciencias liberales en todo el mundo, y creó una tendencia hacia un análisis popular que expresó la etiología de la Revolución Mexicana por medio de una sencilla ecuación: miseria más opresión es igual a revolución.[2] Pero si bien sería un error poner en duda la veracidad de las informaciones periodísticas de Turner, su aseveración de que "condiciones similares a las de Valle Nacional son la regla en muchas zonas del país en tiempos de Díaz" no se debería sostener seriamente.[3] El sistema de peones enganchados que prevalecía en Valle Nacional no era representativo de las condiciones de trabajo en el resto de Oaxaca, y mucho menos de todo México; no existía un patrón uniforme en el desarrollo del sistema de peonaje en las zonas rurales de México durante el porfiriato.[4]

Como resultado de la investigación realizada en años recientes, la descripción revisada de México en la primera década del siglo XX es ahora la de una nación que tiene enormes disparidades regionales en su desarrollo industrial, agrícola,

---

[1] Turner, *México bárbaro*, pp. 54-67.

[2] La publicación del libro en Londres incitó una gran cantidad de correspondencia por parte de la Sociedad Antiesclavista, y una discusión parlamentaria en mayo de 1911, en la que solicitaba una comprobación: el secretario de Estado Sir Edward Grey replicó que, de conformidad con el cónsul de la Gran Bretaña en Mérida, la versión de Turner estaba "repleta de exageraciones"; Secretaría de Relaciones Exteriores; Informes Consulares (en lo sucesivo mencionados como FO), serie 371, volumen 1149, documentos 17538/13672/22580.

[3] Turner, *ibid.*

[4] Friedrich Katz, *La servidumbre agraria en México en la época porfiriana*, México, Sepsetentas, 1976, pp. 62-73.

social y político.[5] Esas disparidades en la tenencia de la tierra, en los sistemas de producción, en la estratificación social y en las condiciones de trabajo impiden hacer un análisis general del México rural sin una detallada investigación de las circunstancias socioeconómicas imperantes en cada región. En el caso de la explotación del trabajo, las mismas presiones sobre la tierra en diversas regiones produjeron resultados sumamente diferentes. La creciente demanda de productos agrícolas, en proporción con el desarrollo económico a fines del siglo XIX, promovió el sistema de peonaje por deudas o de un neoesclavismo en las plantaciones del sureste del país, en tanto que en el norte, como respuesta a las mismas presiones, se creó un sistema de trabajo asalariado debido a la competencia en la demanda de fuerza de trabajo disponible de los centros mineros e industriales en rápido crecimiento, tanto en los estados del norte de México como en el sur de los Estados Unidos.[6]

En el sureste, los factores que precipitaron la difusión del sistema de peonaje por deudas fueron el incremento en la demanda de productos tropicales (hule, café, tabaco, henequén y azúcar), la ampliación de la red ferroviaria que comunicaba a las plantaciones con el mercado nacional e internacional y la disponibilidad de un campesinado desposeído, no atado ya a la hacienda ni absorbido por el desarrollo industrial. Además, una fuerte administración centralizada tenía en su poder tanto la voluntad política como los agentes necesarios (el ejército federal y los rurales) para vigilar y mantener el sistema de la neoesclavitud. Ante el grado de explotación y represión tan gráficamente descritos por Turner, es tal vez sorprendente que las plantaciones no se hayan convertido en las principales células revolucionarias con posterioridad a 1910. Friedrich Katz afirma que no existe relación directa alguna entre el grado de explotación y la subsecuente participación en la Revolución, y cita como ejemplos los estados del sureste: Tabasco, Chiapas, Yucatán y Oaxaca. Ahí, según asegura, la combinación del aislamiento geográfico, la represión de la policía y las divisiones socioculturales entre los trabajadores por contrato (que eran una mezcla de deportados políticos, chinos, indígenas yaquis de Sonora y mayas de Yucatán), era suficientemente poderosa para impedir una rebelión importante.[7]

Si bien es correcto decir que esas regiones no provocaron movimientos revolucionarios dinámicos, hay evidencias de una actividad de rebeldía tanto antes como después de 1910.[8] La naturaleza de esas revueltas era en la mayoría de los casos una respuesta a agravios exclusivamente locales, no coordinados por una ideología de reforma social o por aspiraciones políticas nacionales. Tan sólo

[5] Véase la Introducción acerca de los recientes estudios de la Revolución.
[6] Katz, *ibid*; véase igualmente Paul Eiser-Viafora, ''Durango and the Mexican Revolution'', *New Mexico Historical Review*, 9:3 1974, pp. 219-240.
[7] Katz, *Servidumbre agraria, op. cit.*
[8] Acerca de Yucatán, véase Ramón Berzunza Pinto, ''Las vísperas yucatecas de la Revolución'', *Historia Mexicana*, vol. 6, 1956, pp. 75-88; Gilbert Joseph, ''Caciquismo and the Revolution, Carrillo Puerto in Yucatan'', en Brading (comp.), *Caudillo and Peasant in the Mexican Revolution* (1980) pp. 193-222. En lo referente a Tabasco, Véase Alfonso Taracena, *Historia de la Revolución en Tabasco*, Villahermosa, 1974, y Alan Kirshner, *Tomás Garrido y el movimiento de las Camisas Rojas*, México, Sepsetentas, 1976.

24

must be aligned settler

después de 1914 se desarrollaron (movimientos populares) con propósitos políticos específicos tanto en Oaxaca como en Chiapas, cuando los caciques locales lograron movilizar al campesinado indígena en una guerra de resistencia contra las ambiciones políticas de Venustiano Carranza. Los soberanistas de Oaxaca y los finqueros de Chiapas se mostraban igualmente tenaces en la defensa de sus intereses políticos y económicos, aun cuando sus designios políticos estaban limitados geográfica y psicológicamente por los respectivos límites del estado.[9]

Una investigación de las condiciones, socioeconómicas en Oaxaca en y con anterioridad a 1910 es por lo tanto esencial como antecedente de la violencia y de la manipulación política en el estado entre 1911 y 1914, y del resurgimiento de la soberanía en 1915; contribuirá a explicar la reacción de los diversos grupos de intereses ante la amenaza planteada por las insurrecciones revolucionarias en otras regiones del país.

LA SOCIEDAD PROVINCIAL EN 1910

La población total del estado en 1910, de acuerdo con el censo levantado en ese año, era de 1 040 398 habitantes (6.88% de la población total de México), con una densidad de población en promedio de 11.25 habitantes por kilómetro cuadrado[10]. (Véase el cuadro 1 donde consta el detalle de la distribución de la población en los 26 distritos administrativos y en las cabeceras.)

La capital del estado, Oaxaca de Juárez, tenía una población de 38 011 habitantes, o sea únicamente el 3.65% de la población total del estado, lo cual es una indicación de la naturaleza dispersa de los asentamientos, que ha sido una característica del panorama oaxaqueño. Tan sólo 17 poblados tenían una población de más de cuatro mil habitantes en 1910, y únicamente 3 tenían más de 10 mil (la capital del estado, Tehuantepec y Juchitán). El gran número de municipios es otro testimonio de cuán dispersa es la distribución de la población: en 1910 había un total de 463, con un reducido promedio de 2 247 habitantes por municipio, en comparación con el promedio nacional de 5 465. Un gran número de municipios de Oaxaca eran también pueblos. La supervivencia del pueblo como municipio se remonta a fines de la época colonial. Peter Gerhard ha indicado que después de la Independencia las legislaturas de cada estado, a las que correspondía formular las constituciones políticas de los estados individuales dentro de la Federación en 1823 y 1824, tuvieron que decidir cuáles de los pueblos y congregaciones en su jurisdicción obtendrían la condición y el título de

[9] Hay detalles acerca de la motivación y el destino de los finqueros en Alicia Hernández Chávez, ''La defensa de los finqueros en Chiapas 1914-1920'', *Historia Mexicana*, vol. XXVIII, núm. 3, 1979, pp. 335-369.

[10] Los datos que se mencionan en esta sección se tomaron de *División territorial de los Estados Unidos Mexicanos correspondiente al censo de 1910; estado de Oaxaca*, México, Secretaría de Agricultura y Fomento, 1918; *Estadísticas económicas del porfiriato: fuerza de trabajo y actividad económica por sectores*. El Colegio de México, 1965; *Estadísticas sociales del porfiriato 1877-1910*, México, Dirección General de Estadística, 1956; Cayetano Esteva, *Nociones Elementales de Geografía Histórica del Estado de Oaxaca*, Oaxaca, 1913.

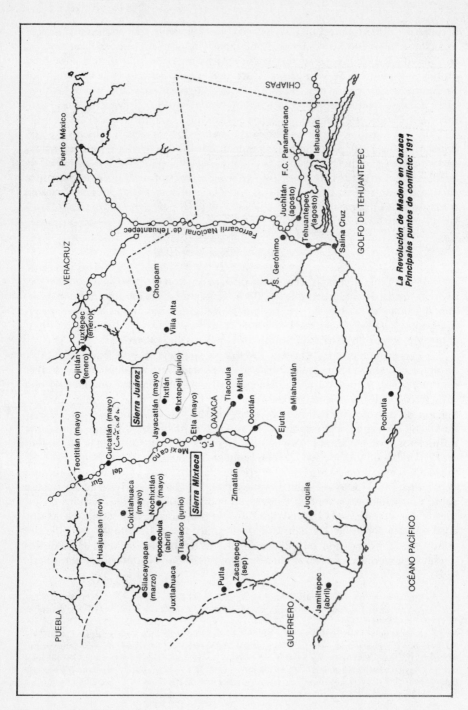

La Revolución de Madero en Oaxaca
Principales puntos de conflicto: 1911

municipios. En la mayoría de los estados se tomó esa decisión sobre la base de una distribución equitativa de la población. En Sinaloa, por ejemplo, se creó un municipio por cada tres mil habitantes, y en Jalisco, por cada seis mil. Oaxaca, no obstante, constituyó una excepción y a casi todos los pueblos se les dio su ayuntamiento.[11]

El aislamiento geográfico de esos asentamientos dispersos es uno de los factores que han contribuido a la supervivencia de gran número de pueblos indígenas que han conservado su idioma y sus costumbres a través de los siglos. Borah y Cook estimaron que la población del Valle de Oaxaca en vísperas de la conquista era de 1 741 721 habitantes, y aunque ese cálculo ha sido puesto en duda por investigaciones subsecuentes, de todas maneras ilustra la fuerza de la presencia indígena en la región.[12]

Las estadísticas de que se dispone para el Porfiriato dividen la población de México en las categorías de blancos, mestizos, indios y negros. De acuerdo con esta división, la composición racial de Oaxaca en 1878 era de 2% de blancos, 18% de mestizos y 77% de indígenas (las cifras correspondientes a todo México son 6%, 35% y 59%, respectivamente). La población negra de Oaxaca en 1878 era de 3%, la cual ya había declinado a 1.25% para 1890. La estimación de 1878 proporciona igualmente una indicación de la distribución regional de la población indígena: 97% en Tehuantepec, 95% en Villa Alta, 94% en Miahuatlán, 92% en Choapan y 90% de la población de Ocotlán y Nochixtlán, lo cual contrasta con sólo 50% de la población del Distrito del Centro, en donde el 9% de los habitantes eran blancos (la más alta proporción en el estado).

Las cifras en cuanto a la división lingüística en Oaxaca en 1910 muestran que, en tanto que en todo México el 86% hablaba castellano, sólo el 51% lo hablaba en Oaxaca; correspondientemente, el 13% hablaba idiomas indígenas en México en tanto que la cifra correspondiente a Oaxaca era de 49%. La comparación entre el censo de 1910 y los datos disponibles de 1898 sugiere que la proporción de la población indígena que hablaba exclusivamente un idioma nativo había declinado espectacularmente. Este fenómeno se puede observar en todo el estado, con los cambios más espectaculares registrados en el distrito de Etla, en donde el 83% de la población hablaba idiomas indígenas en 1898, pero sólo el 15% en 1910. (En el distrito del centro las cifras son 51% en 1898 y 13% en 1910.) La inexactitud de las cifras, no obstante, impide cualquier intento de interpretar estos datos como una medida fidedigna de asimilación cultural.[13]

La ausencia de entrecruzamiento de razas entre los oaxaqueños se confirma

[11] Moisés González Navarro, "Indio y propiedad en Oaxaca", *Historia Mexicana*, 8:2 1968, pp. 175-191, p. 178; Peter Gerhard, "La evolución del pueblo rural mexicano", *Historia Mexicana*, 24, 1975, pp. 566-578.

[12] Woodrow Borah y Sherbourne F. Cook, "The Aboriginal Population of Central Mexico on the Eve of the Spanish Conquest", *Ibero-Americana*, núm. 45, 1963, puesto en duda por Joseph Whitecotton (*The Valley of Oaxaca at Spanish Contact: an Ethnohistorical Study*, tesis para obtener el Doctorado en Filosofía, Universidad de Illinois, 1968), quien igualmente cuestiona la suposición de que las sociedades mixtecas y zapotecas de la región del Valle eran tan complejas y estaban tan desarrolladas como la de la sociedad mexicana de la Altiplanicie Central; véase el capítulo vi, "Asentamientos y población", pp. 103-140.

[13] González Navarro, *op. cit.*, pp. 176-178.

28

CUADRO 1 *Población en Oaxaca en 1919 por Distritos y Cabeceras*

Distrito	Superficie en Kms. Cuadrados	Población Total	Habitantes por Km. Cuadrado	Cabecera	Población Total	Altura sobre el nivel del mar
Centro	923	73 419	79.5	Oaxaca de Juárez	38 011	1 538
Cuicatlán	2 025	26 494	13.1	Cuicatlán	2 193	612
Coixtlahuaca	1 018	18 650	18.3	Coixtlahuaca	3 025	2 131
Choapan	4 533	14 283	3.2	Choapan	735	
Etla	1 999	36 059	18.0	Etla	824	1 630
Ejutla	1 485	26 735	18.0	Ejutla	3 733	1 477
Huajuapan	4 362	55 094	12.6	Huajuapan de León	4 549	1 550
Ixtlán de Juárez	2 555	32 224	12.6	Ixtlán de Juárez	1 090	2 040
Juchitán	11 133	64 652	5.8	Juchitán	13 891	20.4
Jamiltepec	4 097	46 524	11.4	Jamiltepec	2 655	240
Juquila	5 660	25 659	4.5	Juquila Sta. Catarina	1 751	1 453
Miahuatlán	4 225	46 473	11.0	Miahuatlán	5 178	1 620
Nochixtlán	4 262	43 004	10.1	Nochixtlán	3 088	1 958
Ocotlán	1 028	39 648	38.6	Ocotlán	3 426	1 550
Putla	4 198	30 754	7.3	Putla	3 385	750
Pochutla	4 569	27 666	6.1	Pochutla	2 404	163
Silacayoapan	2 430	32 922	13.5	Silacayoapan	2 744	1 750
Tlaxiaco	2 301	68 866	29.9	Tlaxiaco	7 847	1 927.5
Tuxtepec	5 073	48 325	9.5	Tuxtepec	3 439	80
Tehuantepec	6 153	44 699	7.3	Tehuantepec	11 013	37.8
Tlacolula	2 140	43 979	20.6	Tlacolula de Matamoros	4 934	1 610
Teotitlán del Camino	2 316	40 282	17.4	Teotitlán del Camino	2 239	1 099
Teposcolula	1 698	31 936	18.8	Teposcolula	2 213	2 075.8
Villa Alta	3 276	43 044	13.1	Villa Alta S. Ildefonso	605	1 138
Yautepec	6 243	27 100	4.3	Yautepec San Carlos	470	
Zimatlán	2 741	51 910	18.9	Zimatlán de Álvarez	5 108	1 500

FUENTE: Censo de 1910: División Territorial del estado de Oaxaca, Secretaría de Agricultura y Fomento, 1918.

por las estadísticas de que se dispone respecto de la emigración y de la inmigración. En 1910 se calculaba que los inmigrantes constituían únicamente el 1.76% de la población del estado (la cifra comparativa para todo México era de 7.83%) en tanto que el número de los que emigraban se estimaba en 2.24%. La imagen de un México, en la época de don Porfirio, invadido por extranjeros es difícilmente cierta en el caso de Oaxaca. El censo de 1910 indica una población extranjera total de 2 026 individuos, solamente 1.11 por cada mil habitantes, aunque de todas maneras representa un aumento considerable respecto de la cifra de 869 en 1900. Los grupos más numerosos de extranjeros eran el de la fuerte comunidad española con 530 individuos, unos 499 norteamericanos, 262 chinos, 150 cubanos, 128 ingleses y 82 alemanes. Existen pocas dudas, sin embargo, de que los extranjeros formaran una élite privilegiada en la sociedad oaxaqueña.[14] A pesar de lo anterior, fueron pocos los individuos que resultaron perjudicados por la perturbación inicial de intranquilidad social que desataron los acontecimientos de 1911 y 1912. No existen ejemplos en Oaxaca de los excesos que sufrieron las comunidades españolas en Puebla y Morelos y las de chinos en Torreón.[15]

Exactamente menos de la mitad de la población tenía una edad inferior a 15 años en 1910, en un momento en que el promedio de expectativa de vida era de únicamente 29 años. (Las estadísticas mencionan frecuentes epidemias de paludismo, tosferina, viruela, disentería, tifoidea y fiebre amarilla; entre 1897 y 1903 fallecieron 31 mil oaxaqueños únicamente de viruela.) Tan sólo el 9.4% de la población sabía leer y escribir, lo que contrasta con el promedio nacional de 14.39%; es difícil que esta cifra sorprenda dado el hecho de que menos del 5% de la población del estado recibía educación formal en 1910. En un total de 594 escuelas primarias (con una distribución en promedio de una escuela por cada mil kilómetros cuadrados), 30 087 alumnos estaban inscritos oficialmente, el 80% de los cuales eran varones, y un 83% tenía una edad de 6 a 12 años. Solamente había una escuela secundaria en Oaxaca en 1910, en la cual estaban inscritos 223 estudiantes; 86 lo estaban en las dos escuelas normales superiores del estado. Los observadores contemporáneos se lamentaba de lo inadecuado del sistema educativo del estado, que dejaba que el clero suministrara la educación elemental en numerosas zonas rurales.[16]

El centro más prestigiado del sistema educativo de Oaxaca seguía siendo el Instituto de Ciencias y Artes del estado, fundado en 1826, en donde los que aspiraban a ejercer una profesión en la élite de provincia podían empaparse en la educación liberal que con anterioridad disfrutaron los más ilustres alumnos del Instituto: Benito Juárez y Porfirio Díaz. En 1910, 292 aspirantes al título de licenciado se encontraban estudiando para obtener un título profesional en

[14] El 40% de los españoles en Oaxaca se dedicaban a "actividades comerciales" (*Estadísticas sociales, op. cit*). Las comunidades inglesa y alemana tenían considerables intereses en diversas empresas mineras y comerciales, FO 371 1148 f 21858. El destino de los empresarios extranjeros en Oaxaca durante la Revolución se examina en el capítulo vi.

[15] En los informes consulares británicos de 1911 se hicieron frecuentes referencias a los malos tratos y abusos de las comunidades y de los individuos extranjeros, FO 371 1146/1150.

[16] Esteva, *op. cit.*, p. 10.

jurisprudencia, medicina, obstetricia, comercio, ciencias telegráficas y farmacia. La posición profesional confería ventajas tanto sociales como políticas: la licenciatura en jurisprudencia era prácticamente un requisito previo para obtener un cargo político en Oaxaca durante todo el siglo xIX. No obstante, la distribución de profesionistas en la población total del estado en 1910 estaba por debajo del promedio nacional, aun respecto de la milicia y el sacerdocio, los pilares gemelos de la sociedad oaxaqueña posterior a la Colonia.[17] Las estadísticas sugieren que la reestructuración fundamental en la jerarquía social con posterioridad a la Colonia fue bastante reducida en el curso del siglo xIX. Los militares continuaban desempeñando un papel prominente en la vida nacional y provincial, y parece que la Iglesia seguía siendo el denominador común de todos los sectores de la sociedad oaxaqueña. El censo de 1910 consignaba que el 99.6% de los oaxaqueños eran católicos romanos. Un total de 1 340 iglesias estaban distribuidas en todo el estado, con un promedio de 774 fieles por iglesia, en comparación con el promedio nacional de 1 211. Esto implica que la Iglesia o bien había logrado resistir o se había recuperado de los efectos del anticlericalismo liberal de mediados del siglo xIX. Sin embargo, una investigación reciente ha indicado que, contra la creencia popular, el poder social y político y sobre todo el poder económico de la Iglesia, se había socavado seriamente por la venta de los bienes eclesiásticos por medio de la aplicación de las Leyes de Reforma entre 1856 y 1876.[18] Se ha demostrado que los bienes de la Iglesia con anterioridad a la Reforma se habían concentrado principalmente en el valle central, en donde aproximadamente una cuarta parte de la propiedad rural y casi tres cuartas partes de la urbana en la ciudad de Oaxaca eran propiedad de las instituciones religiosas. No solamente se vio la Iglesia desposeída de sus bienes durante la segunda mitad del siglo sino que también perdió su papel financiero como la principal fuente de crédito a largo plazo como resultado de la transferencia de las hipotecas a la nación de conformidad con las disposiciones de la Ley de Nacionalización de 1859, papel que era particularmente importante en Oaxaca puesto que el reducido rendimiento en general de los negocios comerciales y agrícolas en el estado había determinado consistentemente un alto grado de endeudamiento entre los deudores hipotecarios.[19]

[17] La distribución comparativa de las profesiones en Oaxaca y México 1900-1910 se suministra como sigue: (coeficiente 1/10 000)

	Sacerdotes católicos	Profesores	Doctores	Abogados	Militares
México 1900	2.97	11.44	1.93	2.68	28.56
1910	3.03	13.86	1.99	2.61	24.22
Oaxaca 1900	1.92	5.12	0.44	0.92	25.92
1910	2.31	6.26	0.57	1.11	16.92

FUENTE: Estadísticas sociales, 1956.

[18] Charles Berry. The Reform in Oaxaca 1856-1876, Nebraska, 1981.

[19] T.G. Cassidy, Haciendas and Pueblos in 19th Century Oaxaca, tesis inédita para obtener el Doctorado en Filosofía, Cambridge, 1981, p. 78. Las pruebas del poder y de la influencia de la Iglesia en las regiones remotas de fuera de los valles centrales son menos notorias. El hecho de que 6 de

Parece, por tanto, que la experiencia de Oaxaca durante las últimas décadas del siglo XIX difiere sustancialmente de la de otros estados (Jalisco y Michoacán, por ejemplo), en donde la Iglesia logró una regeneración espiritual y administrativa durante el Porfiriato —la reforma y la reorganización internas, una preparación más adecuada del clero y la fundación de nuevas diócesis— que hicieron posible que los fieles resistieran los ataques anticlericales de la administración de Calles entre 1926 y 1929. Ciertamente no se ve que Oaxaca se haya destacado de manera prominente en la rebelión cristera.[20]

La reducida cantidad de datos estadísticos e históricos disponibles hasta ahora con respecto al siglo XIX confirma la reputación de Oaxaca como una sociedad provinciana, retrasada y resistente al cambio, una sociedad con bajos niveles de alfabetización, de expectativas de vida, de densidad de población, y con alto grado de influencia étnica. Para entender de manera más completa el proceso de cambios sociales (o más bien, la ausencia de cambios) en Oaxaca, debemos dirigir nuestra atención hacia los sistemas de tenencia de la tierra y de explotación del trabajo dentro del estado.

LA TIERRA

Las características fundamentales del México rural han sido descritas sucintamente como un "caciquismo político, un decreciente aislamiento, una superestructura social pluralista y una constante lucha por la tierra".[21] La proliferación de estudios que tienen como tema central un análisis de las sociedades agrarias regionales es testimonio de la importancia y complejidad del tema. Recientes contribuciones a la historia agraria del siglo XIX sugieren un patrón fundamental aunque variable de continuos ataques contra los sistemas tradicionales de tenencia de la tierra en el México rural por parte de las administraciones liberales de la época. El liberalismo, se ha afirmado, no era otra cosa que una

los 14 monasterios construidos fuera de los valles centrales durante la época colonial fuesen abandonados con anterioridad a la Reforma se utiliza para demostrar la debilidad de la Iglesia en la Oaxaca rural. (Berry, 1981, p. 171). Berry comprueba que de las 10 haciendas que eran propiedad de instituciones eclesiásticas, 7 habían sido enajenadas antes de que finalizara el año de 1856. La posición social del sacerdote en las zonas rurales es imprecisa. Berry sostiene que la Iglesia en la Oaxaca rural conservaba "una residual influencia social... sumamente atenuada por costumbres y prácticas sincréticas" entre las comunidades indígenas (p. 194). Sin embargo, en los pueblos zapotecas de la Sierra de Juárez, las instituciones religiosas de la mayordomía y de la cofradía desempeñaban todavía un importante papel social y funcional en la vida de esas comunidades después de bien entrado el siglo XX (Kate Young, *The Social Setting of Migration: Factors Affecting Migration from a Sierra Zapotec Village in Oaxaca, Mexico,* Tesis para obtener el Doctorado en Filosofía, Londres, 1976) —si esas instituciones representaban el poder "oficial" de la Iglesia o tan sólo el mantenimiento de las costumbres locales queda abierto a discusión. Es cierto, sin embargo, que en ciertas regiones del México rural la autoridad del cura de la localidad preponderaba sobre la de las autoridades seculares a través de todo el siglo XIX. (Véase, por ejemplo, Luis González, *Pueblo en vilo* (1968) donde se trata el caso de San José de Gracia, en Michoacán.)

[20] Jean Meyer, *The Cristero Rebellion,* Cambridge, 1976, pp. 1-16. En cuanto al efecto del anticlericalismo carrancista en Oaxaca entre 1915 y 1920, véase el capítulo VI.

[21] Francisco Gómez Jara, *El movimiento campesino en México,* Editorial Campesina, 1970, p. 1.

manifestación de los intereses egoístas de las clases comerciantes y propietarias de tierras; los liberales mexicanos demostraron que tenían una deficiente comprensión del campesino y, al tratar de implantar una política que desorganizaba la vida tradicional de las comunidades indígenas, acentuaron el enajenamiento y la miseria en el campo.[22]

Los fenómenos históricos generalizados que se pueden observar en el México rural del siglo XIX se ven así como una destrucción progresiva de los sistemas existentes de producción agrícola por medio de la enajenación de las tierras de los pueblos y la comercialización de las relaciones entre el terrateniente y el campesino y entre la ciudad y el campo, caracterizada por la concentración de la tierra en las haciendas en rápido crecimiento. De acuerdo con esta interpretación, el proceso se inició con anterioridad a la Reforma, quedó legalizado por la Reforma y se generalizó durante el porfiriato; de ahí que los cambios en la tenencia de la tierra fueran la fuente de los conflictos agrarios que han caracterizado la historia del México rural.[23]

Se ha sugerido que la continuidad en la expansión de la propiedad privada a expensas de las tierras comunales tuvo su origen en 1427, cuando la victoriosa triple alianza de Texcoco, Tenochtitlan y Tlacopan distribuyó las tierras de la derrotada Atzcapozalco entre los guerreros individuales.[24] Pocos observadores, no obstante, negarían que ese proceso se exageró al máximo entre 1876 y 1910; en ciertas regiones la desaparición de las tierras comunales era casi total: pero ¿podemos suponer automáticamente que las consecuencias de la concentración de la tierra y de la comercialización de la agricultura fueron uniformes en todo el país? ¿La ampliación de la hacienda significó un incremento en el número de los trabajadores residentes (acasillados), o un incremento en el sistema de trabajos forzados o de peones endeudados, fenómenos ambos que se han observado en el México del siglo XIX?[25]

Parecería que los factores variables regionales, ecológicos, demográficos, topográficos y socioeconómicos impiden realizar un análisis general. La calidad y el tipo de la tierra determinarían obviamente el sistema de producción, con la tendencia de cultivar las tierras de mejor calidad directamente y de dar en aparcería las de inferior calidad. Otros factores decisivos incluyen la proximidad de los mercados y la disponibilidad de una fuerza de trabajo estacional (determinada en numerosos casos por la cantidad de tierras comunales disponibles para el pueblo: en los pueblos en los que eran escasas las tierras comunales no había otra alternativa que la de conseguir trabajo en las haciendas vecinas).

Decisiones políticas como la abolición del sistema de los repartimientos y la aplicación de las leyes de desamortización tenían inevitables y profundas repercusiones en la estructura social y económica del México rural, pero esas repercu-

---

[22] Niblo y Perry, "Recent Additions to 19th Century Mexican Historiography", *Latin American Research Review,* vol. XIII, núm. 3, 1978, pp. 3-45.

[23] Niblo y Perry, *ibid:* "La revolución en el campo durante el porfiriato es producto de la modernización"; Jean Meyer, *Problemas campesinos y revueltas agrarias 1821-1910,* México, Sepsetentas, 1973, p. 230.

[24] Katz, *op. cit.,* pp. 62-73.

[25] *Ibidem.*

siones no se ajustaban a un patrón fijo. La expropiación de las tierras comunales tuvo como consecuencia la abundancia de mano de obra estacional barata y el incremento en el número de aparceros o arrendatarios de las tierras que el propietario no consideraba adecuadas para el cultivo directo.[26]

En el debate sobre la etiología del conflicto agrario en México es por tanto necesario ampliar los parámetros analíticos cuanto sea posible. No existe un mejor ejemplo que el caso de Oaxaca. McBride señala que en 1910 el 99.8% de los jefes de familia en Oaxaca no tenía propiedad individual alguna; McBride estaba impaciente por promover una descripción del retraso rural y de las evidentes desigualdades de la distribución de la tierra en el estado, pero en su breve resumen, casi sin advertirlo, agrega por vía de explicación que "las condiciones en Oaxaca fueron menos graves que en otros estados por el hecho de que muchos de los pueblos conservaron sus tierras comunales".[27]

Esto ha quedado comprobado por las investigaciones de Taylor, Hamnett, Berry y Cassidy, quienes han mostrado que la naturaleza de la tenencia de la tierra y la explotación del trabajo en Oaxaca durante la época colonial y la posterior a la Independencia constituyen una notoria excepción con respecto al resto del país. Taylor argumenta que las enormes, vinculadas y semindependientes haciendas del norte de México, que incesantemente invadían las pequeñas parcelas de los campesinos indígenas, no constituyen un ejemplo del sistema de tenencia de la tierra en la Oaxaca colonial.[28] El sistema de la hacienda que se desarrolló en otras regiones de México no siguió el mismo patrón en Oaxaca debido a la tenaz defensa de la tierra y a la independencia frente a los terratenientes españoles de los pueblos del valle central, por medio de una combinación de litigios y de aplicación de la fuerza. A fines de la época colonial la nobleza hereditaria indígena era el grupo social más rico. Las propiedades indígenas se fragmentaban con frecuencia pero seguían siendo estables en su mayoría, lo cual alentaba una sensación de autonomía y de independencia que era notoria en las frecuentes rivalidades entre los caciques por disputas acerca de tierras, y que contribuyó a los tenaces pleitos y divisiones entre las comunidades indígenas.[29]

Esta tenacidad por parte de los pueblos indígenas en la defensa de sus tierras no se puede explicar por la unidad política con anterioridad a la Conquista.[30] La debilidad misma de la organización política por arriba del nivel de la comuni-

---

[26] La opinión que se tenía anteriormente de la hacienda mexicana en el siglo XIX como un enclave feudal o semifeudal, cultivado por una fuerza de trabajo residente y uniformemente oprimida, ajena a las fluctuaciones del mercado, ha sido desmentida con éxito por un gran número de estudios regionales que han demostrado que la hacienda era una operación totalmente comercial (aunque no siempre rentable), consciente y atenta a las oportunidades que le presentaban los mercados regionales, nacionales e internacionales. Por ejemplo: Jan Bazant, *Cinco haciendas mexicanas: tres siglos de vida rural en San Luis Potosí (1600-1910)*, 1975; S. Miller, "Social Dislocation and Bourgeois Production on the Mexican Hacienda: Querétaro and Jalisco", en *Bulletin of Latin American Research*, vol. 2, núm. 1, 1982, pp. 67-81. Este es en la actualidad un tema de investigación muy común y fructífero.

[27] George McBride, *The Land Systems of Mexico*, Nueva York, 1923, p. 146.

[28] William B. Taylor, *Landlord and Peasant in Colonial Oaxaca*, 1972, p. 196.

[29] Taylor, *ibid*.

[30] J. Whitecotton, "Estamento y clase en el valle de Oaxaca durante el periodo colonial", *América indígena*, 30, 1970, pp. 375-386.

dad facilitó el apoderamiento incruento, puesto que los españoles no tuvieron que destruir una compleja maquinaria política para imponer su administración colonial.[31]

El inicialmente reducido número de colonizadores españoles trajo consigo el problema de la expedición de confirmaciones reales de las posesiones indígenas *de facto*, que fueron agresivamente defendidas durante toda la ocupación colonial del Valle. De hecho, los cacicazgos (o sea las fincas de un cacique) constituían dos tercios de las tierras agrícolas del Valle de Oaxaca durante los últimos cien años del gobierno español.

Sería erróneo, sin embargo, suponer que el poder económico tenía exclusivamente como base la tenencia de la tierra. Para citar a Taylor:

> Los terratenientes españoles... eran numerosos y en general no eran ricos. Los que desempeñaban cargos políticos y los comerciantes, más bien que los hacendados, constituían la clase más rica en Antequera.[32]

Esta observación tiene tremendas repercusiones en la historia de Oaxaca tanto colonial como posterior a la Colonia, al demostrar la decidida importancia de la explotación del trabajo de los indios sobre la explotación directa de la tierra. Brian Hamnett ha investigado las complejas relaciones políticas y comerciales entre el Consulado de México, los alcaldes mayores y los comerciantes "aviadores" en el manejo del lucrativo comercio de la cochinilla, por medio de la ilícita intervención del sistema de repartimientos durante la época colonial.[33] La fianza que debía constituir el alcalde mayor en favor de la Corona (como un anticipo de garantía por el ingreso) era constituida normalmente por un comerciante rico de la ciudad de México, quien utilizaba con frecuencia a un comerciante de la ciudad de Oaxaca (Antequera) como intermediario. El alcalde mayor manipulaba entonces el sistema de repartimiento a fin de conferir al comerciante un monopolio del abastecimiento de mercancías suministrado por el poco costoso trabajo de los indios, en directa contravención de las Leyes de Indias. Este arreglo mutuamente benéfico constituyó un obstáculo para realizar el intento de la Corona española de imponer su autoridad en el gobierno y en el comercio de la región. Las ganancias eran considerables ya que el comercio de la cochinilla en Oaxaca alcanzó un grado de utilidades en el comercio de exportación de la Nueva España que sólo era inferior al de la plata.[34]

Las ramificaciones para la tenencia de la tierra en Oaxaca son evidentes; era

[31] Igualmente se ha sugerido que la rápida aculturación y conversión de los zapotecas al cristianismo fue una medida política para obtener la buena voluntad de los colonizadores españoles en relación con los rivales mixtecas; Jorge Iturribarría, "Oaxaca antes, en y después de la Independencia", *Humanitas* 15, 1974, pp. 529-543.

[32] Taylor, p. 201.

[33] Brian Hamnett, *Politics and Trade in Southern Mexico 1750-1821*, Cambridge, 1971.

[34] Hamnett, *ibid.* Las prácticas monopolistas han continuado hasta el presente; en un importante pueblo de tejedores, una familia ha conservado el monopolio de la producción haciendo préstamos sin intereses a los productores, a cambio de adquirir el producto a un precio más bajo que el que los artesanos recibirían de los compradores alternativos; Ralph Beals, *The Peasant Marketing System of Oaxaca, Mexico,* University of California Press, 1975, p. 268.

contraria a los intereses del más poderoso grupo político y económico de despojar de sus tierras a las comunidades indígenas: los frutos de su trabajo, no sus tierras, eran el más envidiado premio, y consecuentemente había una reducida especulación o inversión de capital en las tierras o en la comercialización de la agricultura, tendencia que persistió durante todo el siglo XIX. El desarrollo tecnológico y la expansión comercial en las haciendas azucareras del Marquesado del Valle en Morelos contrasta con la ausencia de desarrollo en la tenencia de tierras del Marquesado en Oaxaca.[35]

Estamos por tanto frente a un perfil de desarrollo agrícola de mediados del siglo XIX en Oaxaca que destaca la naturaleza tradicional y autárquica de los sistemas de producción. Esta era ciertamente la forma en que el México rural era visto por los políticos contemporáneos que apoyaban la filosofía del liberalismo, que era el credo político dominante en la época posterior a la Independencia.[36] Pero, ¿hasta qué punto fue fructuosa la política agraria liberal en Oaxaca? "El agrarismo liberal se propuso rehacer la vida del campo".[37] Tenía el propósito de atraer capital extranjero, obtener nuevas cosechas y una tecnología moderna; abolir las alcabalas; poblar y cultivar tierras no utilizadas o subutilizadas con el trabajo de los nativos y de los inmigrantes; construir ferrocarriles, canales y líneas telegráficas; hacer una estimación del valor y vender tierras no cultivadas, desamortizar bienes de las corporaciones y fraccionar los latifundios para repartirlos entre los pequeños propietarios; combatir el bandolerismo y, por último, pero no menos importante, educar y secularizar al campesinado indígena.[38]

Si bien el éxito político de los liberales ha sido reconocido,[39] también ha sido ampliamente aceptado que sus ambiciosas políticas agrarias dejaron de producir un cambio fundamental en la estructura básica de la propiedad de la tierra:

La política de baldíos no favoreció a los indígenas, que nunca se enteraban de las leyes hechas a su favor. Tampoco produjo pequeños propietarios: pero sí benefició a los grandes latifundistas...

El fracaso no se debió a mala fe o ineptitud de parte de los legisladores liberales, sino más bien a la formidable oposición del clero, del ejército, de los terratenientes, a la invasión napoleónica, a la división política dentro del Partido Liberal, a la apatía de los pueblos y a una carencia crónica de financiamiento.[40] Charles Berry, no obstante, en el estudio de caso del Distrito Central de Oaxaca durante la época de la Reforma, pone a debate esa estimación familiar del fracaso del agrarismo liberal.[41] En tanto que destaca el efecto aniquilador de la

[35] Ward Barret, *The Sugar Hacienda of the Marqués del Valle*, University of Minnesota Press, 1970.
[36] D.A. Brading, "Creole Nationalism and Mexican Liberalism", *Journal of Inter-American Studies and World Affairs* 15, núm. 2, mayo de 1973, pp. 139-191.
[37] Luis González y González, "El agrarismo liberal", *Historia Mexicana*, VII, 1958, pp. 469-492.
[38] González, *ibid.*
[39] Brading, "Mexican Liberalism", *op. cit.*
[40] González, "El agrarismo liberal", p. 485.
[41] "The Fact and Fiction of Reform: The Case of the Central District Of Oaxaca (1856-1867)", *The Americas* 26:3 de enero de 1970, pp. 277-290; y *The Reform in the Central District of Oaxaca*, tesis para obtener el Doctorado en Filosofía, Universidad de Texas, 1967.

década de la Guerra Civil (1857-1867) en la economía local y en la maquinaria del gobierno local, llega a la conclusión de que, en el Distrito del Centro por lo menos, no se realizó ninguna especulación con las propiedades desamortizadas; que las comunidades indígenas voluntariamente vendieron sus tierras; que la riqueza de la Iglesia no se concentraba en las grandes fincas rurales sino que era principalmente urbana, y que las propiedades no se vendían de preferencia a los políticos y comandantes militares "corruptos", ya que la mayoría de los compradores no pertenecían a la "clase acomodada". Así pues, por lo menos en el Distrito del Centro adyacente a la ciudad de Oaxaca, se cumplió el programa liberal de vender bienes de las corporaciones y crear pequeñas propiedades privadas.[42]

Berry ahora ha ampliado su estudio original de la Reforma en Oaxaca para incluir datos de fuera del Distrito del Centro. Sus descubrimientos, sin embargo, son menos concluyentes. Acepta que

los esfuerzos de los liberales por convertir las tierras comunales en propiedades privadas encontraron resistencia en ciertas regiones, éxito parcial en otras, y éxito total en otras más, encontrándose el grado de realización en proporción directa con la proximidad de las comunidades indígenas al asiento del control liberal.[43]

Este análisis parece suscitar más cuestiones que las que resuelve, y recalca la necesidad de realizar más investigaciones a este respecto: ¿cuál fue, por ejemplo, el efecto de las Leyes de Reforma en las diversas regiones geopolíticas que constituyen el estado de Oaxaca: el Istmo de Tehuantepec, el Valle del Centro, la costa del Pacífico, la Mixteca y la Sierra de Juárez? Una investigación reciente de la economía rural y de las relaciones entre la hacienda y los pueblos en Oaxaca en el siglo XIX ha demostrado claramente que con anterioridad a la Revolución sólo habían ocurrido cambios insignificantes en la tenencia de la tierra o en la producción agrícola en todo el estado.[44] Esto no quiere decir que la tierra no cambiara de manos con frecuencia; por el contrario, hubo un rápido cambio en la propiedad de las haciendas y un activo mercado de pequeñas propiedades particulares, que fue el resultado de las reducidas ganancias y del frecuente endeudamiento, y no una consecuencia de la especulación ni de la búsqueda de utilidades. La única región de Oaxaca en donde la especulación y las inversiones de capital habían determinado un incremento espectacular en el valor de la propiedad rural y en la concentración de la tierra fue la de las plantaciones de café y tabaco en el Distrito de Tuxtepec, en los límites con Veracruz, después de 1880.[45] Aun ahí, sin embargo, las pequeñas propiedades de los productores campesinos nunca fueron totalmente absorbidas por las grandes plantaciones tropicales. En las demás regiones en todo el estado el sistema campesino de producción seguía floreciendo, y el reducido número de haciendas, concentradas en los valles centrales, tendía a deshacerse de las tierras, ya sea por medio de ventas,

[42] Berry, "Fact and Fiction", p. 287.
[43] Berry, *Reform in Oaxaca*, p. 181.
[44] A estas conclusiones llegó Cassidy en "Haciendas and Pueblos" (tesis) (1981). Las repercusiones en la Sierra de Juárez se estudian en el capítulo v.
[45] Esta es la región descrita por Turner en *Mexico bárbaro*.

adjudicaciones por herencia, o más frecuentemente por la distribución de las tierras entre los aparceros y arrendatarios, más que por una invasión de las tierras ejidales de los pueblos.

De esta manera se pudo evitar en Oaxaca la forma de conflictos agrarios enconados entre las haciendas y los pueblos que destacó en Morelos durante la Revolución. Pero esto no significa que no existieran los conflictos agrarios. En 1878 unos 55 pueblos se vieron envueltos en disputas legales acerca de los derechos sobre las tierras. Hubo algunos casos de disputas entre los pueblos y las haciendas invasoras, pero en su gran mayoría eran pleitos entre un pueblo y otro. De esas controversias 3 habían durado más de un siglo y no menos de 14 más de 50 años. El valor y la superficie de la tierra no eran las únicas fuentes de conflictos, ya que los valores iban de 60 mil a 25 pesos y las superficies, de 36 mil hectáreas a apenas 2 o 3. Moisés Gonzáles Navarro atribuye muchos de los litigios al ''celo patriótico'' de la población indígena y resume la situación agraria en Oaxaca en 1910 en términos inequívocos: ''Al finalizar el porfiriato las luchas agrarias continuaban con la misma insistencia y violencia que en los primeros años de la vida independiente.'' [46]

La Revolución de 1910 iba a dar a muchos pueblos la oportunidad para resolver sus diferencias.

En el cuadro 2 se hace un análisis de las tierras y de la distribución de la población por tipos de asentamientos en Oaxaca en 1910. La conclusión conspicua que se puede extraer es que el pueblo era la unidad demográfica y económica predominante. Mientras que el 3.75% de la población de Oaxaca vivía en las haciendas (que abarcaban el 8% del territorio del estado), y el 10% en los ranchos y rancherías, más del 70% vivía en pueblos nominalmente autónomos e independientes.[47] Sería indebido, no obstante, confiar demasiado en las estadísticas oficiales, e igualmente indebido suponer que los pueblos representaban la propiedad comunal y los ranchos y las haciendas las tierras de propiedad privada e individual. En 1857 estaban registrados 630 ranchos; en 1910, 752; pero el censo de 1878 registra 1 826 ranchos. Surge con mayor frecuencia la confusión sobre la distinción entre el ''rancho'' como unidad demográfica y como tipo de tenencia de la tierra y parece que es posible intercambiar rancho y pueblo de acuerdo con el tipo de censo. Las cifras de 1878 claramente establecen que la mayoría de los ranchos estaban dedicados a la cría de ovejas, ganado, cerdos y cabras, en tanto que la mayoría de las propiedades registradas como haciendas estaba dedicada a cultivos agrícolas. No hay duda de que las haciendas eran una más valiosa empresa de capital, pues el valor promedio de una hacienda era más de 50 veces el valor promedio de un rancho.[48]

De estas cifras resulta con claridad que la hacienda no se puede tomar como modelo de la tenencia de la tierra o de la producción agrícola en Oaxaca en vísperas de la Revolución. El cuadro 3 presenta la distribución de los diversos tipos

[46] González Navarro, *Indio y propiedad*, p. 183.

[47] Frank Tannenbaum: calculó que el 85% de la población rural de Oaxaca residía en ''pueblos libres'', *The Mexican Agrarian Revolution* (1929) p. 32.

[48] González Navarro, *op. cit.* p. 184.

CUADRO 2. *Distribución de la población por asentamientos: Oaxaca 1910.*

Tipo de asentamiento	Número total	Porcentaje asentamientos	Población total	Promedio población por unidad
Haciendas	183	8.83%	39 097	213
Ranchos	752	35.7%	90 027	119
Rancherías	83	4.02%	13 963	168
Pueblos	1008	46.9 %	739 893	734
Villas	27	1.30%	73 869	2 735
Ciudades	7	0.42%	78 535	11 219

FUENTE: Censo de 1910: Estadísticas sociales 1956.

CUADRO 3. *Distribución de la tenencia de la tierra por distritos*
Oaxaca 1910.

Distritos	Haciendas	Ranchos	Rancherías	Pueblos
Centro	26	35	—	29
Coixtlahuaca	—	3	—	19
Cuicatlán	7	6	—	39
Choapan	—	14	—	27
Ejutla	10	25	—	18
Etla	9	26	1	49
Huajuapan	3	113	—	69
Ixtlán	2	8	—	45
Jamiltepec	1	5	69	39
Juchitán	3	225	—	25
Juquila	8	29	—	31
Miahuatlán	9	32	—	57
Nochixtlán	1	34	—	58
Ocotlán	11	3	—	29
Pochutla	49	42	9	29
Putla	4	—	—	35
Silacayoapan	—	28	—	49
Tehuantepec	—	—	—	29
Teotitlán del Camino	6	4	1	21
Teposcolula	—	—	—	29
Tlacolula	9	7	—	35
Tlaxiaco	—	5	—	65
Tuxtepec	14	82	—	19
Villa Alta	—	1	—	66
Yautepec	4	11	3	55
Zimatlán	7	14	—	39

FUENTE Censo de 1910, *op. cit.*

de tenencia de la tierra en los 26 distritos políticos tal como los registra el censo de 1910. Aunque tenemos conciencia de las deficiencias de los datos, surge un patrón interesante. Los centros de intranquilidad rural en Oaxaca en 1911 eran las zonas ubicadas en los límites geográficos del estado (la costa del Pacífico y los distritos de Cuicatlán y Tuxtepec en los linderos con Veracruz), en donde las haciendas, los ranchos y las rancherías eran la forma predominante de tenencia de la tierra, y en donde había ocurrido un volumen limitado de inversiones de capital y de comercio en la producción agrícola. A este respecto es tentador sugerir que la dislocación producida por los cambios en la tenencia de la tierra en esas regiones refleja el descontento expresado por los campesinos de Morelos, pero en una escala mucho más reducida. Continuando con la misma hipótesis, es quizá de mayor importancia en la participación de Oaxaca en la Revolución, el hecho de que los centros de apoyo del Movimiento de la Soberanía (Ixtlán y Tlaxiaco) eran regiones en donde el censo registra solamente 2 haciendas (ninguna en Tlaxiaco), únicamente 13 ranchos y nada menos que 110 pueblos "libres", lo cual indica un alto grado de continuidad en la tenencia de la tierra.

Es claro, sin embargo, que el mantenimiento de los existentes sistemas de tenencia de la tierra y de la explotación de la misma no predetermina una respuesta negativa a los trastornos políticos, y que tampoco la transformación de esos sistemas presupone un conflicto agrario intenso. Como lo ha demostrado la abundante bibliografía sobre las revueltas campesinas y la revolución agraria, otros factores, como la estructura social de la localidad, los tipos de dirección política y de movilización, las presiones económicas específicas, etc., son vitales para determinar el alcance y la intensidad de la participación popular en cualquier conflicto dado.[49] Esto quedó demostrado por las respuestas a la Revolución en el campo en Oaxaca. Antes de examinar esta respuesta en detalle, debemos hacer algunas observaciones generales acerca del desarrollo económico y político en Oaxaca durante la época posterior a la Independencia.

DESARROLLO ECONÓMICO Y ANTECEDENTES POLÍTICOS

Desde un principio debe decirse que es difícil medir con exactitud el índice o el alcance del desarrollo económico y político en el México del siglo XIX. El porfiriato (1876-1911) ha sido caracterizado con frecuencia como un periodo de desarrollo acelerado visto en términos de una cuantiosa inversión extranjera y una planeación económica centralizada, una innovación tecnológica y empresarial y mejores transportes y comunicaciones, a expensas de la libertad política y social; en suma, la creación gradual de una infraestructura económica que funcionaba de la manera más satisfactoria para fines del siglo XIX, y de un sistema político que era autoritario y represivo pero que mostraba pocos indicios de debilidad o degeneración.

---

[49] Véanse, *inter alia*, Paul Friedrich, *Agrarian Revolt in a Mexican Village* (1970); J. Paige, *Agrarian Revolution* (1975); D. Zagoria, "Peasants and Revolution", en *Comparative Politics*, vol. 8:3, 1976. pp. 321-326; Eric Wolf, *Peasant Wars of the 20th Century* (1971).

Grandes extensiones del México rural, no obstante, no se vieron afectadas por los mencionados desarrollos, según lo ha mostrado Luis González con respecto a la población de San José de Gracia, al noroeste de Michoacán.[50] Aun cuando durante la segunda mitad del siglo XIX los habitantes de San José fueron lentamente integrados a una economía de mercado en expansión, los elementos esenciales de su pensamiento económico siguieron siendo el ahorro y el culto a la tierra como clave de la prosperidad. Los compadrazgos y la estructura patriarcal de la familia reforzaban toda la interacción y la conducta social. La autoridad más importante en esos asentamientos de rancheros seguía siendo el sacerdote en vez de la autoridad municipal; en realidad, los funcionarios públicos, representaran al gobierno federal, estatal o municipal, sólo se acordaban de la existencia de San José cuando se había cometido una fechoría, cuando tenían que cubrir los impuestos o cuando la población se veía envuelta en contiendas de linderos con los pueblos vecinos.

González argumenta de manera persuasiva que los cambios socioeconómicos estaban normalmente asociados con la Reforma y que el porfiriato en México tuvo un efecto mínimo en esa aislada comunidad rural, lo cual en gran parte explica la falta de interés demostrada por los vecinos de los pueblos en la Revolución maderista de 1910. Les preocupaban mucho más los infructuosos intentos de uno de ellos, un campesino llamado Elías Martínez, de volar por arriba de la población con alas de petate.[51]

La gran mayoría de los aldeanos en todo México mostraba la misma falta de interés y una gran ignorancia de las ambiciones políticas del desconocido hacendado de Coahuila. La llegada de Madero a Oaxaca a principios de diciembre de 1909 como parte de su campaña electoral no provocó una manifestación espontánea de apoyo popular. Los 30 miembros predominantemente urbanos y de la clase media del Comité Central Antirreeleccionista que asistieron a las dos reuniones políticas a las que convocó Madero, difícilmente constituyeron una vanguardia revolucionaria.[52]

Es muy tentador exagerar la falta de desarrollo socioeconómico en Oaxaca a partir de la Independencia. De hecho, fueron aparentes ciertos cambios decisivos en la estructura socioeconómica antes de que finalizara la época colonial, por lo menos en la ciudad de Antequera (a la que se dio el nombre de Oaxaca con posterioridad a la Independencia). Las ganancias derivadas de los trabajos forzados y de los tributos habían cedido gradualmente ante el capitalismo comercial basado en el intercambio de bienes y servicios en una economía monetaria. El sistema de castas se transformó así, por el mercado abierto, y creó las condiciones previas para la movilidad social, la estratificación de las clases y la riqueza material, fenómenos ya bien establecidos a fines del siglo XVIII.[53]

Las ganancias derivadas del comercio internacional de la cochinilla habían

[50] González, *Pueblo en vilo: microhistoria de San José de Gracia,* México, 1968.

[51] González, *ibid*, p. 121.

[52] Iturribarría, *Oaxaca en la historia*, p. 263. El Comité Estatal Antirreeleccionista era un pequeño grupo de profesionistas (licenciados), periodistas, profesores, sastres, peluqueros y negociantes en pequeño. Alfonso Ramírez, *La Revolución en Oaxaca*, p. 18; véase el capítulo II.

[53] John Chance, *Race and Class in Colonial Oaxaca*, Stanford, 1979, pp. 186-205.

hecho de la colonial Antequera una ciudad próspera, la tercera más grande en la Nueva España, después de la ciudad de México y de Puebla.[54] Los comerciantes de la Oaxaca independiente continuaron beneficiándose de la cochinilla todavía a mediados del siglo XIX, cuando la competencia de Guatemala y la invención de colorantes artificiales anunciaron la declinación en la importancia de la producción de colorantes en la economía local.[55]

A pesar de las vicisitudes del comercio de tintes, la base económica del estado durante el siglo XIX siguió siendo la agricultura, con una enorme mayoría de la producción agrícola encaminada a la subsistencia o hacia una bien desarrollada infraestructura de los mercados locales. Como resultado del alto grado de especialización de las poblaciones en la producción de ciertas mercancías, ese complejo sistema de comercialización atendía principalmente el intercambio de mercancías entre las poblaciones campesinas más que al abastecimiento de la ciudad de Oaxaca, sistema que precedió a la época colonial y que ha sobrevivido prácticamente intacto hasta la actualidad.[56]

Las técnicas de cultivo habían mostrado también un desarrollo muy reducido desde los tiempos precoloniales, una queja habitual entre los comentadores del siglo XIX y principios del siglo XX, conscientes de la fertilidad y del potencial económico del suelo, era la ausencia de empuje empresarial de los ciudadanos del estado; una gran parte de las críticas se dirigía hacia la indolencia de las razas indígenas, que se veían como el obstáculo principal para la modernización.[57] Cayetano Esteva describió la agricultura de Oaxaca en 1913 diciendo que estaba "en embrión", asegurando que tan sólo el 35% de las tierras cultivables eran realmente trabajadas y culpando a las sucesivas administraciones porfiristas por sus débiles intentos de estimular las inversiones de capital en la expansión y diversificación de cosechas productivas.[58]

Las principales cosechas que se producían en Oaxaca eran el maíz, el frijol y el trigo, por orden decreciente de valor. Se cultivaban muchas frutas y verduras, demasiado numerosas para poderlas mencionar.[59] La alfalfa era un importante cultivo para la alimentación del ganado, ya que una considerable proporción de la tierra en las sierras y en los valles estaba dedicada a la cría de ganado mayor, borregos, cabras y cerdos. Las estadísticas disponibles para mediados del siglo XIX indican, no obstante, una baja proporción de cabezas de ganado por habitante.[60] Aun al finalizar el Porfiriato la ganadería de Oaxaca no se había desarrollado sobre la base comercial en gran escala comercial del Bajío y de los estados del Norte. (A pesar de su importancia para la economía local, la proporción de cabezas de ganado en Oaxaca era de sólo 3.7% del total del país en 1902,

[54] Hamnett, *op. cit.;* Iturribarría, *op. cit.*, pp. 117-120.
[55] Berry, "La ciudad de Oaxaca en vísperas de la Reforma", *Historia Mexicana*, vol. 119, 1969, pp. 23-61.
[56] Beals, *Peasant Marketing*, p. 270.
[57] González Navarro, *op. cit.*, pp. 181-185.
[58] Esteva, *op. cit.*, p. 18.
[59] Esteva formula una lista detallada; p. 18-23.
[60] Berry, "Ciudad en vísperas...", p. 55.

CUADRO 4. Distribución de la población según su ocupación: Oaxaca 1895-1910

	1895			1900			1910		
	Total	Masculina	Femenina	Total	Masculina	Femenina	Total	Masculina	Feminina
Económicamente activa	352 259	283 787	68 472	382 482	316 456	66 626	497 249	385 635	111 614
a) Empleada	347 709	281 761	65 948	351 209	299 499	51 760	367 771	317 325	50 146
b) Desempleada	4 550	2 026	2 524	31 273	17 007	14 266	129 478	68 010	61 468
Económicamente inactiva	532 650	153 885	378 765	556 151	151 609	414 542	543 149	126 091	417 058
a) Doméstica/Servidumbre	231 147	—	231 147	281 717	—	281 717	302 325	—	302 325
b) Estudiantes	25 772	15 686	10 086	53 088	34 778	18 310	29 710	19 806	9 904
c) Menores de edad (menos de 10 años)	275 731	138 199	137 352	231 346	116 831	114 515	211 114	106 285	104 829

FUENTE: Estadísticas Económicas, 1965

CUADRO 5. *Distribución de la ocupación: Oaxaca 1895-1910*

Ocupación	1895			1910		
	Total	Hombres	Mujeres	Total	Hombres	Mujeres
Agricultura	243 237	243 242	235	274 310	272 837	1 473
Industria	54 032	21 689	32 343	57 428	27 911	29 517
a) De extracción (minería, etc.)	1 477	1 461	16	2 032	2 028	4
b) De transformación	51 169	18 842	32 327	52 120	22 611	29 509
c) De la construcción	1 386	1 386	—	2 250	2 504	—
d) Eléctrica	—	—	—	1 022	1 022	—
Industrias de servicio	25 752	12 724	13 028	31 626	15 469	16 157
a) Comercio	6 716	4 430	2 286	8 319	5 205	3 114
b) Transportes	1 209	1 208	1	1 379	1369	10
c) Empleados públicos	1 058	1 016	42	900	885	15
d) Empleados particulares	212	200	12	1 485	1 403	82
e) Fuerzas armadas y policía	2 219	2 219	—	1 760	1 760	—
f) Profesionistas	7 492	1 535	5 957	9 621	2 271	7 350
g) Sirvientes domésticos	6 846	2 116	4 730	8 162	2 576	5 586
Otros servicios	17 827	7 086	10 741	21 928	8 895	13 033
Actividades no especificadas	24 688	4 346	20 342	4 407	1 408	2 999

FUENTE: Estadísticas económicas, 1965

mientras que en Jalisco representaba el 10%, en Chihuahua el 8%, en Sonora el 7.6% y en Michoacán el 7.4%.[61])

El descenso en el volumen y en el valor de la producción de la cochinilla con posterioridad a 1850 contrasta con el aumento en valor y en producción de azúcar, tabaco, café y algodón durante la segunda mitad del siglo XIX. La producción estaba concentrada en los ranchos y haciendas de la tierra caliente y en la tierra templada. Las estadísticas de producción, sin embargo, tienen un mayor valor cuando se les compara con otros estados. Por ejemplo, la producción de azúcar en el cercano estado de Morelos durante el porfiriato había llegado a 42 625 toneladas en 1907, 14 veces más que en Oaxaca (que tiene una superficie 19 veces mayor que Morelos). Esto refleja un índice de incremento en la producción en Morelos de 65.8% entre 1892 y 1907, en tanto que la de Oaxaca no se había modificado.[62] La conclusión que se puede extraer a este respecto es que la introducción de productos especializados como la cochinilla y el algodón (durante la época colonial), y el azúcar, el café y el tabaco (durante el Porfiriato) que estaban encaminados hacia el mercado de exportación no había perturbado profundamente el alto grado de autosuficiencia económica de las regiones geopolíticas en el interior de Oaxaca (los valles centrales, el Istmo, la costa del Pacífico y las sierras). Se ha demostrado que la rentabilidad del algodón y de la cochinilla a fines de la época colonial había atraído a los trabajadores de las actividades agrícolas tradicionales en regiones como la Mixteca y Miahuatlán (la cochinilla) y Villa Alta e Ixtepeji (el algodón). Las necesidades agrícolas de esas regiones eran satisfechas por las fincas de los fértiles valles centrales adyacentes al valle de Oaxaca y a la capital del estado. Sin embargo, durante la primera mitad del siglo XIX, la competencia del extranjero y una espectacular caída en el precio de esos artículos antes tan lucrativos invirtió el proceso. A mediados del siglo la economía local resultó perjudicada por los efectos de una depresión general inducida principalmente por una crónica inestabilidad política y financiera. Consecuentemente, el comercio interregional con Oaxaca se restringió durante la segunda mitad del siglo, a pesar de los estímulos a la economía local determinados por el auge económico del porfiriato. Solamente en las plantaciones de café y de tabaco situadas en los límites geográficos del estado (la costa del Pacífico y el Distrito de Tuxtepec) la regeneración económica parece haber afectado el sistema de la autosuficiencia regional. [63]

La industrialización en Oaxaca durante el siglo XIX siguió igualmente un proceso lento y limitado. A mediados del siglo XIX la ciudad de Oaxaca producía vidrio, jabón, alcohol y hierro para el mercado local, pero todos los demás artículos manufacturados eran importados.[64] Esas industrias siguieron produciendo, si no es que prosperando, sin un notorio incremento en la producción para fines del siglo XIX (la producción registrada de mezcal y aguardiente, sin embargo, se duplicó entre 1897 y 1910). [65] La producción de puros y cigarrillos

[61] *Estadísticas económicas* (1965), pp. 85-98.
[62] Waterbury, *op. cit.*, pp. 424-426.
[63] Cassidy, *op. cit.*, p. 27.
[64] Berry, "Ciudad en vísperas...", p. 57.
[65] *Estadísticas económicas*, pp. 119-124.

se redujo ligeramente entre 1898 y 1910, aunque el número de fábricas registradas se redujo de 17 a 4. La industria textil, por otra parte, mostró una marcada reducción tanto en la fuerza de trabajo como en la producción en general en el mismo periodo. Las 3 fábricas en el estado (2 en Etla y 1 en Ixtlán) empleaban 785 trabajadores que producían 818 toneladas de algodón en 1898, pero para 1910 las cifras habían caído a 250 operarios que producían 279 toneladas de algodón.[66]

Los cuadros 4 y 5 nos indican en forma más clara el grado de la industrialización en Oaxaca, aunque una vez más es importante señalar las deficiencias de las cifras, particularmente en vista de las erráticas fluctuaciones en las categorías de "desempleados" y de "actividades no especificadas". El equilibrio de la distribución por empleo no parece haberse alterado drásticamente entre 1895 y 1910, con la abrumadora mayoría de la población económicamente activa dedicada todavía a la agricultura. De los dedicados a la industria, la mayoría estaban empleados en las industrias de transformación o en la manufactura en pequeña escala, categoría muy amplia que incluía todo tipo de artesanos, zapateros, carpinteros, costureras, tejedores, plateros, sastres, tortilleras, etcétera.

La minería había sido una actividad rentable en la época colonial con exportaciones de las minas de Oaxaca, que llegaron a la cúspide entre 1758 y 1817.[67] Una combinación de ganancias reducidas (debida a técnicas primitivas de procesamiento y a problemas de transporte) y de inestabilidad política produjo una recesión a mediados del siglo XIX, pero el descubrimiento de vetas ricas, tecnología nueva y condiciones políticas más estables alentaron la inversión, particularmente de especuladores ingleses, norteamericanos y alemanes durante el Porfiriato.[68] Aun así, los niveles de producción siguieron siendo bajos en comparación con las minas de Sonora, Guanajuato, Chihuahua, Zacatecas e Hidalgo. La más importante mina del estado, La Natividad, en la Sierra de Juárez, daba empleo únicamente a 325 hombres en 1908.[69]

Si la industria minera era de una importancia relativamente pequeña en la economía local, la minería desempeñaba un papel importante en la estructura política y social de la sociedad de la sierra. Los propietarios de minas o sus agentes actuaban como intermediarios culturales de los pueblos indígenas, les daban

[66] *Estadísticas económicas*, pp. 106-118. El descontento en Xía, exacerbado por los interminables pleitos y celos, que los trabajadores textiles de Ixtepeji tenían que soportar de los pueblos vecinos de Ixtlán, Atepec, Lachatao y Amatlán, terminó por estallar en una rebelión en la sierra en 1912; véase Michael Kearney, *World View and Society in Ixtepeji,* capítulo III, "Town History and Myth"; Amado Pérez, *Apuntes sobre la revuelta orozquista-serrana-ixtepejana de 1912,* México, 1975: Archivo Histórico de la Defensa Nacional, Serie XI/481.5, expediente 207, folios 665-93, 1912 (que se cita en lo sucesivo como AHDN, seguido por el expediente y el número del folio y la fecha). El gerente de la fábrica de Xía era un inglés, Mr. William Trinker; FO 371/1395 f 40141; en el capítulo III se examinará con más detalles esa revuelta.

[67] Iturribarría, *Oaxaca en la historia,* p. 531.

[68] Esteva, pp. 37-41; Constantino Rickards, vicecónsul honorario de Inglaterra en Oaxaca de 1911 a 1913 y de 1915 a 1920, por medio de su compañía, Rickards Hermanos, poseía acciones en numerosas compañías mineras y era propietario de varias minas en Etla, Ocotlán, Yautepec, Ixtlán y Tlacolula; FO 204/426 1913.

[69] Rosendo Pérez García, *La Sierra Juárez,* 1956, vol. II, pp. 260-273.

empleo y una representación política de tipo clientela.[70] El caciquismo paternalista que se creó habría de manifestar su fuerza política en la revuelta de 1912 en la sierra de Ixtepeji, pero no exhibió su verdadera fuerza sino hasta que los caciques de la sierra de Ixtlán y sus aliados tomaron la ciudad de Oaxaca por la fuerza en 1914 y en el año siguiente declararon la guerra a Venustiano Carranza. La importancia de la sierra como criadero de los políticos oaxaqueños queda demostrada por el hecho de que Porfirio Díaz inició su carrera política como subprefecto de Ixtlán, la "capital" de la Sierra de Juárez.[71]

La recurrencia de una provechosa actividad minera en ciertas regiones durante el Porfiriato fue en parte un estímulo y un corolario de las mejoras en los transportes y en las comunicaciones dentro del estado bajo el patrocinio del Gobierno Federal, encabezado por el propio general Díaz. La mejora más importante fue la construcción del Ferrocarril Mexicano del Sur de Puebla a Oaxaca en 1892, financiado por capital inglés.[72] Una red de comunicaciones telegráficas ya se había establecido entre Oaxaca y la capital en 1868 pero la operación del ferrocarril aceleró el proceso.[73] Se construyeron ramales para unir a Oaxaca con los importantes centros mineros de Ejutla, Ocotlán y Zimatlán.[74] Se abrigaban grandes esperanzas en el Ferrocarril Nacional de Tehuantepec (construido por Pearson y Schmidt Co.) y en las mejoras de las instalaciones portuarias en Salina Cruz, inauguradas por el general Díaz en enero de 1907. El ferrocarril comunicó al puerto del Pacífico de Salina Cruz con el de Puerto México en el Golfo, en el estado de Veracruz, y en la ceremonia de inauguración tanto el general Díaz como el gobernador del estado, Emilio Pimentel, recalcaron el brillante futuro económico que el comercio interoceánico acarrearía a Oaxaca. Salina Cruz atestiguó en efecto una considerable expansión económica y una gran actividad, pero el desarrollo del puerto se vio obstaculizado por las perturbaciones revolucionarias después de 1911 y, sobre todo, por la inauguración del Canal de Panamá en 1914.[75]

La ciudad de Oaxaca se benefició por la construcción de nuevos bulevares, de un imponente mercado central y la instalación de la energía eléctrica en 1896; las mejoras en los transportes indudablemente estimularon la importancia de la

[70] Wolf y Hansen, "Caudillo Politics: A Structural Analysis", en *Contemporary Studies in Society and History*, 9, 1967, pp. 168-179; Waterbury, "Non-Revolutionary Peasants", p. 421.

[71] La estructura e importancia del caciquismo en la Sierra de Juárez se estudia en el capítulo v.

[72] El capital británico no solamente controlaba el Ferrocarril Mexicano del Sur sino el Ferrocarril Central Mexicano, la Compañía Nacional de México, la Central Railroad Company Ltd., y el Ferrocarril de Hidalgo y del Noreste. Estas compañías se fusionaron en febrero de 1909 para organizar la National Railway Company. FO 371/1149 f 1574; acerca de los beneficios que obtuvo el capital extranjero, véase John Coatsworth, *El impacto económico de los ferrocarriles en el porfiriato*, 2 vols., Sepsetentas, 1976.

[73] Iturribarría, pp. 244-245.

[74] Esteva, p. 46.

[75] El número de barcos extranjeros que entraron al puerto de Salina Cruz casi se duplicó entre 1904 y 1909 (de 52 a 96), en tanto que el tonelaje transportado por esos barcos más que se duplicó (de 164 853 a 373 065); el monto total del tráfico internacional que se manejó en Salina Cruz se elevó de 361 735 toneladas en 1907 (año de su inauguración) a 699 084 toneladas en 1909. *Mexican Year Book* (1910), p. 602.

ciudad como centro comercial y de intercambio. Pero los cambios en la fisonomía de la capital no significaron profundos cambios económicos en la textura de la sociedad oaxaqueña. De manera significativa, el nuevo Ferrocarril del Sur atravesaba el centro comercial en reciente crecimiento de Cuicatlán, en la ruta entre Puebla y Oaxaca, suministrando una importante salida para el café y el algodón que se cosechaba en esa región. Ángel Barrios, ingeniero de Cuicatlán, encabezó el pequeño contingente oaxaqueño de una ola nacional de liberales radicales que reaccionaban ante el fracaso del liberalismo del siglo XIX en su intento de alcanzar una auténtica forma de populismo democrático, fracaso que había retardado la reforma social más de medio siglo.[76] El reto que esa "nueva ola" de liberales significó para las autoridades políticas establecidas alcanzó un notorio éxito en 1911, cuando Porfirio Díaz se vio obligado a ir al exilio.

El ejercicio de la política en México siempre había sido un terreno vedado, exclusivo de la élite, y en este sentido la política en Oaxaca, a diferencia de su desarrollo económico y agrario, era un reflejo más exacto de la situación nacional. En Oaxaca, lo mismo que en todo México, los liberales triunfaron en la lucha por el poder nacional durante las guerras civiles de 1857-1867. En el aspecto nacional el programa liberal hizo el intento de promover profundas transformaciones en la sociedad mexicana por medio de políticas ambiciosas apoyadas en una filosofía política que era ajena a las tradiciones históricas de México y ciega ante la realidad socioeconómica de mediados del siglo XIX. Nominalmente comprometidos con el federalismo, los líderes liberales en la práctica ampliaban el poder ejecutivo del gobierno central por medio de una combinación de elección y alianza con los caudillos regionales y acudiendo con frecuencia al Artículo 29 de la Constitución de 1857, que facultaba al presidente, con la aprobación del Congreso, para suspender las garantías constitucionales en casos de invasiones o de perturbaciones graves de la paz pública.[77]

En Oaxaca las guerras civiles tuvieron un efecto devastador en la economía local, y repercusiones importantes en la política local. La inevitable y necesaria delegación del poder político en favor de los comandantes militares regionales creó problemas casi insuperables para las subsecuentes administraciones civiles.[78] Los medios prácticos para la aplicación de las reformas incorporadas en la Constitución de 1857 (reproducidos en la Constitución del estado del mismo año), y la ausencia de una oposición efectiva con posterioridad a la desaparición de los conservadores después de 1867, provocaron una profunda grieta en la facciviles.[78] Los medios prácticos para la aplicación de las reformas incorporadas en la Constitución de 1857 (reproducidos en la Constitución del estado del mismo año), y la ausencia de una oposición efectiva tras la desaparición de los conservadores después de 1867, provocaron una profunda grieta en la facción liberal entre los "borlados" moderados y los "rojos" o radicales "puros".[79]

[76] Brading, *Creole Nationalism.*

[77] L. B. Perry, *Juárez and Díaz: Machine Politics in Mexico;* Northern Illinois University Press, 1978, pp. 339-352.

[78] Frank Falcone, *FederalState Relations during Mexico's Restored Republic; Oaxaca, a Case Study 1866-1872,* tesis para obtener el Doctorado en Filosofía, Universidad de Massachussets, 1974.

[79] Falcone, *ibid,* capítulo IX, "Politics in Oaxaca; Juárez vs. the Díaz Brothers", pp. 126-156.

El historiador local Jorge Fernando Iturribarría describe a los borlados de Oaxaca en términos entusiastas al decir que eran "profesionistas, casi todos abogados, hombres de excelente preparación intelectual". Los borlados eran partidarios de Juárez, a quien veían como "el símbolo de la segunda independencia", y el propio Iturribarría afirma que controlaban en forma efectiva la legislatura y el poder judicial del estado, con lapsos solamente temporales, de 1859 a 1876, cuando la autoridad política de la facción radical del estado fue confirmada al asumir Porfirio Díaz la Presidencia.[80]

Frank Falcone, no obstante, afirma que la influencia política de los borlados se debilitó progresivamente por la concentración del poder en manos del "radical" Félix Díaz, cuya carrera política, al estilo clásico del caudillo, pasó de una prestigiosa victoria militar a la designación de comandante militar del estado en abril de 1867, y a su elección como gobernador del estado en noviembre del mismo año, al derrotar plenamente al candidato favorito de Juárez, Miguel Castro. La Constitución del estado de Oaxaca había hecho la protesta de defender la soberanía del estado, pero dentro de un sistema federal;[81] y sin embargo, el desafío que Díaz representaba a la autoridad política del presidente Juárez enfrió las relaciones entre el estado y el gobierno federal. La fracasada rebelión de La Noria en 1871, encabezada por los hermanos Félix y Porfirio Díaz y apoyada por la Legislatura del estado, demostró la efectiva independencia política de Oaxaca, al intentar separarse de la federación.[82]

La derrota de la rebelión y el asesinato de Félix Díaz anunciaron una restauración temporal de la fortuna política de los borlados, hasta que los caudillos rebeldes de la Sierra de Juárez, Fidencio Hernández y Francisco Meixueiro, se colocaron al frente de un ejército serrano que fue a la ciudad de Oaxaca para deponer al gobernador borlado José Esperón. Una generación después los descendientes directos de esos caudillos serranos nuevamente tomaron las armas contra el gobernador borlado Miguel Bolaños Cacho, y ocuparon la ciudad de Oaxaca en julio de 1914. En ambos casos los jefes serranos aprovecharon acontecimientos nacionales para justificar una lucha interna por el poder dentro de Oaxaca. La rebelión de 1876 se aprovechó de la oposición nacional a la administración de Lerdo y se declaró en favor del Plan de Tuxtepec de Porfirio Díaz. Los firmantes del Plan de la Sierra en 1914 aprovecharon plenamente la oposición nacional al "usurpador" Victoriano Huerta para llevar adelante sus propios fines políticos.

Los generales del ejército y los políticos locales de Oaxaca que habían apoyado a Porfirio Díaz, al obtener el poder nacional se convirtieron entonces en beneficiarios del patrocinio presidencial, que les permitía agregar recompensas comerciales y financieras a su éxito político.[83] Esta relación mutuamente

[80] Iturribarría, "El Partido Borlado", *Historia Mexicana*, 3, 1953, pp. 474-495 ("borlado" significa que tiene borlas e indica una posición profesional.)

[81] Gustavo Pérez Jiménez, *Las constituciones del estado de Oaxaca,* México, Costa-Amic 1959.

[82] Falcone, pp. 156-166. La relación entre federalismo, liberalismo y la *élite* política en Oaxaca se examina en el capítulo v.

[83] Cassidy demuestra que para fines del porfiriato la *élite* política (y los más destacados hombres de negocios de la localidad) habían realizado importantes inversiones en propiedades rurales.

benéfica garantizaba que no surgiría ningún importante reto político para el dictador de su estado natal durante toda la vida del régimen. La intranquilidad política que trajo consigo la caída de Díaz en 1911 no surgió de las regiones de la República que habían sufrido transformaciones socioeconómicas de relativamente poca importancia durante la última década del siglo XIX, sino de los estados fronterizos del Norte como Sonora, Coahuila y Chihuahua, en donde los representantes de una nueva burguesía "nacional" se levantaron para desafiar el estilo político (si no necesariamente el contenido) de la "pax porfiriana", que les había negado el acceso a puestos de decisión política.[84]

En Oaxaca, igualmente, hubo una importante minoría de radicales políticos cuya educación, convicciones políticas y aspiraciones económicas los llevaron a desafiar el monopolio del poder político de la oligarquía porfirista de la provincia. El éxito arrollador de la revolución política encabezada por Madero en 1911 llevó a la prominencia a esa pequeña camarilla de la política local en vísperas del colapso de la maquinaria política centralizada que Díaz había erigido. Se comprobó que era una victoria pírrica, y para 1914 los remanentes de la élite porfirista ya estaban de nuevo apoderados del control político y preparados para separarse de la federación, siguiendo los pasos de las Legislaturas del estado en Oaxaca durante todo el siglo anterior, que habían revivido el estandarte federalista de la soberanía del estado en tres ocasiones separadas (en 1823, en 1858 y en 1871).

Debido a que resucitó el federalismo del siglo XIX en Oaxaca durante la Revolución, los acontecimientos políticos que se relatan en los siguientes capítulos se pueden comprender mejor como una respuesta o reacción a los acontecimientos en la arena nacional. La historia de Oaxaca entre 1910 y 1915 es principalmente la de una infructuosa búsqueda, por parte de la élite política, de lograr un acomodo con las fuerzas políticas desatadas fuera de Oaxaca por la Revolución de Madero y por la subsecuente guerra civil que sumergió al país entero con posterioridad a 1913. Después de 1915 la búsqueda vino a ser una lucha por la supervivencia.

This chapter is very schematic; based on statistics of 1900 which are not now respected But he writes so well that he pulls it off. No local sources, all national sources.

[84] Héctor Aguilar Carmín, *La frontera nómada*, bosqueja el ambiente social y económico de Sonora y traza la elevación al poder de la "dinastía" sonorense (Obregón, Calles, De la Huerta, etc.) durante la Revolución; acerca de Chihuahua véase Mark Wasserman, "The Social Origins of the 1910 Revolution in Chihuahua", *Latin American Research Review*, 15:1, 1980, pp. 17-38.

II. LA REVOLUCIÓN DE MADERO. 1910-1911

En el presente capítulo se examina la reacción a la Revolución de Madero en Oaxaca. El efecto inicial de la crisis política nacional de 1911 tuvo dos facetas: la reacción política en la capital del estado y la reacción en el campo de Oaxaca. En la capital del estado, la élite política porfirista que dominaba a la Legislatura del estado se conmovió y se dividió profundamente por la rapidez y la facilidad con que el régimen se había derrumbado. El vacío político que se creó así lo llenaron los representantes locales de la coalición maderista, una agrupación irregular de liberales y de radicales urbanos que se había unido bajo la bandera antirreeleccionista en oposición a la gubernatura del científico Emilio Pimentel. No obstante, la unanimidad antirreeleccionista se vio amenazada por las aspiraciones y las actividades de una heterogénea camarilla de jefes revolucionarios de la localidad que habían tomado las armas en las zonas rurales y subsecuentemente se habían incorporado al Ejército Libertador. Las relaciones políticas con el gobierno central se hicieron también tirantes por la interferencia de Madero en las elecciones de gobernador de 1911, y por la amenaza de una violación presidencial a la soberanía del estado durante la rebelión de Juchitán.

En el campo de Oaxaca la reacción fue casi unánime, violenta y carente de coordinación. La pérdida de autoridad de los representantes políticos de la administración porfirista alentó a los pueblos para dirimir las diferencias que habían existido durante largo tiempo con el jefe político, el hacendado, el cacique, y con mayor frecuencia con otros pueblos, tomando en sus manos la ley. En términos generales, por tanto, se considera que la Revolución de Madero en Oaxaca estimuló las fuerzas centrífugas de la autonomía regional, que se extendió a la defensa del principio federalista de la soberanía del estado cuando a la Revolución de Madero siguió la guerra civil después de 1913.

A fin de poner en perspectiva los acontecimientos de Oaxaca, algunos comentarios generales acerca del fenómeno nacional del maderismo habrán de servir como prefacio de la reacción regional.

POLÍTICA NACIONAL

Una perspectiva interesante de los acontecimientos políticos de 1910 en México la constituyen los informes de los cónsules que la Legación Inglesa en la ciudad de México envió a Londres en el curso del año. La correspondencia demuestra que ni los observadores profesionales del escenario político fueron capaces de predecir el derrocamiento del régimen porfirista. En febrero de 1910 un informe en el que se describían los violentos choques entre los partidarios de Bernardo Reyes y de Ramón Corral, candidatos rivales postulados para la vicepresidencia en las elecciones de 1910, incluía la irónica observación de que "nunca hubo ni el más remoto peligro de una revolución".[1]

No obstante, en esa correspondencia se identifican o por lo menos se alude a los factores que se encontraban tras el recrudecimiento de la agitación política que subsecuentemente se ha considerado como axiomática en la génesis de la Revolución de Madero: el efecto adverso de la restricción de moneda en la economía nacional a consecuencia de la crisis financiera del verano de 1907 en los Estados Unidos, seguido por un incremento en las tasas de interés y la correspondiente reducción en la disponibilidad de capital de inversión; la caída del valor de la plata en el mercado internacional; el descontento popular generado por la deficiente producción de maíz, cebada, garbanzo y algodón, que hizo necesaria la importación (y el aumento en el precio) del maíz; la corrupción política, al concentrarse el poder en las manos de los aliados políticos de Díaz, de los "gobernadores de los estados y de su ejército de jefes políticos, caciques y funcionarios subordinados que dependían de ellos"; el control de la vida financiera e industrial de la nación por los "científicos", el grupo de positivistas que monopolizaban las juntas directivas de ferrocarriles, bancos, minas y fábricas, el hostigamiento anticonstitucional de la oposición política; la violación de los derechos humanos y la rígida censura de la prensa.[2]

Los informes indican igualmente el desarrollo de una oposición reducida pero bien organizada, que se describe como "la joven generación de las clases de profesionistas y de hombres de negocios que resisten el monopolio de la influencia y del patrocinio de que disfrutaban los científicos". Muchos de esos radicales jóvenes simpatizaban con las aspiraciones políticas del Partido Nacional Demócrata a cuyo frente estaba la figura popular del general Bernardo Reyes. La creciente influencia de Francisco Madero, rico hacendado de Coahuila, estaba basada en su obra *La sucesión presidencial de 1910*, documento que estaba lejos de ser revolucionario por su notorio respeto al programa económico de Díaz, pero que igualmente hacía hincapié en la urgente necesidad de introducir una reforma política y de dar fin a la presidencia perpetua (continuismo) si se querían evitar los trastornos sociales y económicos.[3]

Los acontecimientos de 1908 a 1910 sirvieron para promover a Madero en el papel de radical: el retiro de Reyes como posible candidato del Partido Demócrata abrió el camino a Madero. Los intentos del régimen para reprimir todo tipo de oposición se hicieron más indiscriminados y la aprehensión de Madero en Monterrey aumentó enormemente su prestigio nacional. Su transición de reformador a revolucionario con la publicación del "Plan de San Luis Potosí"

[1] Del primer secretario T. B. Hohler a sir Edward Grey, Secretario de Estado para Asuntos Exteriores, febrero de 1910, FO 371/1149/1574.

[2] FO 371/1150/30058; Stanley Ross, *Francisco I. Madero: Apostle of Mexican Democracy*, p. 63; Ernest Gruening, *Mexico and Its Heritage*, p.92

[3] J.D. Cockroft, *Intellectual Precursors of the Mexican Revolution* (1968) p. 167; Hohler, con su característico desdén y prejuicio, sugirió que Madero "no era el tipo de hombre que pudiera gobernar a México"; lo describió como "de pequeña estatura, con una cabeza desproporcionadamente grande y más bien calva: era un francmasón, librepensador, abstemio, vegetariano y creyente en el espiritismo, y atribuía su perseverancia y determinación en la campaña en contra de Díaz a "los alentadores mensajes que le seguían llegando del otro mundo", FO 371/1397/37268.

a principios de noviembre de 1910 unió tras él a elementos muy dispares del espectro político —desde los reformadores liberales del Partido Antirreeleccionista hasta los revolucionarios sociales del Partido Liberal Mexicano— en una alianza por conveniencia que habría de terminar en diferencias enconadas.[4] La campaña de guerrillas en Chihuahua, que tenía como jefe a Pascual Orozco, logró un éxito considerable en los primeros meses que siguieron al estallido de la Revolución el 20 de noviembre de 1910, pero para cuando Madero cruzó la frontera del exilio en los Estados Unidos en febrero de 1911, las divisiones habían empezado a rendir la coalición revolucionaria. En el momento en que se firmó el tratado de Ciudad Juárez, en mayo de 1911, Madero abandonó sus ideales de revolucionario social y volvió a adoptar el atuendo de reformador político.[5] El maderismo suministró una bandera política bajo cuyo amparo se pudo perpetrar todo un espectro de actividades, desde la revolución social hasta los robos menores, por una multitud de motivos y en una gran multiplicidad de ambientes socioeconómicos. La satisfacción de esas heterogéneas aspiraciones requería el tacto, la habilidad y la sensibilidad de un genio de la política: desafortunadamente el inexperto Madero demostró que carecía tanto del dinamismo como del apoyo que eran necesarios. La restauración de la paz civil en una atmósfera de euforia, caos y anarquía, y la transición de la autoridad militar a la civil tras el derrumbe de la administración porfiriana, crearon para el nuevo presidente una serie de problemas que resultaron ser irresolubles y determinantes para su caída.

POLÍTICA PROVINCIAL EN OAXACA

Existe en la actualidad un conjunto cada vez mayor de opiniones que sostiene que la Revolución Mexicana sacó a sus líderes de entre los miembros de una burguesía nacional emergente, cuya gestación perteneció al porfiriato (1876-1911).[6] La génesis de la Revolución es vista por lo tanto como un reflejo de los profundos cambios socioeconómicos que habían ocurrido en el interior de México y es consecuentemente lógico que los dirigentes surgieran de los estados fronterizos del Norte (por ejemplo, de Coahuila y Sonora), en donde la transformación había sido más general.[7] Si aplicamos esta hipótesis al Sur, podemos por lo tanto empezar a explicarnos la aparente falta de entusiasmo que generó la elevación de la estrella política de Madero en esas regiones (como Oaxaca) que se habían

[4] Cockroft, pp. 174-188.
[5] En Michael Meyer, *Pascual Orozco: Mexican Rebel*, pp. 19-37, constan detalles acerca de la campaña de Chihuahua.
[6] Esta burguesía nacional ha sido definida como un grupo de empresarios que "han logrado establecer un financiamiento interior, prerrogativas en la administración y una propiedad mayoritaria en sus propias empresas", Michael y Barnstein, "The Modernisation of the Old order: Organisation and Periodisation of 20th Century Mexican History", en James Wilkie, Michael Meyer, and Edna Monzón de Wilkie, comps., *Contemporary Mexico: Papers of the Fourth International Congress of Mexican History* (1976).
[7] Héctor Aguilar Camín, "The Relevant Tradition: Sonoran Leaders in the Revolution", en Brading, comp., *Caudillo and Peasant, op. cit.*, pp. 92-124; Paul Eiser-Viafora, "Durango in the Mexican Revolution", *New Mexico Historical Review*, vol. 49, 1974, p. 219.

quedado en la periferia del auge porfirista. Evidencias provenientes de Oaxaca en 1911 parecen confirmar esta hipótesis general. No obstante, el efecto de la Revolución maderista se habría de sentir en todo el estado. La crisis política nacional de 1911 actuó como un catalizador al crear aperturas para que ocurrieran acontecimientos regionales. En Oaxaca, en tanto que brotó la violencia en el campo, la capital del estado continuó en calma. El resurgimiento del liberalismo radical no trastornó el equilibrio político de la provincia, aun cuando el colapso de la dictadura requería un inevitable reajuste y un alineamiento con la administración de madero. El debate político en Oaxaca en 1911, por lo tanto, se concentró en las relaciones entre el estado y la Federación: la perenne preocupación de la Legislatura regional en el siglo XIX en Oaxaca; entre los federalistas moderados (borlados) que procuraban reforzar sus ligas con el gobierno central, y los federalistas radicales que trataban de proteger los derechos y la soberanía del estado.[8]

No se pretende sugerir, sin embargo, que el radicalismo político estuviera ausente en el debate ideológico en Oaxaca. Los chauvinistas oaxaqueños estaban prontos para señalar que los radicales hermanos Flores Magón eran originarios del estado, como si este hecho por sí sólo refutara la acusación de una falta de participación en las etapas iniciales de la Revolución, crítica que se nivela frecuentemente por los historiadores de la escuela carrancista.[9] De todas maneras es evidente que la oposición política radical a la dictadura de Díaz en Oaxaca había existido mucho antes de la publicación del Plan de San Luis Potosí. En el distrito de Cuicatlán al norte de Oaxaca, Rafael Odriozola, comerciante de la localidad, fundó en 1900 el Club Liberal Regenerador Benito Juárez.[10] El club fue organizado como respuesta a una invitación de los liberales de San Luis Potosí de establecer sucursales locales en todo el país. Odriozola declaró que el propósito del club de la localidad, así como el del Partido Nacional era:

propagar en las masas populares los principios democráticos para regenerarlas del estado de barbarie en que —a la sombra de nuestro indiferentismo político— trata de sumergirlo el nefasto partido del retroceso, combatiendo a éste enérgicamente por la prensa

---

[8] La política regional en el México del siglo XIX demuestra que es un campo de investigación cada vez más popular pero todavía muy descuidado; con respecto a Oaxaca solamente disponemos de las obras de Iturribarría, Barry y Falcone.

[9] Véase Ramírez, *La Revolución en Oaxaca*, p. 15, e Iturribarría, *Oaxaca en la historia*, cuyo propósito expreso es demostrar la falacia del argumento de que "los oaxaqueños hemos sido enemigos de la Revolución Mexicana" (prólogo, p. x). Estos historiadores locales dejan de señalar que los tres hermanos Flores Magón (Ricardo, Jesús y Enrique) fueron educados en la ciudad de México y que las contribuciones de Ricardo al periódico radical *Regeneración* (fundado por Jesús) solamente se hicieron más audaces y militantes bajo la influencia del "Jerusalem de nuestros ideales democráticos, como Ricardo lo describió en San Luis Potosí: Cockroft, p. 86.

[10] Una pequeña colección de papeles personales de Odriozola (unos 23 documentos que abarcan el periodo de 1890-1927) se puede encontrar en El Colegio de México la colección ha sido revisada por Adelina Quintero Figueroa en "La trayectoria política de Rafael Odriozola, primer liberal oaxaqueño", en *Historia Mexicana*, 1975, pp. 456-481.

y la tribuna para que imperen en todo su vigor, en el siglo XX, nuestra constitución y el engrandecimiento de la patria.[11]

Odriozola fue el único representante de Oaxaca en el primer Congreso del Partido Liberal, celebrado en San Luis Potosí el 5 de febrero de 1901. Sus actividades antirreeleccionistas determinaron su aprehensión en 1905 en Cuicatlán por las autoridades del estado por órdenes del gobernador Emilio Pimentel, lo cual fue un procedimiento judicial que se repitió en muchas ocasiones tanto local como nacionalmente por obra de la administración porfirista como parte de una campaña para erradicar la subversión política. Al ser puesto en libertad por falta de pruebas acusadoras Odriozola continuó sus actividades políticas por medio de reuniones y comunicaciones clandestinas con los opositores políticos del régimen, tanto en el interior como fuera de Oaxaca.

El Club Liberal Regenerador Benito Juárez fue reinstalado oficialmente en agosto de 1911 en Cuicatlán, en la época de la renovada agitación que siguió a las negociaciones de Ciudad Juárez; y al igual que la gran mayoría de los enemigos políticos del régimen de Díaz, reyistas o magonistas, Odriozola se comprometió a apoyar al Partido Antirreeleccionista y a su candidato a la presidencia, Francisco Madero.[12] Ya con anterioridad a 1911, no obstante, el resurgimiento nacional de la oposición política a la dictadura de Díaz había generado tan sólo una callada respuesta en Oaxaca. Madero había llegado a Oaxaca en la ruta de su campaña política en diciembre de 1909. Habló en el Salón París ante un auditorio muy reducido, como resultado de lo cual se planeó una reunión para el día siguiente en el cerro de El Fortín, ante el simbólico templo de la estatua de Benito Juárez. Las autoridades de la localidad, preocupadas por el posible riesgo de perturbación de la paz pública, no permitieron que Madero hablara en público, aduciendo que no se había concedido el permiso necesario. Madero entonces habló por la tarde en el domicilio particular del presidente del Comité Estatal Antirreeleccionista, el abogado Juan Sánchez. Ese comité era un reflejo de la variada oposición al régimen de Díaz que había en el país y de la oposición local a Emilio Pimentel, entonces en su tercer periodo como gobernador del estado, y quien era un estrecho asociado del dictador. Las críticas de la localidad a Pimentel eran un eco de las críticas nacionales a la administración porfirista: el nepotismo, la corrupción, el acoso a la oposición y las concesiones financieras favorables que se otorgaban al capital extranjero.[13]

El núcleo del Comité Antirreeleccionista en Oaxaca, respaldado por el propio Madero antes de su salida del estado, estaba constituido por una pequeña camarilla de radicales urbanos de la clase media, quienes, al igual que otros grupos

[11] Colección Odriozola; circular impresa, Cuicatlán, Oaxaca 12/12/1900; el documento fue firmado por 42 ''correligionarios'', de los cuales solamente uno tuvo un papel importante en la rebelión maderista; Baldomero de Guevara, quien fue reconocido como jefe revolucionario del Ejército Libertador en 1911.

[12] Colección Odriozola; documentos diversos 1905-1910.

[13] Los diplomáticos ingleses hacían grandes alabanzas de la ''energía y previsión'' de Pimentel en las negociaciones relacionadas con el contrato que se celebró con el Ferrocarril Mexicano del Sur (de propiedad británica) para la ruta vital Puebla-Oaxaca; ''Indudablemente uno de los más eficientes servidores públicos en la República'', FO 371/1149/1574.

semejantes en todo México, resentían la falta de movilidad política que les concedía la dictadura. Tanto el presidente como el vicepresidente (Juan Sánchez y Heliodoro Díaz Quintas) eran abogados de conformidad con la tradición del liberalismo del siglo XIX en Oaxaca. Otros miembros del Comité incluían médicos, profesores, ingenieros, periodistas, sastres, peluqueros y estudiantes.[14] Su influencia en la política de provincia creció en el transcurso de 1910, debido principalmente al éxito de la campaña antirreeleccionista nacional y al creciente prestigio del propio Madero. En Oaxaca los periódicos antirreeleccionistas *El Buen Público*, editado por el abogado Ismael Puga y Colmenares, y *El Ideal*, editado por un ex-maestro de escuela, Arnulfo San Germán, sostenían los ataques tanto contra el gobierno del estado como contra el nacional.

De todas maneras, el Comité Antirreeleccionista de Oaxaca siguió siendo una frágil alianza de la opinión en contra de Díaz, que se dividió progresivamente a medida que aumentaba el debate político durante los últimos meses de 1910. El Comité finalmente se resquebrajó cuando Madero tomó la trascendental decisión de respaldar la insurrección armada contra el régimen de Díaz.[15] Algunos de sus miembros, sobre todo el profesor de escuela Faustino Olivera en Etla, siguieron el ejemplo que les puso su dirigente y tomaron las armas. La mayoría prefirió continuar oponiéndose al régimen por vías estrictamente constitucionales y políticas. La iniciativa política, por lo tanto, pasó en los primeros meses de 1911 a manos de los cabecillas que instigaron levantamientos armados en todo el campo de Oaxaca. Muchos de esos levantamientos fueron espontáneos y de corta duración y surgieron como una reacción a un caleidoscopio de factores desencadenantes locales y regionales. La mayoría de las revueltas rurales podrían describirse como "jacquerie": revueltas espontáneas de campesinos realizadas en nombre de las formas tradicionales de la autoridad cuyo propósito limitado era el de reemplazar a las élites de la localidad.[16] Entre enero y mayo de 1911 una serie de rebeliones locales se aprovechó del inminente colapso de la dictadura de Díaz para dirimir agravios locales específicos, algunos de los cuales eran disputas agrarias entre un pueblo y un hacendado o entre un pueblo y otro; pero en su mayoría tenían el propósito de remover de sus cargos a individuos impopulares, a los jefes políticos, que eran los representantes de la autoridad porfirista en el México rural; o a los tiranos de la localidad (el cacique, el cura o el terrate-

[14] Ramírez, *op. cit.*, pp. 18-20.

[15] En qué momento exactamente tomó Madero la trascendental decisión de apoyar la insurrección armada es difícil de precisar. Jerry Knudson afirma que toda la campaña política de 1910 fue una maniobra de Madero para preparar a la opinión pública para la rebelión. Cita como prueba una carta que envió Madero al publicista de Nueva York y propietario de periódico Randolf Hearst en abril de 1911 desde Ciudad Juárez, en la que Madero claramente afirma: "Yo sabía que el general Díaz solamente podría ser derrotado por medio de las armas, pero la campaña (electoral) era indispensable a fin de hacer una revolución". Parece totalmente posible, sin embargo, que la carta haya sido escrita para justificar la decisión de Madero ante la opinión pública de los Estados Unidos. Knudson, "When did Francisco Madero decide on Revolution?", *The Americas*, vol. 30, 1974, pp. 529-534.

[16] Laurence Stone, "Theories of Revolution", en *World Politics*, XVIII, núm. 2, 1966.

niente). Las circunstancias políticas en que ocurrieron los levantamientos convirtieron inmediatamente a los cabecillas en jefes revolucionarios.[17]

No pretendemos sugerir, no obstante, que hubiera una ausencia de motivación política o ideológica. En Ojitlán, del distrito de Tuxtepec, en los límites del estado con Veracruz, Sebastián Ortiz enarboló el lema maderista de "Sufragio Efectivo y No Reelección" en enero de 1911.[18] Ortiz era hijo de un campesino chinanteca, quien después de recibir una educación rudimentaria en Cuicatlán, llegó a ser el maestro de la escuela en su municipio de San Lucas Ojitlán. Su motivación personal para tomar la decisión de incitar a una rebelión abierta fue la sensación de agravio "al ver tantas injusticias con las contratas (trabajadores a contrato) que había en las fincas de los distintos lugares del municipio".[19] Consecuentemente, su primer acto revolucionario fue el de liberar a los trabajadores por contrato en las fincas de la región, quienes posteriormente constituyeron la base de su banda de rebeldes, que en mayo de 1911 se incorporó al Ejército Libertador del Centro y Sur de la República.[20]

Los demás jefes revolucionarios de Oaxaca que se alistaron en las filas del Ejército Libertador eran hombres con antecedentes parecidos y una persuasión ideológica similar, incluyendo a Faustino Olivera en Etla, antiguo miembro del Comité Antirreeleccionista.[21] El general en jefe de la insurrección revolucionaria en Oaxaca, designado por el Centro Antirreeleccionista en México, fue Ángel Barrios, ingeniero de Cuicatlán con un pasado revolucionario intachable. Barrios había sido miembro del Partido Liberal y crítico franco del régimen de Díaz. Su entusiasmo por la postura revolucionaria de Madero determinó su aprehensión por las autoridades de Oaxaca bajo el cargo de rebelión en febrero de

[17] Los expedientes del Archivo Histórico de la Defensa Nacional (en lo sucesivo citado como AHDN) de 1911 están repletos de informes de "encuentros sostenidos con grupos revolucionarios" en todo el estado por tropas federales acantonadas en la 8a. zona militar (en la ciudad de Oaxaca) y en la 9a. (San Jerónimo, cerca de Juchitán, en el Istmo de Tehuantepec); la gran mayoría fueron escaramuzas de poca importancia que se podían manejar fácilmente (véase el mapa).

[18] William Beezley traduce "Sufragio Efectivo y No Reelección" como "un verdadero voto y nada de órdenes del jefe" en su artículo acerca de Madero en G. Wolfskill y D. W. Richmond, comps., *Essays on the Mexican Revolution: Revisionist Views of the Leaders* (1979), pp. 2-21.

[19] Se tomó de un relato inédito de la vida del "general Sebastián Ortiz" escrito por el inspector de la escuela "Sebastián Ortiz" en Ojitlán, Tuxtepec, en 1972: es importante recordar que la sociedad rural en el distrito de Tuxtepec se había transformado significativamente al ampliarse las plantaciones de tabaco y café durante los últimos años de la dictadura, Cassidy, *Haciendas and Pueblos, op. cit*, pp. 228-258.

[20] El archivo particular de Alfredo Robles Domínguez (en lo sucesivo citado como ARD), que en la actualidad se conserva en el Archivo General de la Nación (en espera de reclasificación) incluye la correspondencia intercambiada entre el cuartel general de la ciudad de México y la Jefatura de Operaciones en (Cuicatlán) Oaxaca; Ortiz fue recompensado por su participación en la Revolución con el nombramiento de jefe político de Tuxtepec. Con posterioridad a 1913 se alistó en el Ejército Constitucionalista, pero fue fusilado en Cuicatlán en diciembre de 1914, aparentemente por órdenes del gobernador interino de Oaxaca, José Inés Dávila; "La vida del general Sebastián Ortiz", *op. cit.*

[21] Otros jefes de fuerzas incorporados a las filas del Ejército Libertador incluían a Waldo Figueroa de Putla, a Gabriel Solís de Nochixtlán, a Manuel Oseguera de Teotitlán, a Antonio Michaca de Silacayoapan, a Ramón Cruz de Jamiltepec y a Febronio Gómez de Tlaxiaco; ARD, volumen IV, expediente 18, el Documento 42 incluye una lista de otros 18 nombres de los enlistados como oficiales; los antecedentes (y el destino) de la mayoría de estos jefes siguen en la oscuridad.

1911 (sus compañeros Arnulfo San Germán y Luis Jiménez Figueroa fueron arrestados).[22] Al ser puesto en libertad, Barrios regresó a su nativo Cuicatlán para enarbolar la bandera de la Revolución. Resulta quizá irónico que menos de dos meses después de levantarse en armas en abierta rebeldía, se le confiara la dirección del Centro Antirreeleccionista en la ciudad de México cuando se suspendieron las hostilidades en el interior del estado de conformidad con los términos del tratado de Ciudad Juárez de 23 de mayo de 1911.[23]

No pasó mucho tiempo, sin embargo, antes de que surgiera una desavenencia entre el cuartel general del Ejército Libertador en Oaxaca y el alto mando maderista en la capital de la nación. Su correspondencia muestra una notable indiferencia por parte del Centro Antirreeleccionista con respecto a sus partidarios regionales en Oaxaca. Una fuente usual de conflicto, después de firmado el armisticio y que el dictador había saliera exilio, fue la negativa del gobierno provisional a permitir al victorioso ejército rebelde la entrada a la capital del estado, a pesar de las seguridades del campo rebelde de que no habría enfrentamientos con las tropas federales; de hecho, se dieron órdenes al comandante federal en Oaxaca de impedir el avance de los rebeldes.[24] Otro motivo de queja fue la demora en el suministro de los necesarios fondos y abastecimientos, que según Barrios, era la única manera de impedir nuevos pillajes y robos, inevitable consecuencia del caos existente: la administración respectiva, sin embargo, insistió en que se le suministrara una "lista de comisario", o sea, una lista detallada de tropas y erogaciones, la cual, en las circunstancias que prevalecían, era un tarea prácticamente imposible de efectuar.[25]

Pero la fuente más importante de conflictos era de carácter político e involucraba las maquinaciones para el nombramiento y la elección del candidato maderista oficial en las elecciones de gobernador que se aproximaban. A pesar del continuado aumento en intensidad de la oposición nacional al régimen de Díaz en los anteriores cuatro años, el triunfo avasallador de la campaña militar en el norte había causado una profunda conmoción en el cuerpo político de la nación, y en ninguna otra parte más que en Oaxaca, puesto que la Legislatura del estado estaba constituida por partidarios fieles al anterior presidente, y el gobernador Emilio Pimentel era uno de los más íntimos aliados políticos de Díaz. La Legislatura del estado envió el siguiente telegrama al expresidente a Veracruz, cuando esperaba la salida del barco *Ipiranga* que lo llevaría al exilio:

El Congreso de Oaxaca envía a usted cariñosos saludos de despedida, protestándole su gratitud, lealtad y adhesión. La historia justiciera reconocerá el nombre de usted como el más grande de los benefactores de la patria.[26]

[22] Ramírez, *op. cit.*, p. 21; Jiménez Figueroa habría de encabezar un intento de golpe en Oaxaca en noviembre de 1914 en nombre de Venustiano Carranza; véase el capítulo IV.

[23] La mayoría de los cabecillas de Oaxaca aceptaron estos términos; ARD, IV 18:2, 3, 42; las noticias del armisticio llegaron al comandante federal de la 8a. zona militar (Oaxaca), general Adolfo Iberri, el 18 de mayo de 1911; AHDN, 206, f. 484.

[24] ARD, IV, 18, 42, AHDN 206, ff. 519-532.

[25] Barrios señaló que los jefes rebeldes tenían un muy limitado conocimiento de los procedimientos militares; ARD, IV, 18; 15, 16, 32, 59, 47.

[26] Iturribarría, *op. cit*, p. 264.

Sería imprudente, sin embargo, interpretar eso como una prueba de la unidad y el propósito común de la élite política porfirista en Oaxaca. El gobernador Pimentel se había hecho cada vez más impopular en el estado, a pesar de haber conservado el favor del dictador. Pero a diferencia del renacimiento nacional liberal, que había canalizado la oposición por medio del radicalismo antirreeleccionista, la oposición política en Oaxaca no había roto su molde anticientífico. Los anticientíficos de Oaxaca habían lanzado la candidatura de Benito Juárez Maza, hijo del "Benemérito de la Patria", para la gubernatura del estado en las elecciones de 1910.[27] Porfirio Díaz había permanecido sordo ante las protestas de los anticientíficos del Partido Democrático de Oaxaca (del que Juárez era presidente), y había apoyado a Pimentel para un tercer periodo. Pero mientras los revolucionarios del Ejército Libertador amenazaban a la capital del estado en mayo de 1911, don Porfirio hizo el intento de imponer un candidato anticientífico de que era también popular en el estado: su propio sobrino, Félix Díaz, quien fue debidamente designado por el Congreso del estado el 22 de mayo de 1911.

Las diversas maneras como fueron recibidas las noticias de esa designacion fueron pruebas de que el dictador había perdido el contacto con el pulso político de su natal Oaxaca al subestimar la polarización de la opinión de la localidad. Los simpatizadores porfiristas festejaron la llegada de Félix Díaz con un banquete en su honor, en tanto que los cabecillas del Ejército Libertador denunciaron lo que habían visto como un intento de establecer una dinastía hereditaria y exigieron un candidato que fuera fiel a la causa liberal radical; su candidato fue Ángel San Germán (miembro del Comité Estatal Antirreeleccionista).[28]

Esa creciente polarización y la osadía del ejército armado rebelde, que supuestamente contaba con ocho mil hombres (aunque creció en proporción directa con las noticias de los triunfos militares en el norte) y que estaba acampado impacientemente en Cuicatlán, exacerbaron las tensiones políticas existentes e hicieron presión en el gobernador interino recién designado. Ángel Barrios hizo repetidas advertencias y amenazas apenas veladas de las consecuencias si las operaciones militares de las fuerzas federales en Cuicatlán, Teotitlán y Teposcolula no se daban por concluidas inmediatamente.[29] Pero el golpe mortal a la efímera gubernatura interina fue la renuncia formal de Porfirio Díaz al Poder Ejecutivo ante las fuerzas rebeldes de Ciudad Juárez, sin dejar otra alternativa a Félix Díaz que la de renunciar; de todas maneras, él presentó su candidatura para las elecciones de gobernador que se aproximaban. El porfirista Congreso del estado hizo el intento de designar como gobernador interino al abogado, diputado federal y empresario serrano Fidencio Hernández, íntimo asociado de Félix Díaz. Esa designación era inaceptable tanto para la opinión pública en la ciudad de Oaxaca, como, de manera más significativa, para los dirigentes rebeldes de Cuicatlán. La reducida camarilla maderista en Oaxaca también estaba sumamente recelosa de las maquinaciones de la élite política dentro de la Legisla-

[27] Los detalles de la carrera política de Juárez Maza se encuentran en Peter Henderson, "Benito Juárez Maza y la Revolución en Oaxaca", *Historia Mexicana*, 95, 1975, pp. 372-389.

[28] De Ángel Barrios a A. Robles Domínguez 5/6/11, AHDN, 206, ff. 490-495.

[29] ARD, IV, 18, 10; Barrios a Robles Domínguez 1/6/11, AHDN, 206, ff. 490-495.

tura local, que mostraba una evidente renuencia a que se aflojara la fuerza colectiva con que mantenía las riendas del poder. Abundaban los rumores en la capital del estado en el sentido de que si el Congreso del estado se veía obligado a reconocer la autoridad del gobierno provisional de Madero, el estado entonces "reasumiría su soberanía, retirando su reconocimiento a la federación".[30] Se pudo evitar, sin embargo, una polarización irrevocable, al menos por el momento, mediante la designación de un gobernador interino de que vigilara el proceso de las elecciones: el abogado Heliodoro Díaz Quintas, que era miembro del Comité Estatal Antirreeleccionista.[31]

El rechazo de Fidencio Hernández como candidato adecuado a gobernador interino señala el nadir de la fortuna política porfirista en esa época en Oaxaca. Hacia finales de 1910, Hernández y su primo Guillermo Meixueiro, hijos de los más connotados aliados de Porfirio Díaz en la Sierra, de Juárez, los caudillos Francisco Meixueiro y Fidencio Hernández (padre), habían regresado a Ixtlán con el intento de formar un ejército serrano que defendiera de los insurgentes al anciano dictador. Según Isaac Ibarra, participante activo en el Movimiento de Soberanía y posteriormente gobernador de Oaxaca en 1924, Meixueiro y Hernández fueron informados en una junta de representantes de los pueblos de los alrededores, de que la sabiduría colectiva de la Sierra, a pesar de su adhesión al general Díaz, consideraba que "el país necesitaba un nuevo gobierno que respondiera a la época". Ese revés temporal no señaló, sin embargo, la desaparición de su influencia política en la Sierra, ni en la política del estado. Después de 1912 tanto Meixueiro como Hernández (pero particularmente Meixueiro) habrían de desempeñar un papel significativo en el restablecimiento de la Sierra de Juárez como el bastión de la soberanía del estado en el interior de Oaxaca, y después de 1914 como el centro de resistencia a la invasión del carrancismo.[32]

Mientras que Meixueiro y Hernández se quedaron curándose sus heridas políticas y contemplando su futuro político desde su sierra natal, la campaña electoral se inició con gran intensidad. Las elecciones se habían programado para el 27 de julio, y en ellas solamente competirían dos candidatos: Félix Díaz y Benito Juárez Maza, quienes obtendrían apoyo no por su experiencia política o su ideología, sino por sus nexos familiares y por sus asociaciones políticas y personales. Ambos sostenían que eran anticientíficos; ambos eran, indudablemente, oportunistas políticos; pero ninguno de los dos, sin embargo, estaba calificado para desempeñar el cargo de conformidad con la Constitución política del estado, que requería una residencia mínima de 7 años (los dos candidatos residían en la ciudad de México): este tecnicismo legal fue convenientemente pasado por alto.

[30] L. García a Barrios 1/6/11, ARD, IV, 18.
[31] Peter Henderson, *Félix Díaz, the Porfirians ands the Mexican Revolution* (1981), p. 35; Félix Díaz "Al pueblo oaxaqueño", ARD, IV, 18/3/6/11.
[32] Isaac Ibarra, *Memorias del general Isaac M. Ibarra* (1975), p. 30; Ibarra posteriormente mencionó el hecho de que su exhortación de movilizar había sido rechazada en un intento (infructuoso) de persuadir a Venustiano Carranza de que los serranos que apoyaban el Movimiento de la Soberanía no eran, ni nunca habían sido, "reaccionarios"; carta de Ibarra y de Onofre Jiménez a Carranza, AHDN 212, f. 61-2 8/4/17; véase el capítulo v en cuanto a la influencia de las familias Hernández y Meixueiro en la Sierra de Juárez.   •

Es quizá sintomático de la ausencia de nuevas fuerzas políticas en Oaxaca, que, como respuesta a la crisis política de 1911, los dos candidatos postulados para la gubernatura del estado fueran miembros prominentes de las familias de Juárez y de Díaz: lo cual es un claro indicio de que el espectro del debate político en Oaxaca seguía confinado a las tradiciones del liberalismo del siglo XIX. La campaña electoral reflejó el carácter simbólico de los candidatos. Los partidarios liberales de Juárez Maza atacaban a Díaz por su asociación con los elementos "reaccionarios" de la burocracia del estado y de la Iglesia, y los partidarios de Díaz señalaban el hecho de que la campaña de Juárez Maza (para no mencionar su prestigio) se apoyaba exclusivamente en la evocación nostálgica de la memoria de su padre.[33] No obstante, la campaña no dejaba de ser apasionada. Los antagonismos rivales se desbordaron en una batalla campal en Ocotlán el 8 de julio, en la que fue necesaria la intervención tanto de las tropas federales como de los rurales para restablecer la paz pública.[34]

A pesar de la intensidad de las pasiones políticas manifestada en Ocotlán, el resultado de las elecciones no dependió finalmente del apoyo en el interior de Oaxaca sino de la decisión presidencial, de acuerdo con la tradición porfirista. A lo largo de toda la campaña, la intervención personal de Madero fue decisiva. Si, como se ha pretendido, las creencias políticas de Madero estaban sostenidas por un compromiso de restaurar la autonomía local a los gobiernos individuales del estado,[35] esas convicciones no le impidieron resucitar el espectro de su predecesor por medio de una interferencia abierta en las elecciones de Oaxaca. Inicialmente dio instrucciones a sus más allegados partidarios de Oaxaca de que informaran a la Legislatura del estado que Juárez Maza debería ser designado. Poco tiempo después Madero expresó abiertamente su desconfianza en la lealtad de Díaz y en la competencia de Juárez Maza, y propuso al presidente interino León de la Barra que se pospusieran las elecciones hasta haber encontrado un candidato "adecuado".[36] Los rebeldes del Ejército Libertador no tenían duda alguna de que ninguno de los candidatos representaba sus intereses y siguieron profesando su apoyo a Arnulfo San Germán.[37]

El gobernador interino Díaz Quintas estaba muy consciente de las tensiones políticas en el estado y recomendó, por lo tanto, a De la Barra que, a pesar de la sugerencia de Madero, no se pospusieran las elecciones. Madero de mala gana estuvo conforme y advirtió que "si se hace necesario, ya veremos cómo podemos

[33] Véase Henderson (1981) para los detalles de la campaña electoral; antes de 1911 Porfirio Díaz había utilizado su influencia política para conservar involucrado a Juárez Maza pero al margen de la política nacional; en 1876 fue electo diputado federal por Hidalgo y en 1892 diputado por la capital serrana de Ixtlán; Cosío Villegas, *Historia moderna de México: el porfiriato; vida política*, vol. I, El diplomático inglés T. B. Hohler visitó Oaxaca en diciembre de 1911 y comentó que "Juárez Maza me dio la impresión de ser un gobernador muy tonto e inepto, cuya única virtud era su obstinación, y cuya elección y razón de ser parece que era su sangre indígena y el prestigio de su padre". FO 371/1150/51062.

[34] Esteva, *op. cit.*, pp. 271-278; Ramírez, *op. cit.*, p. 30.

[35] Este es el punto de vista de Beezley en Wolfskill y Richmond, comps., *op. cit.*, pp. 6-9.

[36] Carta de Madero a Francisco León de la Barra 27/7/11, reproducida por Ramírez, p. 25.

[37] ARD, IV, 18,73,74; Iturribarría (p. 269), Ramírez (p. 102), y Henderson (1975, p. 377) erróneamente pretenden que Juárez Maza tuvo el apoyo de los dirigentes rebeldes de Cuicatlán.

remediar la situación''. Díaz Quintas también intentó aplacar las tensiones ordenando el licenciamiento de las fuerzas rebeldes. Ángel Barrios, al tanto de las simpatías felicistas del comandante federal en Oaxaca, general Adolfo Iberri (y de los rumores de movilización de las milicias en la Sierra de Juárez), firmemente se rehusó a obedecer, a pesar de que se le ofreció el cargo de comandante de los rurales en Oaxaca.[38]

Dado el grado de tensión y de inestabilidad política, es en verdad sorprendente que Díaz Quintas se atreviera a decir en su informe a la Legislatura del estado de 16 de septiembre de 1911 que las elecciones de gobernador se habían efectuado ''con el más completo orden.'' Los resultados fueron ciertamente extraordinarios: Juárez Maza obtuvo 169 854 votos, en tanto que Félix Díaz obtuvo solamente 4 562. Los partidarios de Díaz inmediatamente aseguraron que las elecciones habían sido fraudulentas, pero el resultado no se modificó.[39] La simultánea elección de 10 de los 16 diputados para la Legislatura del estado demostró la popularidad y la influencia de la facción radical de la oposición antirreeleccionista. Cuatro de los candidatos que fueron electos habían sido miembros del Partido Liberal (Ismael Puga y Colmenares, Faustino Olivera, Rafael Odriozola y Ángel Barrios), y dos del Comité Estatal Antirreeleccionista; solamente un diputado había sido miembro de la última legislatura prerrevolucionaria.[40] Díaz Quintas entonces proclamó que todos los distritos estaban representados por diputados constitucionalmente electos. El reconocimiento del nuevo gobierno del estado por la mayoría de los jefes revolucionarios hizo posible que proclamara que: ''En el estado de Oaxaca no existe ahora elemento alguno que con el carácter de revolucionario o con cualquier otro pretexto esté sustraído al gobierno.''[41]

Esa atrevida declaración no podía, sin embargo, disfrazar el hecho de que se había desvirtuado la autoridad del gobierno del estado en muchas regiones del campo de Oaxaca. La destitución de las autoridades políticas locales había ocurrido en todo el estado y tan sólo posteriormente fue reconocida por la impotente administración interina.

LA REACCIÓN EN EL CAMPO DE OAXACA

En tanto que las elecciones para gobernador y las actividades del Ejército Libertador se habían apropiado la atención general en el escenario político en Oaxaca durante 1911, en los diversos distritos rurales las difundidas revueltas de campe-

[38] ARD, IV; 18; 83, 48: un ofrecimiento semejante se hizo al jefe rebelde Pascual Orozco en Chihuahua en un intento de asegurar su fidelidad. Meyer, *Pascual Orozco, op. cit.*, p. 39

[39] Henderson (1981), p. 38; Hohler a Grey 3/8/11, FO 371/1150/32135; ''He tenido conocimiento de que los procedimientos eran sumamente corruptos y de que, si no hubiera sido por una descarada intimidación y fuerza, Félix Díaz indudablemente habría resultado electo''.

[40] Iturribarría, *op. cit.*, p. 264; Ramírez, *op. cit.*, p. 34.

[41] *Mensaje del gobernador interino Heliodoro Díaz Quintas leído ante la XXVI legislatura del estado* (Oaxaca, 1911); el vicecónsul inglés Constantino Rickards, por el contrario, dio fe de la ''impotencia del gobierno local'' en Oaxaca, FO 371/1149/32133.

61

sinos habían desplazado a los impopulares representantes de la autoridad porfirista al recibirse las noticias de la inminente caída de la dictadura. En nombre del maderismo, los jefes políticos habían sido depuestos por la fuerza, en ocasiones habían sido atacados y aun ejecutados sumariamente en los levantamientos locales de Tuxtepec, Jamiltepec, Coixtlahuaca, Teotitlán, Cuicatlán, Teposcolula, Silacayoapan, Putla, Villa Alta, Etla, Tehuantepec, Huajuapan, Tlaxiaco y Nochixtlán.[42] Estas desmostraciones en Oaxaca parecen apoyar la suposición de que la propuesta reforma de Madero de la jefatura política como institución nacional era una fuente de gran popularidad en el México rural.[43] Sin embargo, no debe olvidarse que la principal motivación de esas revueltas locales en Oaxaca era sencillamente el deseo de deshacerse de un opresivo tirano local o de un impopular agente federal y no el deseo de realizar una catarsis política o institucional: una vez satisfechos los propósitos específicos de los levantamientos, la revuelta popular tendía a perder su ímpetu.[44]

Si bien muchas de esas revueltas esporádicas y espontáneas iban dirigidas contra individuos impopulares, en ciertas regiones la ira de las comunidades había sido alimentada por disensiones agrarias muy antiguas, por cuestiones de linderos y de invasiones territoriales. El más notorio ejemplo de conflicto agrario ocurrió en la costa del Pacífico, en Pinotepa Nacional y en sus alrededores, en el distrito de Jamiltepec y en los alrededores de Ometepec, en el colindante estado de Guerrero. El predominio de las rancherías en la región de Jamiltepec denotaba la progresiva invasión de las tierras comunales indígenas por parte de los propietarios particulares durante el porfiriato. Los rancheros mestizos, ya sea individualmente o por medio de sociedades agrícolas, habían obtenido títulos de adjudicaciones que les conferían el usufructo de las tierras comunales de los pueblos indígenas para el cultivo del café. La primera cosecha de café se había levantado en 1885, y de ahí en lo sucesivo el café se había explotado comercialmente.[45]

En el transcurso de abril, mayo y junio de 1911, toda la furia de los pueblos indígenas se había derramado sobre esos terratenientes en una serie de violentos y con frecuencia indiscriminados ataques contra los individuos y las propiedades, motivados, según el representante maderista de la localidad por "el odio y el extremismo".[46] La población de Igualapa y de Pinotepa Nacional obligó a los terratenientes a entregarle los "títulos de lotes de terreno", y luego

[42] AHDN 206 ff. 490-495; Baeza a Barrios 10/6/11, ARD, IV, 18, 83; Ramírez, p. 24; Esteva, pp. 90, 332; éstos eran 14 de los 26 distritos políticos del estado.

[43] Beezley, op. cit.; Knight, "Peasant and Caudillo", en Brading, comp., op. cit., p. 27.

[44] El propósito de las insurrecciones locales no siempre era la remoción de un jefe político impopular: en la población de Tamazulpán (en el distrito de Teposcolula) los vecinos asesinaron al cacique de la localidad, a un cura católico, y a un terrateniente conocido como "El Árabe"; en el poblado de Chalcatongo (distrito de Tlaxiaco) se efectuó una verdadera batalla campal entre el pueblo y los seguidores del cacique local, un mayor del ejército retirado, quien tuvo que huir a la Sierra Mixteca. AHDN 206, ff. 490-495; Esteva, p. 409.

[45] Sobre los experimentos acerca del cultivo del café en la región véase Iturribarría, op. cit.

[46] Enrique Añorve, "A las poblaciones bajo auspicios del Gobierno Provisional de Don Francisco Madero", Ometepec, Guerrero, 29/5/11, ARD: IV: 18: 190. Añorve era un coronel del Ejército Libertador y representante maderista en la costa del Pacífico (Oaxaca y Guerrero).

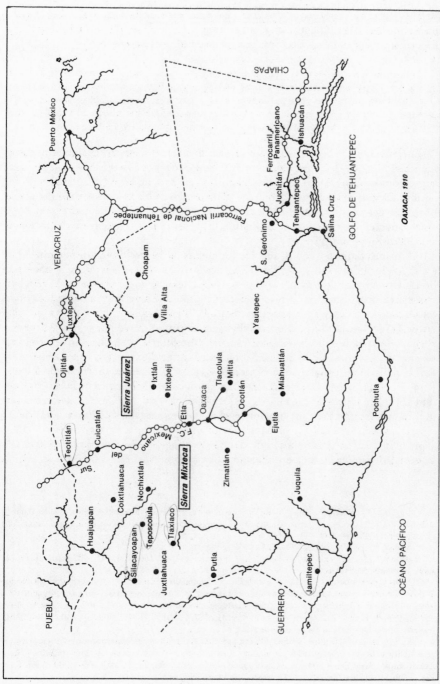

OAXACA: 1910

This map should be renumbered and not or page 24

se dedicó a robar, saquear y asesinar a los rancheros de la localidad y a las autoridades municipales.[47] Según una mujer ranchera, que perdió no solamente a su esposo sino también su casa y su negocio en el levantamiento:

Los indios cayeron en el gravísimo error de creer que el poder maderista los apoyaba y protegía para ser libres, para dejar de pagar impuestos, para ser dueños absolutos de los terrenos, y aun para perjudicar a las personas y familias de los poseedores. Se supo que celebraban juntas secretas para intercambiar sus planes miserables sobre cómo acabar con las autoridades y adueñarse del comercio y los bienes de la gente.[48]

La reacción de las autoridades maderistas recientemente designadas incremento el alcance del ''gravísimo error'' cometido por los rebeldes indígenas al suponer que sus agravios serían escuchados con simpatía; por lo contrario, la reacción adversa claramente demostró el temor abyecto de una revolución social por parte del nuevo régimen. Los títulos de propiedad fueron devueltos y se expidieron decretos en los que se advertían las temibles consecuencias de la repetición de abusos similares.[49]

Al mismo tiempo que los pueblos indígenas de la costa exigían venganza haciendo valer la justicia y la retribución agraria, los arrendatarios de la hacienda de La Concepción, en Etla, en el centro de Oaxaca, encontraron en la rebelión maderista una justificación para satisfacer antagonismos muy arraigados con el hacendado, un inglés de nombre Harold Woodhouse.[50] En este caso, hizo erupción en forma violenta un conflicto agrario que desde hacía mucho tiempo había sido una fuente de tensiones entre Woodhouse y sus arrendatarios. Los atacantes indígenas de Woodhouse estaban impacientes por dirimir antiguas y agrias diferencias con su patrón extranjero, pero lo hicieron enarbolando la bandera del maderismo, acicateados por las convicciones ideológicas y la retórica xenófoba del maestro de escuela de la localidad, David Aguilar, y ayudados por la parálisis temporal de los funcionarios locales encargados de hacer cumplir las leyes.[51] Aguilar condujo a su banda de revolucionarios a Etla en junio de 1911 y procedió, en un gesto clásico de desafío revolucionario, a abrir las puertas de la cárcel del lugar, poner en libertad a los prisioneros y encarcelar a la policía

[47] Capitán J.J. Baños-Añorve, Juan Noriega-Añorve, Francisco Román-Añorve, Rafael Rivero-Añorve ARD; IV; 27; 74, 27, 102; acerca de las operaciones militares en la región véase AHDN, 206, ff. 402, 407 414, 364, 364-365, 356-358.

[48] María Aguirre viuda de Pérez - Cap. J.J. Baños, ARD; IV. 27.

[49] Añorve - ''Compatriotas'', ARD; IV; 27; 191; véanse docs. 169, 178, 185, 207 sobre la restitución de títulos de tierras.

[50] El caso Woodhouse constituyó una seria preocupación para la Legación Británica en la ciudad de México durante 1911 y 1912 en un intento frustrado de obtener una compensación adecuada por los ataques a la persona y a las propiedades de Woodhouse; FO 371/1148/2072, 30669; 1149/46233, 42961, 41407, 48730, 49501; 1150/35213, 26877, 36538, 41409. El asunto aún no se había resuelto antes de que Carranza asumiera la presidencia.

[51] Los profesores (Aguilar, Ortiz, Olivera y San Germán) fueron todos prominentes en la agitación política de Oaxaca en 1911; en cuanto al surgimiento de los profesores como radicales véase David Raby, *Rural Teachers and Social and Political Conflict in Mexico, 1921-1940,* tesis inédita para obtener el Doctorado en Filosofía, Universidad de Warwick, 1970.

y al hacendado Woodhouse. Los rebeldes buscaron entonces refugio con el Ejército Libertador en Cuicatlán.[52]

La retórica revolucionaria y la inercia de las autoridades locales no explican satisfactoriamente las causas subyacentes del conflicto. El perenne pleito entre la finca y los aldeanos de Zoquiapán tenía sus raíces en la adjudicación a la hacienda de tierras comunales que por tradición pertenecían al municipio de Zoquiapan, cuando la finca fue adquirida en 1881 por el general Ignacio Mejía, suegro de Woodhouse. Al igual que en las haciendas de muchas regiones del México porfirista, los habitantes indígenas aceptaron a regañadientes la condición de colonos, siempre y cuando ciertas transgresiones de su parte, como, por ejemplo, dejar que sus animales deambularan libremente por las plantaciones, no fueran castigadas por el hacendado.[53]

La disputa por el usufructo de la tierra y por el carácter poco formal de los convenios legales se exacerbó por la propiedad, puesta en duda, de la campana del ayuntamiento de Zoquiapan, que en un principio había sido transferida por Mejía a la hacienda pero que posteriormente fue "robada" por los aldeanos. La campana fue finalmente recuperada por Woodhouse en 1907, cuando los aldeanos abandonaron el pueblo "cansados por las molestias que constantemente les causaba Woodhouse".[54] Una comisión "revolucionaria" creada por Ángel Barrios en la mencionada hacienda en junio de 1911 para investigar el hecho de que Woodhouse supuestamente disparó sobre un arrendatario, recibió el testimonio de los lugareños, quienes dieron detalles de los abusos a los que el hacendado sometía a sus arrendatarios. Se alegó que Woodhouse había exigido a cada individuo que le diera la cuarta parte de sus cosechas; que les había robado ganado y otros animales (que de acuerdo con él habían invadido o causado perjuicios a sus propiedades), y que verbal y físicamente había abusado de los arrendatarios que simpatizaban con la causa maderista. Todos los testigos dieron fe de que Woodhouse había disparado a sangre fría al campesino Mateo López.

Woodhouse alegó en su defensa que repetidamente había sido amenazado por López y otros, que sus plantíos habían sido perjudicados por el ganado que andaba suelto y que de su finca habían sido robados rifles y cartuchos. Los resultados a que llegó ese tribunal revolucionario improvisado eran previsibles: Woodhouse permaneció en la cárcel en Etla. La Legación inglesa exigió que se le pusiera en libertad y apoyó ante el gobierno interino su reclamación de que se le compensara por los daños sufridos, aunque en privado reconocía que los agresores estaban justificados en sus quejas y que Woodhouse había mostrado "falta de tacto".[55]

[52] Hohler-Grey, FO 371/1148/27072; Woodhouse fue aprehendido por "homicidio frustrado y amagos y lesiones a la causa maderista", delito que, según hizo notar Hohler, "no figura en el Código".

[53] La presión de los agricultores arrendatarios había obtenido ciertas concesiones del Congreso del Estado, el cual en 1905 otorgó a los habitantes de Zoquiapan derechos exclusivos en el usufructo de una pequeña parcela de tierra medida alrededor de la iglesia del pueblo; Strong-Grey, FO 371/1396/14678.

[54] Del gobernador Juárez Maza al secretario de Relaciones Exteriores, FO 371/1149/49501.

[55] Hohler informó en forma privada que "Mr. Woodhouse no siempre se considera que esté bien de la cabeza, se embriaga y se pelea constantemente con los vecinos y con las autoridades" FO, 371/1396/1449.

El presidente interino De la Barra y el gobernador interino de Oaxaca, Díaz Quintas, emitieron órdenes para que se liberara a Woodhouse, que fueron obedecidas por Ángel Barrios, y para que se aprehendiera a Aguilar, la cual fue rechazada. El recientemente designado jefe político de Etla, el anterior insurgente Waldo Figueroa, se enfrentó además a los gobiernos federal y estatal al presentar una acusación formal de "incendiarismo" en contra de Woodhouse, y puso en libertad a los individuos que habían sido aprehendidos por intentar asesinar a Woodhouse y a su familia.[56]

Este episodio en la historia de la hacienda de La Concepción constituye un ejemplo del relajamiento de la antes estricta e implacable autoridad política en el campo de Oaxaca: el desafío que lanzó el jefe político de Etla, el brazo local del ejecutivo facultado para imponer la política del gobierno, no habría sido tolerado por la anterior administración.[57] Pero los arrendatarios rebeldes de la hacienda se vieron apoyados no solamente por las dificultades en la administración de la justicia por las autoridades estatales, sino por la protección y el aliento que habían recibido de los jefes revolucionarios del vecino Cuicatlán, quienes lo vieron como un caso que requería justicia revolucionaria. El liberal radical Faustino Olivares, quien recientemente había resultado electo como diputado en las elecciones del Congreso local, informó a los arrendatarios de La Concepción que la finca ahora pertenecía al gobierno y que por lo tanto éste podría cultivar la tierra tal como se había hecho anteriormente. Poco tiempo después los perplejos arrendatarios fueron expulsados de la hacienda sin mayor ceremonia por un destacamento militar de Oaxaca que actuaba por órdenes del gobernador Juárez Maza, en acatamiento de la política maderista: el rechazo de todo programa de confiscación de los latifundios con el propósito de restituir las tierras a quienes habían sido arbitrariamente despojados de ellas, lo cual en este caso significaba a Woodhouse y no a sus arrendatarios. La política agraria maderista, que nunca fue una materia de importancia en la plataforma política de Madero, hundió aún más las esperanzas de sus partidarios políticos radicales en Oaxaca, ya desilusionados por el resultado desfavorable de las elecciones a gobernador.[58]

Otros casos semejantes de rebeldía campesina se pueden encontrar en todo el campo de México en esa época.[59] Al igual que la mayoría de sus congéneres, los arrendatarios rebeldes de La Concepción, así como los pueblos indígenas de Jamiltepec, no representaban un desafío coherente o serio al *statu quo* político. Las condiciones socioeconómicas previas para un persistente movimiento agrario con aspiraciones políticas nacionales no existían en Oaxaca (a diferencia de Morelos).[60] La etiología de cada rebelión no era por ningún concepto única en

[56] Hohler-Grey, FO 371/1149/42961.

[57] El colérico Woodhouse comentó que su "amigo personal" el gobernador Juárez Maza había reconocido ante él "que el gobierno del estado es totalmente impotente en el distrito", FO 371/1396/9400.

[58] Para una clara exposición de la política agraria de Madero, basada en la "inviolabilidad de la propiedad", véase Isidro Fabela, *Documentos Históricos de la Revolución Mexicana* (en lo sucesivo DHRM), vol. VII, Doc. 814, pp. 481-484.

[59] Alan Knight, "Peasant and Caudillo in Revolutionary Mexico 1910-1917" en Brading, comp., *op. cit.*, pp. 17-59.

[60] Waterbury, "Non-Revolutionary Peasants", *op. cit.*; Womak, *Zapata, op. cit.*

Oaxaca, pero de todas maneras cada una conservaba un carácter fundamentalmente local, y como tal se podía reprimir fácilmente. Sin embargo, una más seria amenaza para la estabilidad política del estado ya había surgido en el Istmo de Tehuantepec, en donde las rivalidades entre los caciques, combinadas con un inveterado conflicto sobre la autonomía regional entre el Istmo y la ciudad de Oaxaca, plantearon al gobernador Benito Juárez Maza el problema más grave de su breve administración y que enzarzó al Congreso del estado en un violento debate con el gobierno federal acerca de la soberanía del estado dentro de la Federación.

La rebelión de Juchitán

La ya explosiva situación que prevalecía en el Istmo se convirtió en una batalla campal en noviembre de 1911 entre unos 6 000 indígenas juchitecos encabezados por el cacique de la localidad, José Gómez, conocido como el "Che" Gómez, y las tropas federales de la 9a. zona militar con su cuartel general en San Jerónimo. Ese fue indudablemente el caso extremo de violencia ocurrido en Oaxaca desde el estallido de la Revolución, y que impulsó al primer secretario de la Legación británica en la ciudad de México, T.B. Hohler, a comentar que "el lugar más problemático en este momento en la República es el estado de Oaxaca".[61] Esa rebelión se ha calificado recientemente como "un accidente de la geografía o de la historia político-social", pero apenas puede dudarse que en la raíz del conflicto se encontraba la rivalidad hegemónica entre los cacicazgos de las familias León y Gómez.[62] La más reciente chispa que hizo brotar esta conflagración fue el nombramiento que hizo el gobernador Juárez Maza de Enrique León como jefe político de Juchitán, lo que resultaba una designación particularmente inflamatoria en vista del hecho de que el Che Gómez había protestado recientemente como diputado al Congreso del estado por Juchitán.[63]

Las dificultades que experimentaron las autoridades militares y civiles para sofocar la insurrección obligaron a la Legislatura del estado a requerir la ayuda del ejército federal de acuerdo con el artículo 116 de la Constitución Federal, que disponía que la Federación tiene el deber de proteger a los estados contra toda invasión o violencia exterior. Los disturbios de Juchitán presentaron así a Madero su primer dilema constitucional desde que tomó posesión a principios de noviembre de 1911. No sólo se oponía a la institución de la jefatura política sino

[61] Hohler-Grey, 6/12/11, FO 371/1150/51062.

[62] Cita tomada de Knight, *op. cit.*; Inturribarría (p. 273)., atribuye la enemistad a "odios ancestrales"; Henderson (1981. p. 42) erróneamente pretende que la insurrección chegomista fue inspirada por la rebelión de Emilio Vázquez Gómez en Chihuahua.

[63] El Che Gómez inmediatamente rechazó la designación de León "en nombre del pueblo juchiteco"; Gómez, el general Merodio (jefe de la 9a zona militar, San Jerónimo, Tehuantepec), AHDN, 206 ff. 622-629; un relato más detallado pero confuso de todo el episodio se puede encontrar en Ángel Bustillo Bernal, *La Revolución Mexicana en el Istmo de Tehuantepec* (México, 1968), pp. 149-175; acerca de las operaciones militares, AHDN 206 ff. 613-616, 619-621, 634, 708, 716-19, 721-28, 733-44, 753-81.

que estaba de lo más renuente a comprometer la neutralidad del ejército federal apoyando la imposición de un jefe político impopular sobre un pueblo inconforme por parte de un gobernador estatal cuya competencia seriamente ponía en duda. Los puntos de vista de Madero fueron respaldados por el Congreso federal, que en consecuencia rechazó la petición de Juárez Maza.

La violencia no mostraba indicios de abatirse durante el mes de noviembre de 1911, lo cual determinó que el Congreso del estado formulara una nueva petición de ayuda. Encendidos y prolongados debates se realizaron tanto en la Legislatura estatal como en la federal, y atrajeron la atención de la prensa local y nacional.[64] En el interior de Oaxaca las emociones y las opiniones se polarizaron por medio de una campaña de propaganda emprendida por Gómez bajo el lema de "El Istmo para los istmeños", que exigía la creación de una entidad federal separada que tendría su capital en Juchitán. En la ciudad de Oaxaca Gómez obtuvo un considerable apoyo en su campaña de llamados a los juchitecos para que rechazaran la intervención autocrática de las autoridades del estado. El presidente Madero, que ya había estado tentado de intervenir en las elecciones gobernador de julio de 1911, no pudo ya resistir sus fervientes deseos de intervenir en los asuntos políticos de Oaxaca, y sugirió la designación de un candidato "de transición", el general Cándido Aguilar. Ambas partes de la contienda rechazaron ese arreglo, y la intervención de Madero fue sumamente criticada tanto en el interior como fuera de Oaxaca como una flagrante violación de la soberanía del estado.

Las cosas fueron llevadas al extremo por la decisión de Juárez Maza de hacer una visita a la región de los disturbios. Las circunstancias que rodearon esa visita son oscuras, aunque no faltan las especulaciones. Según parece, Gómez ofreció recibir a Juárez Maza en Rincón Antonio, y cuando esto le fue rechazado, obtuvo un salvoconducto de Madero, confirmado por el comandante militar de Tehuantepec, Telésforo Merodio, para dirigirse a la ciudad de México a fin de discutir el asunto con el presidente. Juárez Maza, mientras tanto, ordenó la aprehensión de Gómez, que fue cumplida por el presidente municipal de Rincón Antonio. Se enviaron tropas federales de Rincón Antonio para proteger la vida de Gómez, pero a su llegada encontraron que la cárcel estaba vacía. La versión oficial de las autoridades fue que Gómez había sido trasladado para impedir que lo linchara la "multitud"; y que la policía que escoltaba a Gómez fue atacada por una partida de desconocidos armados en las afueras de la población; Gómez fue asesinado en ese ataque, pero ninguno de los que formaban la escolta resultó herido y ninguno de los asaltantes fue aprehendido.[65]

El asesinato de Gómez fue un error de cálculo político que no sólo determinó que Juárez Maza perdiera credibilidad en el interior del estado, sino que garanti-

[64] Ramírez, *op. cit.*, pp. 45-99.

[65] Se consideraba en general que Juárez Maza era directamente responsable del asesinato de Gómez; véase Ramírez, Bustillo, Tamayo; Alfonso Taracena, *Mi vida en el vértigo de la Revolución Mexicana* (Ediciones Botas, México 1936), p. 147; Manuel Bonilla, *El régimen maderista*, Editorial Arana, México 1962, p. 9; únicamente Iturribarría exonera los actos del gobernador y hasta encomia su defensa de la soberanía del estado.

zó que el Che Gómez se convirtiera en un mártir de la causa de la independencia de Tehuantepec.

El apoyo popular y la simpatía hacia la creación de un estado o territorio separado en el Istmo de Tehuantepec, que incluía la parte del istmo que llega al Golfo de México en la región del sur del estado de Veracruz, se había manifestado en Juchitán durante todo el siglo XIX. Ya desde 1853 se había formulado esa proposición, pero compartió el destino del gobierno de Santa Anna y fue rechazada en 1855. No obstante, el alto grado de autonomía política y económica que los pueblos del istmo habían sostenido desde hacía mucho tiempo con respecto a la capital del estado en la ciudad de Oaxaca, se había transformado en una serie de conflictos políticos en los que Juchitán siempre desempeñó un papel destacado. Graves rebeliones populares surgieron en Juchitán en 1847, 1850, 1870 y 1882, que con frecuencia requirieron para sofocarlas la intervención del ejército federal.[66]

Pero si bien existen claros precedentes históricos de la rebelión de 1911, éstos por sí solos no pueden explicar adecuadamente el alcance y la intensidad del conflicto. En el tiempo transcurrido entre el brote de la rebelión en noviembre de 1911 y el final de 1912, el cuartel general del ejército federal en la 9a. zona militar de San Jerónimo informó de más de 50 incidentes de choques con los rebeldes o de ataques a las instalaciones y al equipo de los Ferrocarriles Pan-Americano y Nacional de Tehuantepec en el Distrito de Juchitán. [67] De las escasas pruebas de que se dispone, no se infiere que el conflicto haya sido agrario en su origen. Con anterioridad al porfiriato la producción agrícola del Istmo se había dedicado principalmente al cultivo en pequeña escala de azúcar, café, algodón y añil (así como a la cochinilla hasta la década de 1860). La mayoría de la tierra, no obstante, era adecuada únicamente para la cría de ganado. Aunque las oportunidades especulativas que presentó la construcción del Ferrocarril Nacional de Tehuantepec en la década de 1890 engendraron un incremento en la concentración de la tierra en plantaciones de hule y café, la potencial desorganización de la sociedad rural istmeña se puedo evitar por la abundancia de tierras, por la escasez de la población y por una elevada proporción de quiebras entre los inversionistas. Como resultado, el número de las fincas muy extensas en el Istmo no se incrementó de manera significativa; en 1883 solamente estaban registradas 6 haciendas y, aunque el número ya había aumentado a 22 para 1913, su superficie total tan sólo ascendía a 250 mil hectáreas.[68] No obstante, parece que no ocurrió ningún conflicto grave entre los pueblos y las haciendas, hubo de todas maneras numerosos ejemplos de disputas con respecto al acceso a las tierras. El primer gobernador preconstitucional de Oaxaca designado por Carranza, el general Jesús Agustín Castro, se vio inundado por las solicitudes de los pueblos de istmo que pedían dotación o restitución de tierras ejidales, y por las quejas de los

[66] Jean Meyer, *Problemas campesinos y revueltas agrarias* (1973), enumera 6 rebeliones en Tehuantepec entre 1845 y 1870; los detalles de los orígenes y las consecuencias de esas revueltas son oscuros; la represión era con frecuencia brutal, particularmente en el caso de la rebelión de 1870. Véase, Berry (1981), p. 123.

[67] AHDN, expedientes 206 y 207.

[68] Cassidy, *Haciendas and Pueblos, op. cit.*, pp. 234-236.

pueblos enredados en disputas territoriales con sus vecinos.[69]

Es concebible, por lo tanto, que el Che Gómez fuera capaz de canalizar los agravios locales de carácter agrario y la tan arraigada animosidad de los juchitecos hacia la capital del estado en una rebelión en contra de los gobiernos estatal y central. Las luchas personales y entre caciques en las familias Gómez y León (y la antigua rivalidad entre Juchitán y Tehuantepec) son también factores importantes, pero es interesante advertir que el asesinato de Gómez en diciembre de 1911 no logró pacificar la región. Igualmente fue infructuosa una amnistía generosa y aparentemente incondicional concedida a los rebeldes en julio de 1912.[70] Con posterioridad a 1913, no obstante, se menciona poco la intranquilidad en el Istmo en los informes militares, con excepción de grupos de bandoleros que continuaban sus robos y saqueos, y que lograron escapar al gran número de tropas federales que había en la región con posterioridad a 1914.[71] El apoyo político a la creación de un estado separado en el Istmo siguió siendo una potente fuerza en la región, por lo menos hasta 1917. Durante los debates del Congreso Constituyente de Querétaro, los dos representantes del Istmo formularon una moción en la que exigían el *status* federal para la región. Su proposición fue apoyada por un gran número de peticiones que enviaron a Carranza los pueblos ubicados en los distritos de Juchitán, Tehuantepec, Pochutla y Choápam y en los cantones de Minatitlán y Acayucan en Veracruz, en todas las cuales se insistía en la autonomía cultural e histórica del Istmo ("El Istmo siempre ha tenido su vida propia"), en los años de abandono por las administraciones del estado ("El estado de Oaxaca nunca se ha preocupado por esta rica región"), y en la amenaza que representaban para la región los designios imperialistas de "el yankee... el Atila del Norte".[72] A pesar de sus súplicas, la moción fue rechazada por la asamblea.

La rebelión de Juchitán suministra la primera ilustración clara en Oaxaca de las fuerzas políticas centrífugas desencadenadas por la Revolución de Madero de 1910 y del concomitante colapso de la centralización política porfirista. Si bien el Istmo siempre había sido un participante reacio y en ocasiones recalcitrante en la política durante el siglo XIX, la antipatía hacia el gobierno del estado en la ciudad de Oaxaca se intensificó por la reacción torpe e inepta tanto de la administración del estado como de la nacional ante la crisis de 1911. La persistencia de la intranquilidad y agitación en el Istmo determinó que esa región se hiciera prácticamente ingobernable durante 1912 y demostró la desintegración progresiva de la autoridad política en la capital del estado.

Ese mismo patrón se reflejó, aunque menos espectacularmente, en todo el campo de Oaxaca durante 1911. La remoción por la fuerza de los jefes políticos en la mayoría de los distritos políticos del estado, las proclamas y las actividades iconoclastas de los jefes revolucionarios en el norte del estado (particularmente

---

[69] *Periódico Oficial del Gobierno Pre-Constitucional del Estado de Oaxaca* (1915-1920) (en lo sucesivo PO, citado por volumen, número de la emisión y fecha), vol. II, núm. 5, 3/2/16.

[70] Del cónsul inglés en Salina Cruz, William Buchanan, a Hohler, FO, 371/1395/34983.

[71] La estrategia militar de Carranza en el Istmo se analiza en el capítulo VII.

[72] Peticiones enviadas a los "Ciudadanos diputados del Congreso Constituyente" por "Los Hijos del Istmo", AHDN, 212 ff. 12-31, 33-35, 40-41, 39.

en Cuicatlán, Tuxtepec y Etla), y los levantamientos agrarios en Jamiltepec minaron la legitimidad de los poderes ejecutivo y legislativo. El debilitamiento de la autoridad política se haría más notorio entre 1912 y 1914.

La inestabilidad política interna ilustraba igualmente el grado de polarización dentro de la política provincial (y también dentro de la nacional). La elección de Benito Juárez Maza como gobernador (y la de Madero como presidente) parecía haber solucionado la inmediata crisis política de 1911. En Oaxaca, con los fieles partidarios del anciano dictador en un estado de profundo desorden, particularmente después de haberse rechazado a Félix Díaz y a Fidencio Hernández como candidatos para la gubernatura, Juárez Maza pudo representar el "espíritu" del maderismo y encabezar una coalición de fuerzas políticas heterogéneas unidas en su oposición al régimen anterior: tanto los anticientíficos moderados, como los liberales antirreeleccionistas y, finalmente, algunos cabecillas del Ejército Revolucionario que habían enarbolado la bandera de la Revolución en el norte del estado (aunque de manera significativa Ángel Barrios nunca le dio su apoyo oficialmente). Juárez Maza disfrutó igualmente de un gran apoyo popular, sobre todo en su natal Sierra de Juárez, en donde una reducida milicia de serranos que operaba bajo el ostentoso título de Batallón de la Sierra de Juárez, fue movilizada con posterioridad a noviembre de 1911 para ayudar al gobernador a suprimir la rebelión de Juchitán.[73]

No obstante, los acontecimientos de 1911 socavaron progresivamente la frágil unidad de la coalición. Ya en octubre de 1911 Ángel Barrios había renunciado formalmente a su cargo de elección como diputado por Miahuatlán "para evidenciar sus ningunas ambiciones (sic), puesto que al levantarse en armas lo hizo por principios", y en noviembre de 1911 se rebeló contra los gobiernos de la nación y del estado. En el transcurso de 1912, la mayoría de los jefes revolucionarios que habían formado parte del Ejército Libertador en Oaxaca, siguieron su ejemplo, en esta ocasión enarbolando las banderas revolucionarias de los grupos opuestos a Madero en toda la República: Emiliano Zapata, Pascual Orozco y Emilio Vázquez Gómez.[74] En la opinión de estos cabecillas rebeldes, sus principios políticos (y sin duda sus ambiciones) habían sido frustrados por los dirigentes que impulsaron la revolución pero se afiliaron al reformismo. El propio Madero notoriamente había dejado de tomar en consideración las demandas radicales de los que habían tomado las armas a fin de seguirlo a Oaxaca. Su negativa a respaldar al candidato escogido para la elección (o más bien selección) de gobernador del estado, y la serie de decretos en los que delineaban sus reformas sociales y económicas, alejaron a aquellos para quienes él era el símbolo de una catarsis profunda.[75]

[73] Ibarra, *Memorias, op. cit*, p. 36; el alcance de los acontecimientos en la Sierra de Juárez se analiza en el capítulo v.

[74] AHDN, 206 ff. 475-77; el texto de la renuncia de Barrios se reproduce en Ramírez, p. 37; en cuanto a la rebelión de Pascual Orozco y Emilio Vázquez Gómez véase Meyer, *Mexican Rebel, op. cit.*, (1967).

[75] Enrique Añorve anunció a los pueblos de la costa del Pacífico de Oaxaca y Guerrero que los principios del Gobierno provisional eran "el restablecimiento del orden" y "la inviolabilidad de la propiedad", y les advirtió que cualesquiera ataques "inmorales" a la vida, el honor o la propiedad serían castigados "con toda severidad, aplicando la pena capital", ARD IV, 18 190.

71

Las dificultades que se experimentaron para imponer la autoridad del gobierno del estado se agravaron por la interrupción de las transacciones y del comercio. El flujo de impuestos personales y al comercio que lubricaba la maquinaria de la administración estatal resultó afectado de manera adversa, particularmente en aquellas regiones en donde los representantes del estado en los distritos y municipios políticos (los jefes políticos, los recaudadores de rentas y los presidentes municipales) habían sido depuestos por la fuerza.[76] Tanto Juárez Maza como su sucesor Miguel Bolaños Cacho se enfrentaron, por tanto, a una reducción aguda en los recursos de que disponía la tesorería del estado en un momento en que la demanda de esos recursos se incrementaba como consecuencia de serias amenazas a la seguridad pública.[77]

En vista de la complejidad y diversidad cada vez mayores de los obstáculos que encontraba en su camino el gobernador Juárez Maza, es posible especular que su muerte repentina, ocurrida en abril de 1912, lo salvó del suicidio político. Sin embargo, subsiste el hecho de que su fallecimiento eliminó al único personaje en la arena política de la provincia capaz de obtener apoyo de un amplio espectro de opiniones. Los maderistas liberales se encontraban ahora divididos por la elección de un sucesor, lo cual permitió que se designara a un "borlado" moderado, Miguel Bolaños Cacho. La incapacidad del desventurado Bolaños Cacho para restablecer la autoridad del gobierno del estado en los distritos políticos determinó que resurgieran fuerzas políticas en Oaxaca que habían estado inactivas durante la hegemonía liberal radical de 1911-1912: los remanentes de la élite política porfirista, que habían apoyado a Félix Díaz en las elecciones para gobernador de 1911, y a quienes se daría un fuerte impulso por el golpe militar de Huerta en 1913; y la reaparición del caudillismo en la Sierra de Juárez, como resultado de lo cual las milicias serranas fueron movilizadas por primera vez desde la década de 1870. Estos acontecimientos tuvieron una enorme importancia en la participación de Oaxaca en la Revolución, ya que la restauración del federalismo radical y del caudillismo habrían de suministrar tanto las bases ideológicas como el impulso militar del Movimiento de la Soberanía con posterioridad a 1915.

[76] Los ingresos se seguían recaudando de los pueblos, aun cuando el dinero no ingresara a la Tesorería del estado; los ejércitos rebeldes extraían los impuestos y los préstamos forzosos para destinarlos a sus necesidades inmediatas; véase ard IV, 27, 99, 101, 111, 113, 114-121 con respecto a las quejas contra el cabecilla Ramón Cruz por "robos y amenazas" durante las actividades de recaudación de fondos en los pueblos de la Sierra Mixteca en mayo y junio de 1911; el gobernador Bolaños Cacho aludió a las difundidas prácticas corruptas de los presidentes municipales de la localidad, que recaudaban los impuestos locales pero después enviaban padrones falseados a la Tesorería del estado; Añorve recomendó al comandante militar de Jamiltepec (escenario de violentas revueltas agrarias a principios de 1911) la reducción de los impuestos locales como un primer paso para aplacar el "descontento popular" en la región. ard IV, 27, 204.

[77] A los oficiales se les concedió un aumento de salario de 50% en mayo de 1912, en parte como compensación por las mayores exigencias que se hacían de sus servicios, y también, sin duda, para asegurar su lealtad al gobierno del estado. *Mensaje del C. Lic. Miguel Bolaños Cacho ante la XXVI Legislatura del estado*, Oaxaca, 1912, pp. 9-12. Véase el capítulo vii acerca de las erogaciones de las fuerzas de seguridad del estado con anterioridad a la Declaración de Soberanía de 1915.

III. REVUELTA Y REBELIÓN
EN LA SIERRA DE JUÁREZ. 1912-1914

not an indigenous revolt

EN EL anterior capítulo primero he sugerido que los acontecimientos en Oaxaca en 1911 fueron una reacción directa a la crisis política nacional de 1911, y que la naturaleza de la reacción estaba determinada por las particulares condiciones sociales y económicas que prevalecían en las diferentes zonas geopolíticas del estado. Las regiones que reaccionaron más vigorosamente ante la revolución maderista (Tuxtepec y la costa del Pacífico), fueron aquellas en donde el efecto de la transformación económica y de la modernización había sido más destructor: en las demás regiones del estado la revolución había ofrecido amplias oportunidades para la satisfacción de agravios atávicos locales que, o bien estaban latentes, o se dejó que se enconaran durante el Porfiriato.

La tarea a la que ahora se enfrentaban los dirigentes políticos, tanto en Oaxaca como en todo México, era la restauración de la autoridad política que se había desintegrado en 1911.[1] Su tarea se vio obstaculizada en Oaxaca por la combinación de dos factores importantes: en primer lugar, el desorden interno y la anarquía en los distritos rurales, que se incrementó con posterioridad a abril de 1912 por una seria revuelta en la Sierra de Juárez; y en segundo lugar, el deterioro progresivo en las relaciones entre la administración estatal y el gobierno central inmediatamente después del cuartelazo militar de febrero de 1913, que despojó del poder a Madero. La debilidad de las autoridades constitucionalmente electas en Oaxaca contrastó notoriamente con la renovada influencia del caudillismo en la Sierra de Juárez, que ahora resurgía después de una ausencia de casi cuarenta años para restablecer la hegemonía política en el estado.

Todavía a fines de 1911, el apoyo político y militar de la Sierra de Juárez había hecho una contribución sustancial a la estabilidad del gobierno del estado encabezado por el gobernador Benito Juárez Maza, quien parecía estar sometido a una creciente presión interna.[2] Las revueltas de campesinos que caracterizaron los conflictos en el campo de Oaxaca en 1911 no habían sido controladas, a pesar de lo que decían las comunidades oficiales. Además, para abril de 1912 la mayoría de los jefes rebeldes del antiguo Ejército Libertador que habían dirigido los diversos levantamientos en el campo de Oaxaca en 1911, ya no tenían es-

[1] La política internacional agregó otra dimensión a la crisis nacional; a medida que declinaba la confianza en las instituciones políticas existentes, crecía el espectro de la intervención en los asuntos de México por su poderoso vecino del Norte, un espectro que rondaba si no es que obstaculizaba abiertamente la implantación de un programa político o económico antagónico al capital extranjero: ya en marzo de 1912 el embajador de la Gran Bretaña en Washington informó de una invitación tentativa del presidente Taft al gobierno inglés para participar en una intervención militar en México "si llegara a hacerse necesaria". De Bryce a Grey 13/3/12 FO 371/1392/8065.

[2] En cuanto al apoyo político en la Sierra de Juárez para la candidatura de Benito Juárez Maza véase el capítulo V

peranzas de lograr sus aspiraciones personales y políticas dentro de los confines constitucionales del maderismo, y se habían rebelado en nombre de los que ya se habían levantado en armas contra el gobierno de Madero. Ángel Barrios, reconocido como el líder de la rebelión maderista en Oaxaca, ya se había rebelado en noviembre de 1911, en Cuicatlán. Su ejemplo fue seguido por Manuel Oseguera en enero de 1912 en Teotitlán; por Guadalupe Gómez y Francisco Ruiz en Huajuapan en marzo; por Ángel Reyes en Silacayoapan, y por Ramón Cruz en Tlaxiaco, ambos en abril de 1912.[3] En Juchitán, no obstante el asesinato del Che Gómez, pequeñas bandas rebeldes continuaban sus ataques esporádicos en las instalaciones del Ferrocarril de Tehuantepec, con lo que interrumpían el comercio y las comunicaciones en la región del Istmo. Ni siquiera la "rendición" de los juchitecos en agosto de 1912 significó el fin de los conflictos, ya que por lo general (y correctamente) se suponía que volverían a brotar las revueltas una vez que hubiera pasado la estación de lluvias.[4]

Como reacción a estas amenazas a la seguridad interna del estado, Juárez Maza convocó a los pueblos de la Sierra de Juárez en noviembre de 1911 para que formaran una milicia que apoyara a las fuerzas de seguridad del estado, en vista del reducido número de soldados federales que constituían la guarnición de la capital. En el curso de una semana se habían reunido 500 voluntarios en tres compañías, que formaron el "Batallón de la Sierra de Juárez". La primera compañía era de voluntarios de Ixtepeji y de San Pedro Nexicho, al mando de Pedro León; la segunda compañía de voluntarios de Ixtlán, Atepec, Jaltianguis y Guelatao, al mando de Onofre Jiménez; y la tercera, de los pueblos de Lachatao, Amatlán, Yavesía, Analco y San Juan Chicomezuchil, al mando de Isaac Ibarra.[5] La movilización de las milicias serranas en 1911 (la primera desde los acontecimientos de 1876) demostró la popularidad de Benito Juárez Maza, cuyas ligas con la Sierra de Juárez eran obvias; también habría de tener una profunda significación para el curso de la Revolución en Oaxaca, ya que los oficiales (Ibarra y Jiménez) y los reclutas de la segunda y de la tercera compañías habrían de formar el núcleo de la División de la Sierra de Juárez que se incorporó a las Fuerzas Defensoras del estado, la rama militar del Movimiento de la Soberanía que defendió al estado de las intrusiones del carrancismo entre 1915 y 1920.[6] Ya para 1912 la remilitarización de la Sierra de Juárez amenazó con trastonar el precario equilibrio de las fuerzas políticas en el interior de Oaxaca. Dentro de las tres semanas que siguieron a la repentina muerte de Juárez Maza, ocurrida en abril de 1912, la capital del estado fue sitiada por un ejército rebelde de dos mil serranos de Ixtepeji y sus alrededores.

[3] AHDN 206 ff. 729-732; 207 ff. 6-24, 219-220, 306-313, 344-347, 348-361.
[4] La rendición y la amnistía de los juchitecos se describió como "una farsa"; Stronge-Grey 17/8/12 FO 371/1395/36939 y 1392/ 10938 y 12698.
[5] Ibarra, *Memorias, op. cit*, pp. 36-37.
[6] Véase la Segunda Parte, capítulos V y VII.

Aunque nominalmente orozquista, la revuelta de Ixtepeji se debía menos a una identificación con la rebelión de Pascual Orozco en Chihuahua que a las perennes divisiones dentro de la sociedad de la sierra. Durante la época colonial, Ixtlán había sido escogida como el centro administrativo de la Sierra de Juárez, y posteriormente había llegado a ser la cabecera del distrito político creado en 1857. Pero por medio de la explotación de las minas de la localidad, Ixtepeji era ya el principal centro comercial y cultural, así como el poblado más extenso de la sierra. Los celos mutuos y la animosidad se exacerbaron por una disputa acerca de la superficie de las tierras municipales que estaban a la disposición de los ixtepejanos.[7]

Desde 1873 los vecinos de Ixtepeji habían aportado también una gran parte de la fuerza de trabajo de la única fábrica textil movida por vapor que había en la sierra, en Xía, en el camino de Ixtlán a Oaxaca. El establecimiento de la fábrica atrajo una época de prosperidad que parece haber contrarrestado la necesidad de una migración estacional, dada la precaria base agrícola de la economía local.[8] Para 1878 la fábrica de propiedad inglesa producía anualmente grandes cantidades de hilo y de telas burdas para los mercados regionales.[9] Sin embargo, la notoria declinación de más del 60% tanto en fuerza de trabajo como en la producción en general entre 1898 y 1910 acarreó problemas económicos para la comunidad local y determinó que la compañía (Mowarts y Grandison) iniciara la construcción de una nueva fábrica movida por energía eléctrica en 1910, más cerca de los mercados regionales y nacionales, que se ubicaría en las afueras de la ciudad de Oaxaca.[10] Sin duda acicateados por los acontecimientos políticos ocurridos en la primera mitad del año, un grupo de operarios textiles saqueó la fábrica de Xía, amenazó al gerente de nacionalidad inglesa (Mr. Harry Trinker) y huyó a las montañas, adonde fue perseguido por tropas federales, rurales y bandas armadas que se reclutaron en los poblados vecinos de Ixtlán, Guelatao, Analco, y Yolox, que eran sus rivales y enemigos de mucho tiempo.

La amenaza inmediata de conflictos enconados en la Sierra de Juárez se impidió con la creación de milicias en la sierra en noviembre de 1911. Éstas quedaron incorporadas al Batallón de la Sierra de Juárez, que incluía tropas de Ixtepeji y de Ixtlán. Pero las milicias de esos pueblos rivales se agruparon en diversas compañías, y no pasó mucho tiempo antes de que la encarnizada animosidad entre los antiguos rivales brotara en forma de conflictos violentos.[11]

[7] Amado Pérez, *Apuntes sobre la revuelta orozquista-serrana-Ixtepejana de 1912*, Ixtlán, Oaxaca 1975, p. 14; Michael Kearney, *The Winds of Ixtepeji-World View and Society in a Zapotec Town*, Nueva York, 1972.

[8] Kate Young, *The Social Setting of Migration, op. cit.*, p. 244; Pérez García, *La Sierra Juárez, op. cit.*, comenta que durante la segunda mitad del siglo XIX la población de la sierra se había visto obligada a pedir alimentos en los valles centrales alrededor de la ciudad de Oaxaca.

[9] La construcción tanto del camino de Ixtlán a Oaxaca como de la fábrica misma había sido ideada por el caudillo serrano y empresario Fidencio Hernández (padre); Pérez García, vol. II, p. 274; los detalles de la carrera de Hernández se podrán encontrar en el capítulo v.

[10] *Estadísticas económicas del porfiriato* (1956), pp. 119-124; Pérez García, vol. II, p.275.

[11] Kearney, Pérez, Ibarra, *op. cit.*

Las compañías segunda y tercera del Batallón de la Sierra de Juárez fueron desbandadas a mediados de diciembre de 1911, una vez que hubo amainado el peligro de un ataque a la seguridad interna del estado por parte de Juchitán. La primera compañía, al mando de Pedro León, formada por tropas de Ixtepeji, quedó a las órdenes del gobernador. A fines de diciembre, León recibió órdenes de aprehender a un grupo de abigeos del poblado de Tlalixtac, pero a causa de las disputas territoriales entre Ixtepeji y Tlalixtac, la llegada de los ixtepejanos al poblado precipitó una batalla campal que tuvo como resultado un gran número de muertos. León pudo contar con el apoyo personal del gobernador Juárez Maza y en consecuencia no fue perseguido por su delito. Pero después de la repentina muerte de Juárez Maza, León y sus tropas ixtepejanas, temiendo las represalias y el encarcelamiento, regresaron a la sierra y se declararon en abierta rebelión contra el gobierno del estado.[12]

El llamamiento a la rebelión encontró eco en la región del Valle Central; durante el mes de mayo de 1912 se realizó una serie de ataques de grupos aislados de bandidos sobre las haciendas en Zaachila, Zimatlán, Tlacolula, Ejutla y Ocotlán. El propósito de esos ataques era sencillamente abastecerse de alimentos, no derrocar al gobierno del estado; pero con ellos se demostró que las autoridades del estado habían perdido el control y que un caos generalizado prevalecía en muchas regiones del campo de Oaxaca.[13]

Cierto número de serranos de diversos poblados de la Sierra de Juárez se unieron a los ixtepejanos, por medio de una combinación de amenazas y exhortaciones, en sus alborotos en la sierra, motivados por las posibilidades de saquear y su deseo de vengarse y de obtener una retribución contra sus antiguos enemigos. Esa banda, cada vez más grande aunque desorganizada, atacó Ixtlán el 22 de mayo y asesinó tanto al jefe político como al juez de primera instancia de la localidad, aparentemente porque el jefe político había recibido órdenes de desarmar y aprehender a León y a sus seguidores.[14] Alentados por la falta de resistencia por parte de Ixtlán (la segunda compañía del Batallón de la Sierra de Juárez de Ixtlán había sido desarmada y dispersada en diciembre de 1911) y por la impotencia de las autoridades federales y estatales, los ixtepejanos rebeldes lanzaron un ataque sobre la ciudad de Oaxaca el 27 de mayo. La capital del estado solamente estaba defendida por unos 300 rurales, reforzados por 150 auxiliares de Oaxaca. Esos voluntarios recientemente alistados, a pesar de la superioridad numérica de los rebeldes, pudieron repeler el ataque antes de que la capital cayera en su poder. La llegada de un refuerzo de tropas federales, constituido

[12] Pérez García, vol I, pp. 140-143, comentó que en 1956 la perenne rivalidad y hostilidad entre Ixtepeji y Tlalixtac por disputas sobre linderos era aún muy notoria; igualmente sugiere que el robo en 1911 de un valioso código del siglo XVI que ilustra los linderos de las tierras ancestrales que estaban a la disposición de los ixtepejanos, fue un factor importante en la génesis de la rebelión; el códice aparentemente fue vendido por un abogado de la ciudad de Oaxaca al cónsul alemán en la cantidad de 35 mil pesos (p. 140).

[13] "No existe un levantamiento político; tan sólo bandas de ladrones son las que están cometiendo esos delitos." Rickards, 22/5/12 FO 371/1394/24850.

[14] El relato más completo y detallado de la revuelta se puede encontrar en Ibarra, *Memorias, op. cit*, pp. 38-51.

por 600 hombres enviados por órdenes del presidente Madero, precipitó la retirada de los ixtepejanos, que ya estaban ansiosos de volver a su sierra natal.[15]

La violencia en la Sierra de Juárez persistió durante el año de 1912. Los ataques, los contraataques y las represalias entre los poblados de Ixtepeji e Ixtlán y sus respectivos aliados, reavivaron antiguas diferencias y crearon divisiones nuevas y más profundas en la sociedad de la sierra. El cacique Pedro León (conocido localmente como el "Cuche Viejo") fue traicionado por sus antiguos aliados en Jaltianguis y fusilado a principios de junio.[16] En vez de desmoralizar a los ixtepejanos, la rebelión, ahora al mando de su hijo Pedro León Jr., y del presidente Municipal de Ixtepeji, Juan Martínez Carrasco, adquirió un mayor impulso y amenazó a la ciudad de Oaxaca en septiembre. Ese segundo ataque sobre la capital del estado fue igualmente rechazado, por la falta de unidad, la desorientación y la ausencia de cohesión entre las partidas rebeldes que tenían como base de organización el pueblo, en combinación con el temor que les producían las tropas federales fuera de su propio territorio. En la sierra, no obstante, las tácticas de guerrillas puestas en práctica por los serranos confundieron y frustraron los intentos del ejército federal de sofocar la rebelión. La pacificación de la Sierra de Juárez no se logró sino hasta que el gobierno del estado estuvo de acuerdo en rearmar a las milicias organizadas por los enemigos de Ixtepeji, encabezados por los pueblos de Ixtlán y Lachatao.[17] Esa combinación de tropas federales y de voluntarios serranos logró expulsar a los ixtepejanos de la Sierra de Juárez para unirse a las fuerzas rebeldes en La Cañada en el distrito de Tuxtepec al mando de Ángel Barrios. Pero la aprobación oficial del rearme de las milicias serranas de Ixtlán y Lachatao (que estarían al mando, lo mismo que en 1911, de Onofre Jiménez e Issac Ibarra, respectivamente) quedó a merced de los caudillos serranos Fidencio Hernández y Guillermo Meixueiro, quienes con ello tuvieron la oportunidad de revivir su influencia política en la Sierra de Juárez, que habían estado a punto de perder en 1910, y de disponer de medios con los cuales establecer finalmente un control político en todo el estado. Hernández había tenido la responsabilidad de la organización militar de las milicias de la sierra en junio de 1912, ostensiblemente como una reacción ante la amenaza que planteaba la rebelión de Ixtepeji; y su primo y compañero porfirista Meixueiro había convencido a Miguel Bolaños Cacho y al comandante federal de la 8a. zona militar, el coronel Quintana, la necesidad de que se les suministraran armas, municiones y dinero.[18]

[15] Pérez, Iturribarría, op. cit, Jorge Tamayo, Oaxaca en el siglo xx, México, 1956, p. 29; Rickards, 8/6/12 FO 371/1394/27837.

[16] Pedro León fue otro protegido y anteriormente empleado del propietario de minas Miguel Castro, que fue gobernador de Oaxaca e íntimo asociado de Benito Juárez (padre); Castro también fue patrón de los caudillos serranos Francisco Meixueiro y Fidencio Hernández. Pérez García, op. cit., II, pp. 128-131, 244, véase el capítulo v.

[17] A causa de la interrupción del comercio la comunidad mercantil de Oaxaca hizo presión sobre el gobierno del estado para que incrementara sus esfuerzos a fin de pacificar a la Sierra de Juárez (Alan Knight "Caudillo and Peasant", en Brading, comp., op. cit., pp.32).

[18] Ibarra, op. cit., p. 58; el comandante de la fuerza expedicionaria federal, teniente coronel Celso Aguilar, lanzó un "Manifiesto a los pueblos de la Sierra de Juárez", apremiándolos para que cooperaran en el restablecimiento de la paz en la región, AHDN 207, ff. 761-763.

Meixueiro, Hernández, y sus lugartenientes serranos Ibarra y Jiménez pudieran de esta manera aprovechar la ventaja de un conjunto de circunstancias favorables; la amenaza obvia que planteaban los rebeldes de Ixtepeji a la seguridad interna del estado, a lo que se agregaba la persistencia de la agitación en Juchitán y La Cañada, las incursiones zapatistas por los límites de Puebla y Guerrero, y la incapacidad de las fuerzas expedicionarias federales de penetrar en la sierra, fueron los principales factores que influyeron en la decisión de las autoridades del estado de ayudar a la remocvlización de las milicias de la sierra. La entusiasta respuesta en la propia Sierra de Juárez provino de la ingente e inmediata necesidad de su propia defensa, no sólo en contra de los ixtepejanos, sino también de los desmanes de las tropas federales. Los saqueos, los pillajes y los asesinatos perpetrados por los rebeldes ixtepejanos solamente eran comparables en su ferocidad con las represalias realizadas por los federales. Los pueblos en los distritos de Ixtlán y Villa Alta que habían sido ocupados por los rebeldes, quedaron automáticamente marcados como revolucionarios y criminales por las autoridades federales. Sus propiedades y su ganado fueron destruidos o confiscados, y los individuos que tuvieron la suerte de escapar a la ejecución sumaria fueron o bien reclutados por la fuerza en el ejército federal o bien enviados a las colonias penales de la "Siberia mexicana" en Quintana Roo.[19] Esos excesos cometidos por las autoridades federales contribuyeron y no en pequeña proporción a la tenaz resistencia que se opuso a las intromisiones del gobierno central que se manifestó en la sierra en defensa de la soberanía del estado entre 1915 y 1920.

LA POLÍTICA DEL ESTADO: LA GUBERNATURA DE MIGUEL BOLAÑOS CACHO

En tanto que el equilibrio de las fuerzas políticas dentro del estado se inclinaba lenta pero perceptiblemente en favor de los jefes serranos, la contienda por la gubernatura de 1912 para elegir a un sucesor de Juárez Maza había puesto de relieve la desaparición de la coalición maderista-antirreeleccionista. La votación liberal maderista se había dividido entre Arnulfo San-Germán, que era el candidato propuesto por Ángel Barrios y los cabecillas rebeldes para la gubernatura en 1911, y Juan Sánchez, que había sido presidente del Comité Antirreeleccionista en Oaxaca. Los demás candidatos representaban a las tradicionales agrupaciones políticas conservadoras que habían preponderado en la política del estado en los anteriores 30 años: el candidato felicista-pimentelista, doctor Aurelio Valdivieso, que era el director del prestigiado Instituto de Ciencias y Artes del estado, y el abogado "borlado" Miguel Bolaños Cacho, que había actuado como gobernador interino del estado en 1902.[20] El interés del público en las elecciones había sido mínimo, y era evidente que una vez más, tal como ocurrió en la elección de Juárez Maza el año anterior, el factor decisivo no habría de ser el apoyo

[19] Iturribarría, pp. 285-287.
[20] Ramírez, *op. cit.*, pp. 124-125, Henderson (1981), *op. cit*, p. 43.

en el interior de Oaxaca sino la protección presidencial.[21] Inicialmente el presidente Madero se mantuvo en estrecho contacto con Juan Sánchez, a quien se consideraba candidato maderista oficial, que con regularidad enviaba informes a la ciudad de México. El propio Sánchez reconoció la importancia de la aprobación presidencial y argumentó ante Madero que:

> Si usted me honrara con las recomendaciones que indiqué en mi telegrama, o con una sola al gobernador del estado (interino), ya fuera directamente o por conducto del Ministro de Gobernación, mi triunfo sería seguro y aplastante la derrota de Bolaños Cacho.[22]

Desafortunadamente para Sánchez, no llegaría tal recomendación. En realidad, como resultado de una campaña personal bien organizada y costosa, Bolaños Cacho surgió como el más fuerte de los candidatos y Madero dejó bien aclarado que no tendría objeción alguna a su elección. No obstante que la postura de la campaña de Bolaños Cacho era evidentemente antimaderista, y que los ataques personales hacia Madero eran con frecuencia virulentos (en un discurso el Presidente fue acusado de tener "un cerebro infantil"), el secretario de Gobernación Jesús Flores Magón envió una circular a los diputados de la Legislatura de Oaxaca en la que se decía que

> el señor presidente y yo deseamos hacer constar que el Gobierno General ningún interés tiene en que el señor licenciado Bolaños Cacho no sea Gobernador de ese estado.[23]

Esa circular produjo una grande y comprensible consternación entre los maderistas de la localidad, quienes además se sintieron molestos por una serie de telegramas que envió Bolaños Cacho en vísperas de las elecciones a las cabeceras de los distritos electorales locales "informándoles" la decisión del candidato Sánchez y de Valdivieso de no discutir la elección.[24]

Es difícil hacer una estimación del efecto de este solapado ardid en las probabilidades electorales de Juan Sánchez. Los resultados oficiales indican que fue más bien una división en el voto maderista lo que determinó que la causa liberal perdiera las elecciones. Bolaños Cacho obtuvo 75 664 votos; Juan Sánchez 31 625; Arnulfo San-Germán 30 747 y Aurelio Valdivieso 24 299.[25] Madero quedó satisfecho al enterarse del resultado ya que había recibido seguridades de cooperación de Bolaños Cacho; pero una vez más demostró un notable desprecio por las aspiraciones de sus partidarios en Oaxaca.[26]

La forma en que quedó compuesta la diputación federal de Oaxaca para el Congreso Nacional como resultado de las elecciones de 1912 fue una nueva indicación de la desintegración de la influencia política de los partidarios maderistas

[21] Cónsul Buchanan (Salina Cruz) 20/8/12 FO 371/1395/37910.
[22] Isidro Fabela, DHRM, vol. VIII, pp. 16-18 (823): Juan Sánchez a Madero.
[23] DHRM, *ibid* VIII, pp. 58-59 (845): Sánchez a Madero.
[24] DHRM, *Ibid.*, VIII, pp. 37-38 (835): Sánchez a Madero.
[25] Ramírez, pp. 128-129.
[26] DHRM, XII, p. 120 (890), "no fue mucho el interés que tomó la mayoría de la gente, y muy pocos votaron." Rickards (Oaxaca) 12/7/12 FO 371/1394/32033.

en el interior del estado. De los 16 diputados federales electos, solamente tres eran maderistas, ya que el resto se describían como "porfiristas y conservadores".[27]

El problema más inmediato para el nuevo gobernador era el brote de violencia en la Sierra de Juárez, particularmente en vista del excesivo celo de las fuerzas federales acuarteladas en la ciudad de Oaxaca para sofocar la rebelión ixtepejana. Fue tal el clamor público que se desató ante la matanza de 40 civiles por el jefe militar de la zona, coronel Quintana, en el poblado de San Felipe del Agua en septiembre de 1912, que Bolaños Cacho se sintió obligado a acallar a sus opositores políticos más escandalosos por medio de la aprehensión de un grupo de liberales maderistas prominentes bajo el cargo de complicidad en la rebelión serrana.[28] Otra amenaza potencial a la estabilidad de Bolaños Cacho provenía del intento de cuartelazo encabezado por Félix Díaz en Veracruz en octubre de 1912 contra el gobierno de Madero. La fuerza del apoyo popular en favor de Díaz en Oaxaca había quedado demostrada por la reciente campaña del candidato felicista Aurelio Valdivieso en las elecciones a gobernador. Se hacían circular rumores, se distribuían folletos y se convocó a una manifestación popular para la noche del 25 de octubre en favor de la insurrección de Veracruz. Bolaños Cacho inmediatamente dio órdenes a la guarnición federal para que dispersara la manifestación, lo cual se efectuó debidamente. La lealtad del ejército federal al presidente Madero y el fracaso de la revuelta del 24 de octubre señalaron un revés temporal en las aspiraciones políticas felicistas, tanto en toda la nación como en Oaxaca.[29] Los abogados felicistas en Oaxaca expresaron su desilusión en un documento publicado en octubre en el que se declaraba que el tribunal militar que había sentenciado a prisión a Félix Díaz era incompetente, ilegal y contravenía los artículos 13 y 14 de la Constitución. En la sierra, no obstante, las noticias de la insurrección de Veracruz produjeron un efecto muy reducido o nulo y, desde luego, no tuvo lugar ninguna rebelión armada.[30]

La búsqueda aparentemente incansable de poder político nacional por parte

[27] Tamayo, *op. cit,* p. 29; la elección tanto de Guillermo Meixueiro (Villa Alta), como de Fidencio Hernández (Etla) comprobó la reanudación de sus fortunas políticas.

[28] Tamayo se refiere a los que habían sido aprehendidos como "la flor y la nata" de la Revolución en Oaxaca", p. 30. La lista incluía a Heliodoro Díaz Quintas, Miguel Cuevas Paz, Juan Cervantes, Faustino Olivera e Ismael Puga y Colmenares, así como a otros que habían sido miembros del Comité Anti-Reeleccionista de la localidad; Isaac Ibarra también fue aprehendido.

[29] Acerca de los detalles de la revuelta de Veracruz véase Henderson (1981), *op. cit.*, capítulo IV (aunque él equivocadamente dice que (p. 56) el levantamiento de Ixtepeji estaba en cierta manera relacionado con el cuartelazo de octubre de 1912); Juan Sánchez afirmó que el gobernador Bolaños Cacho estaba en colusión secreta con el levantamiento felicista, en un débil y obvio intento de desacreditar a su contrincante político; DHRM, pp. 183-184 (926) VIII.

[30] Documento reproducido en Liceaga, *Félix Díaz,* pp. 113-119 (firmado significativamente por Inés Dávila, Meixueiro, Hernández, González —La "flor y nata" del Movimiento de la Soberanía y hasta por el vicecónsul honorario de la Gran Bretaña en Oaxaca, Constantino Rickards); el jefe político de Tuxtepec informó de un levantamiento en Ocotlán encabezado por Juan Prats el 22 de octubre, quien poco tiempo después falleció de muerte natural; el nombre de Félix Díaz, no obstante, no fue mencionado: del jefe político a la Secretaría de Gobernación AHDN 207 1047-1051; es interesante mencionar que en sus memorias Ibarra no hace mención alguna de la revuelta de octubre —hecho que pone en duda, si bien no puede refutar, la frecuente acusación de un felicismo desenfrenado en la Sierra de Juárez. (Véase Henderson, Iturribarría, *op. cit.*), véase el capítulo VI).

del sobrino de don Porfirio, recibió un tremendo impulso como consecuencia de los acontecimientos del 9 al 18 de febrero de 1913 en la ciudad de México. No hay necesidad de repetir aquí los detalles de la conspiración de elementos descontentos dentro del ejército federal, o del bombardeo de la capital, o del pacto celebrado entre Huerta y Díaz con la mediación del embajador de los Estados Unidos Henry Lane Wilson, ni de la renuncia y del subsecuente asesinato de Madero y Pino Suárez.[31] Madero habría podido aplastar la rebelión de Reyes, Vázquez Gómez y Félix Díaz, y conservar bajo un relativo control las insurrecciones orozquista y zapatista; el factor decisivo en el mantenimiento de su administración había sido la lealtad, si bien en ocasiones había sido una lealtad precaria, del ejército federal. Una vez que Huerta se adhirió a la conspiración, el destino de Madero estaba asegurado. El golpe militar de febrero de 1913 confirmó así que la fuerza militar y no el compromiso ideológico sería el árbitro en el éxito político en México por lo menos en las siguientes dos décadas. El proceso de militarización contra el que Madero luchó infructuosamente fue reforzado por Huerta, irónicamente en un intento de pacificar el país y de restablecer la estabilidad social y económica. El martirio de Madero no solamente logró la politización de México, sino que actuó como catalizador de la movilización de las masas a escala nacional; movilización que no se había visto desde las turbulentas décadas de 1860 y 1870.[32]

La íntima conexión de Félix Díaz con el triunfal cuartelazo estimuló un flujo de actividad política entre sus partidarios. En toda la República surgieron clubes políticos felicistas que atraían a los miembros de la sociedad mexicana que deseaban ver un regreso a los felices días de la paz porfiriana. Desde Oaxaca 250 miembros de la Sociedad Fraternal Oaxaqueña que representaban a "todas las clases sociales" llegaron a la capital y en marzo de 1913 ofrecieron un banquete en honor del "caudillo de la Ciudadela".[33] En abril de 1913 se publicó en una revista de la ciudad de México una fotografía en la que aparecían los generales Hernández y Meixueiro y los coroneles Ibarra y Jiménez sentados orgullosamente a un lado de Huerta, con el siguiente pie:

Grupo de serranos con el señor presidente interino de la República, a quien visitaron para ofrecerle su cooperación en el restablecimiento de la paz.[34]

[31] Véase, entre otros, Bonilla, *El régimen maderista*, pp. 216-315; Henderson (1981) capítulo v; Ross, *Madero, op. cit.*

[32] Beezley, "Madero", en Wolfskill y Richmond, *op. cit.*, p. 20; Michael Meyer, *Huerta: a Political Portrait*, Lincoln, Nebraska 1972; y "The Militarization of Mexico: 1913-1914", en *New Mexico Historical Review*, 1971, vol. 27, pp. 293-306.

[33] Liceaga, *op. cit.*, pp. 276-278; entre los invitados se encontraban Hernández y Meixueiro.

[34] Iturribarría, p. 290; Ibarra niega que el propósito de la visita fuera ofrecer apoyo militar o político a Huerta, sino más bien el de protestar por el nombramiento de Luis Jiménez Figueroa (quien estuvo involucrado en la reciente revuelta de Ixtepeji) como jefe de las armas en Oaxaca, *Memorias*, pp. 97-98; su pretensión no es muy sincera puesto que la visita fue interpretada generalmente como de apoyo al presidente; véase la carta (FO 371/1672/18727) del mes de marzo de 1913 en que el embajador de los Estados Unidos Henry Lane Wilson informó a la legación británica que los serranos de Oaxaca habían ofrecido reforzar con tropas los límites de Puebla contra las incursiones zapatistas.

Los observadores contemporáneos en la ciudad de México comentaron que Félix Díaz era "indudablemente el elegido para la presidencia en las nuevas elecciones". En abril Díaz lanzó un manifiesto político bajo el lema "Paz y Justicia" que no contenía ninguna proposición radical y en el que recalcaba la "moralidad" y la "virtud" como los principios que servirían de guía al gobierno, manteniéndose al mismo tiempo un respeto absoluto por la propiedad privada. Pero para el verano de 1913 ya era evidente que Huerta había logrado engañar a sus "aliados" felicistas. El gabinete que había sido nombrado por Díaz como parte del Pacto de la Ciudadela quedó debilitado irrevocablemente como fuerza política por la renuncia de los ministros de Guerra, Gobernación, Relaciones Exteriores y de Instrucción Pública, siguiendo una concertada campaña de prensa que atacó la venalidad e ineficiencia de los servidores públicos y particularmente la corrupción del ministro de Guerra, el general Mondragón, que fue el principal conspirador en el golpe de febrero. El aplazamiento temporal de las elecciones presidenciales a consecuencia de la derrota de la ley electoral en la Asamblea Nacional en abril debilitó también considerablemente la posición de Díaz. El golpe final llegó cuando fue designado enviado especial al Japón a fines de julio de 1913, lo cual en efecto equivalía a un exilio político. Díaz quedó definitivamente engañado al permitírsele regresar a fin de participar en las elecciones de octubre, que tuvieron como resultado una votación casi unánime y ciertamente fraudulenta en favor de Huerta.[35] Con la eliminación de Díaz como amenaza a su poder personal, Huerta se pudo concentrar en la hostilidad diplomática de que era objeto por parte de los Estados Unidos, y en obtener el financiamiento de su programa de expansión militar para contrarrestar la amenaza creciente de los levantamientos coordinados en Coahuila, Sonora, Chihuahua y Morelos.

En Oaxaca, las relaciones entre la administración del gobernador Miguel Bolaños Cacho y la dictadura militar de Huerta habían sido tema de intensas especulaciones generalmente partidaristas. Con la misma pasión fue denunciado como huertista-felicista y como carrancista por los que tenían alguna queja política.[36]

Durante todo el año de 1913 Bolaños Cacho mantuvo las relaciones entre los gobiernos federal y estatal en base a una estricta legalidad constitucional y a la protección de la soberanía del estado. Dijo a la Legislatura del estado de Oaxaca:

Partidario ferviente, como lo soy, de nuestras leyes fundamentales, y devoto sincero de mis deberes políticos, bien entendidos, mi gobierno, por más modesto que sea, ha cuidado de justificar para la historia su fidelidad constitucional y su lealtad patriótica.[37]

[35] Henderson (1981); Informe Anual; México, 1913, FO 371/2038/33928.

[36] Iturribarría (p. 306) está convencido de que Bolaños Cacho simpatizaba con los movimientos antihuertistas en el Norte. Tamayo, en cambio, trata de establecer vínculos entre Bolaños Cacho y Huerta (p. 35). Sus enemigos felicistas en Oaxaca también lo acusaban de colaboración con el dictador (Ramírez, p. 158).

[37] *Mensaje del gobernador constitucional Miguel Bolaños Cacho*; septiembre de 1913, tipografía del estado, 1913, p. 4.

Si bien nunca había sido un aliado político de Madero, de todas maneras se dirigió a él después de que llegaron a Oaxaca las noticias del golpe militar, diciéndole:

Me he enterado con pena de los deplorables acontecimientos ocurridos hoy... y celebro que sostenga usted patrióticamente la bandera de la legalidad. En este estado no ha ocurrido novedad alguna y tomo todas las providencias necesarias que el caso requiera para conservar el orden y hacer respetar el gobierno constituido.[38]

No obstante, después de que el general Huerta asumió el poder constitucional, Bolaños Cacho no consideró que fuera contradictorio reconocer al nuevo presidente interino, una vez que Madero ya había renunciado. Huerta le respondió prodigando alabanzas y adulaciones al gobernador de Oaxaca:

Este gobierno cuenta con usted como uno de sus más fuertes y eficaces colaboradores para el restablecimiento de la paz nacional y la restauración del orden.[39]

En un principio parecía que el éxito del golpe ayudaría de manera tangible en la tarea de la pacificación nacional. Cierto número de bandas rebeldes antimaderistas anunciaron inmediatamente su intención de apoyar a Díaz y a Huerta: Gaudencio de la Llave en Veracruz, Higinio Aguilar en Puebla, Juan Andreu Almazán en Guerrero, y lo que es más importante, Pascual Orozco en Chihuahua. Emiliano Zapata, sin embargo, permaneció obstinado y se negó a seguir el ejemplo de su antiguo aliado, Orozco.[40]

En Oaxaca, las incursiones zapatistas que cruzaban los límites con Guerrero y Puebla seguían perturbando a las pequeñas guarniciones de federales y rurales en los distritos de Huajuapan y Silacayoapan, pero la mayor concentración de rebeldes antimaderistas en febrero de 1913 se encontraba en la región de La Cañada, en los distritos de Tuxtepec, Cuicatlán y Teotitlán del Camino.[41]

Este grupo amorfo estaba nominalmente al mando de Ángel Barrios y de su subordinado, Manuel Oseguera, "veteranos" de las campañas (promaderistas) de 1911. A ellos se les habían unido los refugiados ixtepejanos de la rebelión serrana de 1912, dirigidos por el ex maderista Luis Jiménez Figueroa y por los caciques Juan Carrasco y Pedro León Jr. El triunfo más reciente de esta banda rebelde había sido la captura de Teotitlán del Camino el 18 de febrero, en donde se le incorporaron los rebeldes de Higinio Aguilar, provenientes de Puebla. Bolaños Cacho había enviado previamente diversas delegaciones y comisiones para negociar la rendición de los rebeldes en La Cañada, pero sin resultados favorables. Después de la caída del gobierno de Madero, las autoridades federales se

---

[38] Ramírez, pp. 132-133 (telegrama enviado el 13/2/13).

[39] Telegrama reproducido en los documentos de Odriozola (doc. 4) y Quintero Figueroa, *Historia Mexicana, op. cit.*, pp. 469-470. Bolaños Cacho no atendió a la invitación de Venustiano Carranza de rebelarse en contra de Huerta, quizá por tener conocimiento de que la motivación de Carranza era "el deseo de poder y no un idealismo revolucionario". Kenneth Grieb, "The Causes of the Carranza Rebellion: A Reinterpretation", *New Mexico Historical Review*, vol. 25, 1968, pp. 25-32.

[40] Womak. *Zapata, op. cit*, p. 230; Meyer, *Orozco, op. cit.*, p. 101; Henderson (1981), pp. 87-89.

[41] AHDN 219, 235-239, 127, 214.

apresuraron a aprovechar las ventajas del cambio en el equilibrio de las fuerzas políticas nacionales, y de la creciente brecha y celos personales entre los cabecillas rivales Oseguera y Jiménez Figueroa. A cambio de la cesación de las hostilidades, se hicieron a los rebeldes ciertas concesiones políticas y financieras, de acuerdo con el espíritu de "generosidad" que el nuevo gobierno estaba decidido a mostrar a todos los grupos rebeldes; concesiones que, por otra parte, había pocas intenciones de cumplir.[42]

La última de las concesiones exigidas por los rebeldes amenazaba producir un conflicto constitucional entre el gobierno del estado y el régimen de Huerta. Los negociadores federales convinieron en permitir que las milicias rebeldes actuaran como una fuerza de policía rural encargada de mantener la paz en la región de La Cañada. La incorporación de los ixtepejanos —encabezados por León y Carrasco, que tantos problemas y ansiedades habían causado al gobierno del estado en 1912—, a las fuerzas auxiliares que actuaban en cooperación con las autoridades federales fue interpretada por Bolaños Cacho como una amenaza a su autoridad y como una violación a la responsabilidad constitucional de la administración del estado de mantener el orden en el interior del mismo.[43]

Además de la integración al ejército federal de las bandas rebeldes que habían tomado las armas en contra de Madero como "voluntarios" o auxiliares, Huerta destinó una importante proporción de las erogaciones federales a un programa nacional de reclutamiento, no solamente al ejército regular sino también a los rurales y a la expansión de las milicias estatales en aquellos estados que habían permanecido leales al régimen. En Oaxaca Bolaños Cacho recibió quejas, principalmente por parte de los enganchadores de las plantaciones de tabaco del Valle Nacional, acerca de que los agentes reclutadores federales estaban obstaculizando la contratación de mano de obra.[44] En general, no obstante, el gobierno federal demostró un considerable grado de respeto en sus tratos con la administración estatal, evitándose así cualquier posible disensión entre Oaxaca y la federación. El gobierno federal otorgó un subsidio de 150 mil pesos al estado a principios de 1913, al cual siguió una cantidad mensual adicional de 20 mil pesos como contribución para subsanar los egresos extraordinarios en que incurría la administración del estado en "gastos de guerra". Estos subsidios adicionales,

[42] Las condiciones eran las siguientes: I. Reconocen al general Félix Díaz como jefe victorioso en el centro de la República. II. Habiendo sostenido una prolongada oposición contra Madero, su movimiento debe considerarse como triunfante, reconociéndoseles los grados militares que ostentan III. El gobierno se compromete a difundir la instrucción hasta los lugares más apartados del país. IV. Se proporcionará ayuda a los pueblos que hayan sufrido daños en la contienda, para reparar esos estragos. V. Se reconocen los derechos adquiridos por los revolucionarios. VI. Supresión de los jefes políticos en acatamiento al Plan de San Luis, reformado por el de Tacubaya y el de Ayala. VII. Retiro de las fuerzas federales de La Cañada. VIII. La conservación del orden en esta región quedará al cuidado de las milicias del movimiento. (Ramírez, pp. 134-135); véase Meyer, *Orozco*, p. 98 sobre las concesiones similares a los rebeldes orozquitas.

[43] La lealtad de los ixtepejanos estuvo en duda desde un principio. (General Maas a Mondragón, secretario de la Guerra, 28/3/13 AHDN 208, 107); fueron incorporados al ejército federal y se enviaron a Sonora para combatir a Obregón, únicamente para desviar su afiliación a Carranza después de la caída del régimen de Huerta. De los demás jefes rebeldes, Barrios se unió a Zapata y Oseguera "se retiró a la vida privada", Ramírez, p. 135.

[44] AHDN, 208, 121-127.

junto con un crédito de 300 mil pesos que se negoció con el Banco Oriental y con el Banco de Descuento Español, dieron a la Tesorería del estado por lo menos una apariencia de solvencia, en tanto que los ingresos provenientes de impuestos se redujeron muy considerablemente como consecuencia inevitable de los trastornos civiles y de la paralización del comercio.[45] Así fue como Bolaños Cacho pudo declarar en septiembre de 1913:

> Las relaciones con el Gobierno Federal, y con los de los estados, no han sufrido alteración alguna; y aunque extraviadas pasiones, olvidadizas hasta de la dignidad de la tierra natal, han intentado sistemáticamente provocar dificultades entre el mismo Gobierno Federal y el de mi cargo, llegando hasta sugerir la consumación de un atentado contra nuestra soberanía interior, esas maquinaciones se han estrellado invariablemente ante el recto criterio del Ejecutivo de la nación, ante la acción social espontánea de los elementos más sanos del estado y en presencia de la actitud serena y decorosa de mi gobierno, tan ajeno a imprudentes provocaciones como libre de flaquezas.[46]

Esa referencia a las "extraviadas pasiones" estaba relacionada con las actividades de la banda rebelde que encabezaban los hermanos Alfonso y Alfredo Santibáñez, quienes, desde su base de operaciones en la sierra de Jalapa, en Tehuantepec, habían efectuado una serie de incursiones sobre los destacamentos federales que tenían su cuartel general en la 9a. zona militar en San Jerónimo, en el distrito de Juchitán. El conflicto tenía inicialmente una significación netamente local: Alfonso Santibáñez, comerciante de la localidad cuyo padre había sido jefe político y diputado por Tehuantepec, había sido nombrado jefe político por el gobernador interino del estado Heliodoro Díaz Quintas en junio de 1911, después de que una manifestación popular de los habitantes de Tehuantepec en apoyo a Santibáñez había exigido la renuncia (y el fusilamiento) del jefe político porfirista Manuel Jiménez Ramírez. Pero Santibáñez había sido aprehendido en octubre de 1911 por el homicidio del hacendado local Carlos Woolrich, quien era amigo personal de Benito Juárez Maza. Aunque la opinión pública consideraba que Santibáñez era inocente del cargo, Juárez Maza insistió en que fuera aprehendido y en que se le reemplazara como jefe político.

La caída del gobierno de Madero y la creciente oposición al régimen de Huerta permitió a los santibañistas dar rienda suelta a sus ambiciones personales. Alfonso Santibáñez se escapó de la cárcel a principios de julio de 1913, y como era lo acostumbrado con las rebeliones locales que andaban en busca de un mayor

---

[45] *Mensaje de Bolaños Cacho* (1913), *op. cit.*, p. 8; las condiciones económicas regionales en Oaxaca reflejaban la crisis nacional; fuentes diplomáticas británicas en la ciudad de México informaron que "al propagarse la revolución y el desorden, una empresa industrial después de otra se vio obligada a cerrar; las minas se tuvieron que abandonar; los ferrocarriles sufrieron enormes pérdidas, no solamente por la reducción del tráfico, sino por la destrucción del material rodante y por los daños a las vías. Los capitales abandonaron el país tan rápidamente como lo permitía la elevación de los tipos de cambio, y naturalmente no era de esperarse que viniera capital nuevo para su inversión en México." Informe Anual 1813, FO 371/2048/33928.

[46] *Mensaje de Bolaños Cacho* p. 4.

apoyo y una legitimación revolucionaria, declaró su apoyo en favor de Venustiano Carranza y de la rebelión constitucionalista.[47]

La administración de Bolaños Cacho se sintió sumamente desconcertada por la asociación de los diputados oaxaqueños por Tehuantepec y Juchitán al Congreso nacional, los maderistas Crisóforo Rivera Cabrera y Adolfo Gurrión, con la insurrección de Santibáñez en el Istmo. A la petición del ministro de Gobernación Urrutia de que se aprehendiera a esos dos ''agitadores'', Bolaños Cacho contestó que no había pruebas de que estuvieran implicados. Impaciente por la demora de la administración del estado en lograr su aprehensión, Urrutia envió órdenes directas al jefe político de Juchitán y al comandante militar de la 9a. zona, Lauro Cejudo, para que aplicara inmediatamente ''todo el rigor de la ley'', eufemismo que en realidad significaba una ejecución sumaria. Rivera Cabrera pudo escapar, pero Gurrión fue fusilado por un pelotón militar e instantáneamente agregó su nombre a los mártires de la dictadura de Huerta.[48]

Aunque Bolaños Cacho se quejó ante el ministro de Gobernación por esa violación a la soberanía y por el desafío a su autoridad constitucional, el fusilamiento de Gurrión no provocó una ruptura en la relación ''cordial'' entre el estado y la Federación. Ni siquiera el aumento en el número y la frecuencia de los asesinatos políticos, la intensificación de las actividades zapatistas en Huajuapan y Silacayoapan, el brote de insurrecciones carrancistas en Jamiltepec y Tuxtepec, y la incapacidad de sofocar la rebelión de Santibáñez en Tehuantepec, minaron de manera fundamental la autoridad de la administración de Bolaños Cacho en Oaxaca.[49]

En todas estas revueltas, la elección de una afiliación política (ya sea zapatista o carrancista) era, si no totalmente arbitraria, sí ciertamente secundaria en su carácter fundamentalmente local. En este sentido, el aumento de la agitación ''revolucionaria'' en 1913 recordaba las revueltas de 1911. Seriamente limitados en su alcance, su aspiración y su coordinación, esos levantamientos nominalmente zapatistas o carrancistas en Oaxaca, a diferencia de sus epónimas contrapartes nacionales, fueron incapaces de constituir un desafío efectivo a la autoridad política de la oligarquía de provincia. Tal como resultó notorio en 1914, el

[47] Sobre los detalles de la revuelta de Santibáñez, véase Bustillo Bernal, *op. cit*, pp. 42-63; Ramírez, pp. 24, 137-143; Buchanan a Stronge 29/7/12 FO 371/1395/34983; AHDN, 209, 110-115, 116-118. 141-142, 147-181.

[48] En diciembre de 1913 el periodista Ismael Puga y Colmenares y el profesor Faustino Olivera fueron asesinados en Etla; Tamayo, p. 36; Meyer, *Huerta* (p. 155) hace notar que en la historiografía mexicana del siglo XX, los asesinatos cometidos en nombre de la contrarrevolución son infinitamente peores que los cometidos en nombre de la Revolución.

[49] En cuanto al recrudecimiento de la violencia en Jamiltepec y al asesinato de los hermanos Tejada, véase Iturribarría, pp. 297-298; AHDN 208, 220, sobre las incursiones zapatistas a Silacayoapan y Huajuapan AHDN 208, 279, 238, 9- 214 y 209; 71-78, 103, 22-27, 91-94; acerca de las actividades de los santibañistas en Tehuantepec en 1913-1914, AHDN 208, 211-212, y 209 31, 38-41, 48, 53-55 82-90, 114, 258, 403; respecto a la rebelión carrancista en Tuxtepec AHDN, 209 13-20; sin embargo, existe un posible denominador común en todas estas revueltas locales: la hostilidad hacia las fuerzas federales en el campo de Oaxaca era profunda y conspicua; los comandantes militares se quejaban de la falta de cooperación y de la ayuda que daban los habitantes de los pueblos que alojaban y abastecían a los rebeldes, y les anunciaban la presencia de fuerzas federales (con cohetes, fogatas, etc.); véase, por ejemplo, AHDN 209 71-78.

poder político en Oaxaca después del periodo de rápida militarización con posterioridad a 1913, ahora estaba en manos de los líderes de la Sierra de Juárez, que podían contar con el apoyo de un gran número de voluntarios organizados en milicias, cuya efectividad había quedado demostrada en la supresión de la revuelta de Ixtepeji en 1912. Para julio de 1914 Bolaños Cacho ya había perdido ese apoyo político decisivo y la Sierra de Juárez se preparaba para una rebelión armada. Además, Bolaños Cacho también había perdido el apoyo político de la mayoría felicista en la Legislatura del estado, a consecuencia de la aprehensión de los principales felicistas, como José Inés Dávila, presidente del Club Felicista de Oaxaca y la decisión inconstitucional de ampliar el periodo de su cargo de gobernador por dos años más.[50] Esta alianza del felicismo con el descontento popular en la Sierra de Juárez podía ahora aprovechar el inminente colapso del régimen de Huerta para apoderarse del control del gobierno de Oaxaca.

LA REBELIÓN SERRANA DE IXTLÁN DE 1914

La rebelión serrana de 1914 ha estado representada hasta ahora por un movimiento exclusivamente político que disfrutaba de estrechas asociaciones ideológicas con las facciones nacionales. Los participantes en el conflicto se habían agregado a la mitología popular lanzándose mutuamente acusaciones difamatorias en un intento de justificar sus actos y, en forma retrospectiva, proclamar su firme adhesión a los ideales de la Revolución. A los artículos periodísticos de Bolaños Cacho en los que acusaba a los serranos tanto de felicismo como de huertismo, a pesar de ser obviamente contradictorio, los siguieron contra-acusaciones del general en jefe Guillermo Meixueiro de la colusión de Bolaños Cacho con el gobierno del "usurpador" Huerta.[51] Pero esta ismomanía, que durante tanto tiempo ha sido como una plaga para la historia de la Revolución, en la mayoría de los casos tiende a confundir más que a aclarar. Apenas si se puede poner en duda que el movimiento serrano de 1914 "fue de inspiración y propósitos localistas."[52]

El Plan de la Sierra, proclamado con un floreciente estilo revolucionario el 10 de julio en Ixtlán, confirma el localismo de los orígenes y propósitos de la revuelta.[53] No se mencionó en absoluto ni a Huerta ni a Díaz, como aliados ni

[50] Al golpe de Estado de Huerta al clausurar el Congreso Federal siguió la aprehensión de los principales diputados felicistas, incluyendo a los oaxaqueños Fidencio Hernández y Guillermo Meixueiro; mediante la aprehensión de los partidarios felicistas en Oaxaca, Bolaños Cacho pudo garantizar a Huerta su lealtad. En octubre de 1913 envió al Presidente el siguiente telegrama: "Enemigos políticos que tienen empeño en dividirnos tratan de sorprenderle faltando a la verdad. El estado está con usted." Rafel Odriozola, "Apuntes históricos de los sucesos ocurridos en Oaxaca a raíz de la decena trágica y golpe de estado del usurpador Victoriano Huerta", 30/3/16 *Colección Odriozola*.

[51] Ramírez, *La Revolución en Oaxaca*,, *op. cit.*, pp. 157-161.

[52] Ramírez, p. 154; Iturribarría, por ejemplo, está convencido de que los serranos fueron apoyados y abastecidos por Huerta, sin que, no obstante, aduzca pruebas para justificar su aseveración. (p. 306.)

[53] Véase el apéndice I (del *Periódico Oficial del Estado* 18/7/14 57 vol. XXXIV), Ibarra, pp. 75-78; Liceaga, pp. 342-344; se hace una comparación con la rebelión serrana de 1876, en el capítulo v.

como adversarios. La responsabilidad por el incumplimiento de la ley y del orden constitucional en Oaxaca se arrojó de plano sobre los hombros del gobernador Bolaños Cacho. Se acusó al gobernador de flagrante incumplimiento de la Constitución Política del estado por la arbitraria ampliación del periodo de su cargo, que debía concluir el 30 de noviembre de 1914; de responsabilidad en el asesinato de destacados dirigentes liberales; de apropiación de fondos del estado para su uso personal; de la supresión de servicios públicos vitales, incluyendo la educación y la administración de justicia; y de implantar una serie de préstamos forzosos e impuestos adicionales sobre la propiedad y el comercio. El manifiesto de la sierra exigía, por lo tanto, la renuncia de Bolaños Cacho, la restauración de los anteriores niveles de tributación y de servicios públicos y la devolución del dinero extraído por medio de préstamos forzosos.

Los préstamos forzosos fueron la principal fuente de descontento en la sierra misma. El jefe político de Ixtlán, Isaac Ibarra, quedó encargado de aplicar una gran diversidad de decretos expedidos por la Legislatura del estado en Oaxaca, incluyendo una orden que requería que todos los empleados federales de todas las edades (incluyendo a los niños) se alistaran para recibir instrucción y adiestramiento militar.[54] Con el mismo pretexto (de una posible guerra con los Estados Unidos a raíz de la ocupación de Veracruz por los infantes de marina norteamericanos en abril de 1914), se ordenó a Ibarra que recaudara de los habitantes del distrito una contribución especial. Una comisión de comerciantes y mineros de la localidad comunicó al jefe político su negativa unánime a pagar la cantidad que se les exigía. Quedó convenido que un representante de esa comisión local hiciera una visita a Veracruz para verificar la probabilidad de un conflicto internacional con los Estados Unidos, y de ahí se dirigiera a la ciudad de México para "informar" a Guillermo Meixueiro el descontento en la sierra. Meixueiro no tardó en reaccionar ante esa invitación indirecta para encabezar una rebelión que establecería simultáneamente su control político tanto de la Sierra de Juárez como del estado entero. Consecuentemente, regresó a Ixtlán a fines de junio de 1914 con el fin de hacer preparativos para echar abajo al gobierno de Bolaños Cacho.[55]

Los batallones de la sierra que se habían formado bajo el mando del general en jefe Meixueiro eran casi idénticos en su estructura y reclutamiento a la segunda y tercera compañías del batallón que había formado el gobernador Benito Juárez Maza en noviembre de 1911, y que desempeñó un papel decisivo en la pacificación de la Sierra de Juárez en 1912. A las milicias zapotecas de Ixtlán y Lachatao se les unieron entonces los chinantecos de Quiotepec. Los tres batallones formados bajo los auspicios del Plan de la Sierra (al mando de Onofre Ji-

---

[54] A consecuencia de los rumores de una guerra con los Estados Unidos, la reacción del pueblo de Oaxaca fue entusiasta; en cuanto a la reacción en la Sierra de Juárez, véase Ibarra, p. 72; igualmente se recibieron de Teotitlán, Pochutla y Juchitán ofrecimientos de voluntarios "para combatir al invasor"; AHDN 209 56-58, 113.

[55] Ibarra se obstina en que Meixueiro no había celebrado ningún arreglo previo con Huerta (*Memorias*, pp. 73-75); esto es lógico en vista de que Meixueiro había sido aprehendido con anterioridad, pero sus protestas no refutan las aseveraciones de Odriozola de que el secretario de Guerra Aureliano Blanquet había accedido a suministrar a los serranos el equipo que necesitaran (Odriozola "Apuntes", *op. cit.*). Por lo pronto, sin embargo, esto queda también sin prueba.

ménez, Isaac Ibarra y Pedro Castillo respectivamente) emprendieron el 10 de julio de 1914 un ataque en tres frentes sobre la ciudad de Oaxaca desde Tlacolula, Etla y Cuajimoloyas, encontrando tan sólo una limitada resistencia en Etla por parte del pequeño destacamento de federales acuartelados ahí y establecieron sus cuarteles generales fuera de Oaxaca, en el poblado de San Felipe del Agua. Un grupo que representaba a "la sociedad y el comercio de Oaxaca" hizo una visita a Meixueiro a fin de negociar una tregua. El general en jefe se negó a acceder a menos de que se cumpliera la condición de la inmediata renuncia de Bolaños Cacho. El gobernador, desprovisto de apoyo político o militar en el interior de Oaxaca y consciente de que el gobierno federal estaba a punto de caer, no tuvo más alternativa que satisfacer esa exigencia. Renunció oficialmente el 13 de julio y salió de Oaxaca para dirigirse a Chihuahua al día siguiente. (Lo siguió en el exilio el presidente Victoriano Huerta, quien hizo entrega del Poder Ejecutivo de la nación a Francisco Carbajal el 14 de julio, después de que Zacatecas cayó en poder de las tropas de Pancho Villa.) Los victoriosos serranos desfilaron por las calles de Oaxaca el 16 de julio, antes de regresar a su sierra natal unos cuantos días después "con la satisfacción de haber logrado derrocar a un gobierno que se había hecho odioso para todos los oaxaqueños, por injusto y arbitrario."[56]

La campaña de la sierra para derrocar la maquinaria del gobierno del estado en Oaxaca había requerido menos de una semana para llegar a su término. La caída simultánea del régimen de Huerta estuvo lejos de ser una coincidencia, y en realidad fue fundamental para que los caciques y caudillos de la Sierra de Juárez pudieran establecer su papel de árbitros supremos de los inmediatos destinos políticos de Oaxaca. Huerta había sido derrotado por una combinación de factores: la hostilidad diplomática, particularmente del gobierno de los Estados Unidos bajo el presidente Woodrow Wilson, el inminente colapso económico y financiero y, finalmente, los triunfos militares de Villa, Obregón y Carranza.[57] Los jefes de la rebelión serrana en Oaxaca rápidamente capitalizaron la ola nacional de oposición en contra de Huerta afirmando que la caída de Bolaños Cacho constituyó una "revolución local".[58] No obstante, esas dudosas pretensiones de legitimidad revolucionaria no pueden disfrazar el hecho de que la rebelión había sido un *putsch* exitoso de las fuerzas políticas del interior de Oaxaca, que

[56] Ibarra, *ibid*, p. 80; se afirma que Blanquet envió un telegrama al comandante de la pequeña guarnición federal en Oaxaca, que decía: "no comprometa su dignidad militar, ni la de sus fuerzas", lo que interpretó como una orden de no resistir el avance del ejército serrano, Tamayo, p. 39.

[57] Meyer, *Huerta, op. cit*, pp. 190-210, capítulo 10, "The Collapse of a Regime"; la crisis financiera había tenido importantes repercusiones en la economía local de Oaxaca y en la solvencia del gobierno del estado; una de las peticiones que se incluían en el Plan de la Sierra era que se restableciera la reducción del 25% de los sueldos de los empleados públicos decretada por Bolaños Cacho en abril de 1914; el vicecónsul de la Gran Bretaña, Constantino Rickards, declaró también que a principios de abril de 1914 se había visto obligado a cerrar el viceconsulado en Oaxaca "por la depresión en los negocios a causa del estado de revolución del país" que había determinado que fuera "imposible vivir en Oaxaca". Rickards a Stronge, FO 204/443/11/4/14.

[58] Era así como Francisco Canseco, designado gobernador interino de Oaxaca después del exilio de Bolaños Cacho, describía la rebelión serrana de 1914, *Mensaje de Francisco Canseco ante la XXVII Legislatura del Estado*, septiembre de 1914, p. 4.

desde 1911 habían estado sometidas a crecientes amenazas de las corrientes revolucionarias del exterior del estado.

El éxito de la rebelión serrana de Oaxaca claramente comprueba el alcance del perjuicio infligido a la maquinaria política de Porfirio Díaz por las fuerzas centrífugas desatadas por la Revolución de Madero. La tarea más importante, y el éxito final de la Revolución, fue la reafirmación de la autoridad central del estado nacional; pero mientras que los conflictos internos se transformaron en una guerra civil con posterioridad a 1913, fue evidente que en ciertas regiones de la República, en donde la autoridad política autárquica había quedado restablecida, o florecía o sencillamente sobrevivía, la autonomía no habría de rendirse sin luchar. El caudillismo serrano había triunfado en Oaxaca en 1914, y su victoria iba a ser tenazmente defendida por el Movimiento de la Soberanía de 1915 a 1920.

IV. LAS RELACIONES CON CARRANZA Y LA DECLARACIÓN DE LA SOBERANÍA. 1914-1915

La rebelión serrana de julio de 1914, lo mismo que en 1876, había establecido la hegemonía de los caudillos de la Sierra de Juárez en la política de Oaxaca. El jefe de la rebelión, Guillermo Meixueiro, a diferencia de su padre en 1876, no asumió la autoridad constitucional como gobernador, sino que prefirió mantener el pretexto de que los serranos no estaban "movidos por ambiciones personales" y conservar el poder tras el trono.[1] El abogado liberal Francisco Canseco fue nombrado gobernador interino, y Luis, hermano de Meixueiro, fue designado presidente del Congreso. La tarea más importante con la que ahora se enfrentaban los dirigentes políticos de Oaxaca era el establecimiento de un *modus vivendi* con las facciones rivales en la coalición revolucionaria que habían contribuido al derrocamiento de Huerta (Zapata, Villa, Carranza y Obregón).

Recientemente se ha prestado gran atención a hacer un análisis del cisma creado dentro de las filas revolucionarias que se transformó en una abierta guerra civil después de la Convención de Aguascalientes en octubre de 1914. El problema más importante había sido la búsqueda de una explicación convincente del éxito final del carrancismo o constitucionalismo, el movimiento encabezado por Venustiano Carranza, particularmente en vista de las expectativas contemporáneas de que la coalición entre villistas y zapatistas (o convencionistas) surgiría victoriosa. Los biógrafos de Carranza han pretendido que triunfó "porque sus reformas socioeconómicas atrajeron un fuerte respaldo de todos, salvo de los intereses extranjeros y de una determinada clase alta"[2], en tanto que sus detractores ponen en duda sus reformas sociales y destacan la crueldad de su régimen, que se ha descrito como una especie de "militarismo rapaz".[3] Si bien se acepta generalmente que las proezas militares eran un requisito previo del éxito político en México en 1914 y 1915, recientemente se ha puesto el acento en la ideología política nacional (y nacionalista) del constitucionalismo, en contraste con el enfoque estrecho, regional y local del villismo y del zapatismo. Sencillamente Carranza, a diferencia de Villa o Zapata, estaba más que deseoso de tomar el control personal de los destinos políticos de la nación. Se ha descrito al carrancismo como una venturosa combinación de "poder militar y visión política".[4]

[1] Véase el Apéndice I, "Plan de la Sierra", cláusula IX; la pretensión de que la causa serrana no se inspiraba en una "bandera personalista" se reiteró en la carta que enviaron Ibarra y Jiménez a Carranza en abril de 1917, AHDN f. 61-2; se hace una comparación entre las rebeliones serranas de 1876 y 1914 en el capítulo v.

[2] D. W. Richmond, "The Authoritarian Populist as Nationalist President Venustiano Carranza", en Wolfskill y Richmond, comps., *op. cit.*, p. 48.

[3] E. Lieuwen, *Mexican Militarism*, p. 31.

[4] A. Knight en Brading, comp., *op. cit*; la práctica del carrancismo en Oaxaca entre 1915 y 1920 se examina en el capítulo vi.

El establecimiento efectivo de la autoridad del Primer Jefe Carranza sobre las disímiles bandas de revolucionarios que habían tomado las armas bajo el estandarte constitucionalista en todo México, era consecuencia de la mayor importancia en la búsqueda del poder nacional. Pero la campaña de Carranza a fin de monopolizar el control militar y político inevitablemente lo puso en conflicto con el resurgimiento de las fuerzas centrífugas de la autonomía local que habían proliferado en todo el campo de México entre 1911 y 1914, como respuesta o reacción ante la caída de la administración porfirista. El triunfo de la rebelión serrana de 1914 demostró el alcance en Oaxaca del perjuicio causado a la centralización política por la Revolución de Madero y sus consecuencias: el localismo político y psicológico de la rebelión mostró con claridad la disonancia de la evolución política del estado con los acontecimientos nacionales. La génesis del conflicto entre Oaxaca y la Federación que culminó en la Declaración de la Soberanía en junio de 1915 se puede comprender mejor, por lo tanto, no exclusivamente en términos de una línea divisoria ideológica entre conservadores y radicales, o entre reaccionarios y revolucionarios, sino entre visiones políticas contrastantes: la visión federativa de la autonomía estatal y la visión nacional de la centralización burocrática.

Inicialmente, no obstante, las relaciones estaban lejos de ser hostiles. La administración que reemplazó a la del depuesto gobernador Miguel Bolaños Cacho aclaró perfectamente que sus diferencias habían sido con el anterior gobierno del estado y no con Carranza. El gobernador interino Francisco Canseco aseguró a la recién constituida Legislatura del estado que:

De preferencia cuidé de iniciar relaciones con el gobierno provisional de la República, emanado de la Revolución triunfante, y ahora esas relaciones son un hecho que afirma la paz en el estado.[5]

Canseco propuso una serie de medidas que estaban en concordancia con el Plan de la Sierra; las cuales, a pesar de lo que afirmaba de que el plan era "revolucionario" consistían sencillamente en revertir la más impopular legislación bolañista.

El propio Carranza estaba de todas maneras preparado para mantener relaciones cordiales entre su administración y el gobierno de Oaxaca, a pesar de los informes de sus comandantes en la región, de que las bandas rebeldes en las zonas que estaban bajo el control carrancista en el estado recibían el apoyo de la administración estatal, y de que las tendencias políticas de los principales políticos de Oaxaca eran felicistas.[6] Carranza escribió a su hermano Jesús, general en Jefe de la Segunda División del Centro, que había llegado a principios de septiembre de 1914 al Istmo de Tehuantepec para vigilar el licenciamiento de siete mil tropas anteriormente federales, que: "con el gobierno de Oaxaca no he teni-

[5] *Mensaje del Lic. Francisco Canseco leído ante la XXVII Legislatura del Estado*, Oaxaca, imprenta del estado, 1914, pp. 3-4.
[6] De Pablo González a Carranza, AHDN 220 ff. 640 6/10/14, Sadot Garcés a Carranza, AHDN, 209 f. 127-9, 16/10/14, quien informó que el grito de batalla de los rebeldes era "Viva el gobierno del estado".

92

do dificultad ninguna, y procuraré sostenerlo, mientras se conduzca como hasta ahora''.[7]

Este espíritu de cooperación se debía sin duda a la negativa de los dirigentes oaxaqueños de apoyar el manifiesto lanzado en Tehuacán, Puebla, en septiembre de 1914, que proclamó a Félix Díaz como presidente de la República. La respuesta que dio Canseco a la invitación de adherirse a la más reciente rebelión anticarrancista tiene que haber animado al Primer Jefe; escribió Canseco lo siguiente a Andreu Almazán.

El personal del gobierno interino de Oaxaca, que ni por un momento estuvo en relaciones, ni mucho menos de acuerdo con don Victoriano Huerta, aceptó con anuencia que todas las clases sociales del estado, el gobierno provisional emanado de la Revolución constitucionalista, porque ésta proclama principios de libertad y regeneración del pueblo. El gobierno provisional de la República, a su vez, reconoció al de Oaxaca y uno y otro están en perfectas relaciones de amistad. Esto no basta para rechazar las proposiciones que hacen los generales Aguilar, Argumedo, y usted (Almazán). . . porque tienen por objeto complicar al estado en un levantamiento armado sin bandera política contra los ideales de una revolución que tiene en su favor el firme apoyo de la opinión pública. La proposición de que será proclamado presidente de la República el general Félix Díaz, con lo que parece se pretende halagar al gobierno y al pueblo oaxaqueño, no tiene ni para uno ni para otro, importancia alguna, primero, porque no aceptan revoluciones personalistas y segundo, porque a la Presidencia de la República se llega por el voto popular y no por la fuerza de las armas. El gobernador, por tanto, no acepta las proposiciones que se le hacen, las rechaza enérgicamente y por su parte exhorta a los sublevados a que depongan las armas por patriotismo, ofreciéndoles interponer sus buenos oficios ante el señor presidente, don Venustiano Carranza, para que les den toda clase de garantías.[8]

No transcurrió mucho tiempo, sin embargo, antes de que la cordialidad se convirtiera en antagonismo. La primera desavenencia política grave fue ocasionada por la invitación que se hizo al gobernador Canseco por parte de Carranza para asistir a una convención de carrancistas civiles y militares (que estuvieran al mando de mil o más hombres) que se celebraría en la ciudad de México a principios de octubre de 1914, y cuyo propósito era el de ponerse de acuerdo en cuanto a la política que habría de implantar el gobierno provisional.[9]

El gobernador Canseco iba acompañado en su misión diplomática por el abogado Onésimo González, como representante de los nueve mil voluntarios serranos de la Sierra de Juárez, designación que hizo el caudillo serrano Guillermo Meixueiro sin consultar a otros jefes serranos, con el propósito de asegurarse de

---

[7] Venustiano a Jesús Carranza 29/10/14 AHDN 209 f. 154-60; Carranza había asegurado a la Legislatura del estado de Oaxaca en agosto de 1914 que enviaría ''elementos suficientes para guardar el orden en ese estado'', Archivo de Venustiano Carranza, Condumex, ciudad de México (pendiente de clasificación); expediente ''Oaxaca 1914'', documentos varios (en lo sucesivo AC) Carranza a Francisco Magro 29/8/14.

[8] Canseco a Carranza, 4/9/14 DHRM, vol. XV, doc. 579; acerca de la rebelión almazanista en Puebla véase Henderson (1981).

[9] AC; circular enviada a todos los jefes que se han adherido al Plan de Guadalupe, 4/9/14.

93

que Canseco actuara de conformidad con sus deseos.[10] Cualesquiera que hayan podido ser las intenciones políticas de la delegación de Oaxaca, su presencia en la sesión de apertura de la convención provocó una andanada de protestas de cierto número de delegados, principalmente de Álvaro Obregón y del joven oaxaqueño Manuel García Vigil (posteriormente gobernador de Oaxaca, en 1920), quienes pusieron en duda el derecho de esos "connotados felicistas y reaccionarios" de participar en esa asamblea revolucionaria, y que recomendaron que esos "canallas" fueran arrestados y encarcelados inmediatamente. Después de un acalorado debate, se negó a la delegación de Oaxaca el acceso al salón. Posteriormente recibieron disculpas de Carranza y regresaron a Oaxaca al día siguiente, "avergonzados y molestos".[11]

La reacción en Oaxaca fue inmediata: se organizó una manifestación pública en favor del gobernador en la capital del estado y la Legislatura del estado notificó al presidente provisional que, en vista de la manera ofensiva como se había tratado al gobernador, el estado retiraría su representación en la propuesta convención que se celebraría en Aguascalientes el 10 de octubre.[12] Un partidario carrancista de Oaxaca informó que el gobierno del estado se encontraba a punto de reasumir su soberanía constitucional:[13] ciertamente la actitud de los dirigentes políticos del estado se endurecía; el gobernador Canseco informó a Carranza que, a causa de la amenaza a la soberanía y a la seguridad del estado planteada por las fuerzas rebeldes de los ex federales Aguilar y Almazán (en la Sierra Mixteca en los límites con Puebla), las elecciones para gobernador que se habían programado para octubre de 1914 se habían tenido que aplazar, y que el Ejecutivo del estado tomaba a su cargo la defensa de los intereses de éste, lo cual quedaba bajo la responsabilidad de las Fuerzas Defensoras del Estado (al mando del caudillo Meixueiro) y de la Brigada de Oaxaca (que en teoría era leal a Carranza, pero que estaba al mando de Alfredo Machuca, quien reconocía que era "amigo personal" de José Inés Dávila, el siguiente gobernador interino de Oaxaca, designado el 6 de diciembre de 1914).[14]

En otro intento por reafirmar la soberanía del gobierno del estado, Canseco pidió a Carranza que garantizara que los comandantes de sus fuerzas en suelo oaxaqueño respetarían la autoridad de los representantes locales nombrados por el Ejecutivo del estado (los jefes políticos). Las nuevas designaciones de jefes políticos se hicieron específicamente en las regiones de Oaxaca en las que el control político había pasado a manos de los dirigentes constitucionalistas: Adolfo Palma en Tuxtepec, Juan José Baños en Jamiltepec y Pinotepa Nacional, y Jesús Ca-

[10] Ibarra se queja en sus memorias de la falta de consulta e implica que la elección de González, partidario declarado de Félix Díaz, fue la razón de la hostilidad que la Convención mostró a la delegación de Oaxaca, p. 81.

[11] Basilio Rojas, *Un gran rebelde. Manuel García Vigil* (ed. Luz, México 1965), pp. 160-161, Ramírez, *op. cit.*; una exposición de los debates consta en R. Quirk, *The Mexican Revolution 1914-1915* (Indiana University Press, 1960) pp. 87-100.

[12] AHDN 209 f. 124-25, Martínez a Carranza, 6/10/14.

[13] 220 f. 640, Pablo Allende a Pablo González, 6/10/14 AHDN.

[14] Canseco a Carranza, AHDN 209 f. 132; las Fuerzas Defensoras se organizaron oficialmente en noviembre de 1914. Véase el capítulo VII.

rranza, que estaba al mando de cuatro mil soldados constitucionalistas concentrados en los alrededores de Salina Cruz, Tehuantepec y Juchitán.[15] Esta duplicación de autoridad política inevitablemente exacerbó las tensiones entre las dos administraciones rivales. Jesús Carranza estaba plenamente consciente del antiguo antagonismo entre el Istmo y la capital del estado (que había sido un factor decisivo en la rebelión de Juchitán de 1911), y consecuentemente intervino en representación de los habitantes del Istmo y se negó a permitir a los jefes políticos que recaudaran el impuesto *per capita* que exigía el gobierno del estado. Provocó la cólera del gobernador pero obtuvo buenas compensaciones políticas: en el curso de noviembre de 1914 se informó que no menos de tres mil istmeños se habían adherido a la causa constitucionalista.[16]

Pareció que el primer jefe Venustiano Carranza rechazaba el consejo de los generales Pablo González y su hermano Jesús, de que la "voluntad constitucionalista" se impusiera por la fuerza a los renuentes revolucionarios de Oaxaca.[17] Remitió 100 mil pesos para aliviar los precarios recursos financieros de la Tesorería del estado, y aseguró a Meixueiro que las fuerzas carrancistas respetarían la soberanía del estado, pero al mismo tiempo provocó un nuevo cisma grave entre su régimen y la administración estatal al otorgar su aprobación tácita a un audaz plan del joven oaxaqueño Luis Jiménez Figueroa para dar un golpe de Estado en Oaxaca en nombre del carrancismo.

EL GOLPE DE ESTADO CARRANCISTA DE NOVIEMBRE DE 1914

La diversificada carrera política de Luis Jiménez Figueroa demuestra, como la de tantos otros personajes revolucionarios, el oportunismo político representado por el personaje novelesco de Luis Cervantes en la famosa novela de la Revolución *Los de abajo*, de Mariano Azuela.[18] Después de haber sido expulsado de la Facultad de Derecho y de haber sido encarcelado por el último gobernador porfirista, Emilio Pimentel, Jiménez Figueroa se unió a la rebelión maderista de Oaxaca a la tierna edad de 22 años, como secretario del Estado Mayor de Ángel Barrios. El gobernador Benito Juárez Maza lo había compensado con el humilde cargo de administrador del Teatro Luis Mier y Terán en la ciudad de Oaxaca. Al quedar frustradas sus ambiciones, se unió a los rebeldes antimaderistas de Ix-

[15] AHDN 209 f. 142 Canseco a Carranza; Wiseman a Hohler 20/8/14 FO 204/444/487. Merece hacerse notar que esas regiones habían sido el centro de las actividades promaderistas de Oaxaca en 1911; la estrategia militar carrancista en octubre de 1914 exigió una fuerte concentración de tropas en el Sureste en caso de un rompimiento de hostilidades entre las facciones antagonistas en la Convención de Aguascalientes. Jesús Carranza tenía órdenes de hacerse cargo de las operaciones militares en el Istmo de Tehuantepec como parte de un plan para sofocar cualquier resistencia de Oaxaca y Guerrero antes de marchar sobre Cuernavaca y Morelos a fin de ponerse en contacto con los 15 mil hombres que estaban al mando de Pablo González en Puebla. AHDN, 209 ff. 144-48, 154-60.

[16] AHDN, Canseco a Carranza, ff. 174-82.

[17] AHDN, 209 ff. 170-73 Jesús a Venustiano Carranza.

[18] M. Azuela, *Los de abajo*, Fondo de Cultura Económica (1958); durante su breve carrera revolucionaria (1911-1914), Figueroa combatió por Madero, Orozco, Huerta y Carranza.

tepeji, Pedro León y Juan Carrasco, quienes, después de haber sido derrotados por las milicias serranas, se unieron a Barrios y a Manuel Oseguera en La Cañada en el distrito de Tuxtepec, a fines de 1912. Como resultado del licenciamiento de las fuerzas antimaderistas después del cuartelazo de febrero de 1913, Figueroa fue promovido al grado de general del ejército federal, y designado jefe de las armas en su estado natal de Oaxaca, hasta que una comisión de serranos convenció a Huerta de que retirara el nombramiento (intervención que convirtió a Figueroa en un encarnizado enemigo de los serranos).[19]

Al quedar derrocado el régimen de Huerta y al establecerse la hegemonía política de sus enemigos serranos en su estado natal, Figueroa se presentó ante el representante de Carranza en la ciudad de México, Alfredo Robles Domínguez, para solicitar una audiencia con el presidente provisional a fin de discutir una proposición "de gran importancia para la pronta consolidación de la paz en el estado de Oaxaca".[20]

No puede haber mucha duda de que los planes para el golpe de Estado se discutieron en esa reunión, que se efectuó a mediados de septiembre. La única prueba documental disponible, no obstante, es una carta que Carranza entregó a Figueroa en la que declaraba que el general estaba comisionado para reclutar elementos para la Segunda División del Centro. Al enterarse el gobernador Canseco de la presencia de Figueroa en Oaxaca, exigió el retiro de Figueroa y de su escolta de 60 ixtepejanos "para evitar dificultades y trastornos":[21] Cualquier duda que pudiera quedar acerca de la complicidad del Primer Jefe se podrá desechar por medio del telegrama que envió Figueroa a Carranza el 14 de noviembre, informándole que "desde esta fecha el gobierno de Oaxaca está en poder de la Revolución constitucionalista: espero sus superiores órdenes."[22] El gobernador Canseco y varios miembros de la Legislatura del estado fueron arrestados, se estableció una administración provisional procarrancista y se ordenó a los ciudadanos de Oaxaca que depusieran las armas.[23]

Tanto Carranza como Figueroa habían subestimado la reacción de la Sierra de Juárez, que fue pronta y decisiva. Meixueiro y sus lugartenientes Jiménez e Ibarra habían logrado escapar de la ciudad de Oaxaca, y para el 18 de noviembre habían podido movilizar a tres mil serranos, conscientes de su papel de guardianes de la dignidad, del honor y de la soberanía no solamente de su patria chica (la sierra) sino ahora también de todo el estado. La ciudad de Oaxaca fue ocupa-

[19] ARD, tomo IV, Expediente 18, Jiménez Figueroa a Robles Domínguez 7/6/11; Ibarra incluye también algunos datos biográficos, pp. 96-98.

[20] ARD, tomo XII Expediente, 35 Jiménez Figueroa a Robles Domínguez 2/9/14.

[21] AHDN, 209 f. 190, Canseco a Carranza 13/11/14; 209 f. 207, Comerciantes de Oaxaca a Carranza 15/11/14.

[22] AHDN, 209 f. 206, Jiménez Figueroa a Carranza 14/11/14; la complicidad de Carranza está comprobada por documentos, pero es también probable que haya dicho a Figueroa que se le despojaría de su cargo si fracasaba su misión; en cuanto a las especulaciones acerca de la complicidad tanto de Jesús como de Venustiano Carranza, los detalles del arresto y encarcelamiento del gobernador Canseco y de los más destacados miembros de la Legislatura local, y de la forma espectacular como Meixueiro escapó del Palacio de Gobierno, véase Iturribarría pp. 311-321, Ramírez pp. 166-169 e Ibarra pp. 82-96.

[23] AHDN, 209 ff 208-13, 214-16, Jiménez Figueroa a Carranza.

da el mismo día y Figueroa se vio obligado a huir hacia el Norte, atravesando los límites del estado con Puebla.

A pesar de que existían pruebas en contrario Venustiano Carranza pretendió entonces que no había tenido conocimiento de la "villanía" de Jiménez Figueroa, y autorizó a Meixueiro para "perseguirlo y, en el evento de ser aprehendido ejecutarlo sin más requisito que su identificación".[24] En respuesta Meixueiro envió al presidente Carranza copias de los telegramas enviados por su hermano Jesús a Figueroa, asegurándole que Adolfo Palma había recibido órdenes de marchar hacia Oaxaca para ayudarlo.

Meixueiro continuaba diciendo:

> causó muy desagradable impresión en el estado, y lastimó hondamente la lealtad y patriotismo de los oaxaqueños, la circunstancia de haberse creído que el movimiento de Jiménez Figueroa era de acuerdo con usted.

Carranza explicó que Figueroa había engañado al general Jesús Carranza, e insistía mucho en el hecho de que:

> la conducta que yo he observado siempre con el gobierno de ese estado. . . demuestra perfectamente que jamás pude estar de acuerdo con los procedimientos.

Reiteró que las tropas constitucionalistas que estaban acuarteladas en territorio de Oaxaca no constituían una violación a la integridad o a la soberanía del estado, pues eran más bien "una necesidad de campaña". A fin de mantener y proteger esa soberanía, Carranza dijo a Meixueiro:

> ya ordené a los jefes militares y autoridades correspondientes que respeten todas las que ese gobierno hubiese designado y que restituyan a sus puestos a las que hayan quitado de ellos.[25]

Los serranos habían recibido su libra de carne, tanto literalmente como, al menos así lo parecía, políticamente. Jiménez Figueroa y sus tropas ixtepejanas fueron asesinados brutalmente a sangre fría por sus viejos rivales de la sierra, que estaban ansiosos de saldar las cuentas pendientes desde la rebelión de 1912, con la connivencia activa y aun la bendición del presidente Carranza. Las victoriosas Fuerzas Defensoras del estado regresaron a la Sierra de Juárez, satisfechas con su condición recientemente confirmada de "milicias permanentes" al servicio exclusivo de su Estado natal, y de haber demostrado una vez más, al igual que en 1912 y de nuevo en 1914, su patriotismo y su invencibilidad. Los jefes serranos se sintieron animados por sus últimos triunfos políticos para insistir en sus pretensiones de soberanía con mayor energía y para proclamar la justicia de su causa de una manera más estridente. La "soberanía" en Oaxaca había quedado firmemente establecida como una profilaxis política, como un trampolín psicológico desde el cual lanzar una contraofensiva contra la intrusión de las fa-

[24] Telegrama reproducido en Ramírez, pp. 167-168.
[25] Ramírez, *Ibid.*, p. 170.

lanjes revolucionarias del carrancismo. El choque entre esas dos visiones políticas conflictivas, colocadas en el más amplio contexto de la lucha nacional entre
el civilismo y el militarismo, fue quizá inevitable;[26] pero no cabe duda de que
la colisión se precipitó por los sucesos de noviembre de 1914, y se llevó al extremo menos de dos meses después, cuando se recibió la noticia del secuestro y asesinato del hermano del Primer Jefe, el general Jesús Carranza, por el general carrancista Alfonso Santibáñez.

EL ASESINATO DE JESÚS CARRANZA

Una de las numerosas bandas rebeldes que se presentaron ante Jesús Carranza
en el Istmo de Tehuantepec en el otoño de 1914, y que profesaban su disposición
de luchar por la causa constitucionalista, fue un grupo de istmeños encabezado
por el cabecilla local Alfonso Santibáñez.[27] Santibáñez había estado en rebeldía
tanto contra el gobierno del estado como contra el federal desde julio de 1913.[28]
Orgulloso de sus ideales revolucionarios, sin duda buscaba compensaciones en
proporción con los servicios que había prestado al carrancismo con posterioridad
a la desaparición del régimen de Huerta.[29]

El primer conflicto entre esos dos individuos surgió cuando Jesús Carranza
desautorizó el nombramiento que hizo Santibáñez del gobernador provisional y
jefe de las armas del estado de Chiapas, explicando en términos explícitos que
Santibáñez "no tiene autorización para nombrar gobernador".[30] Por consejo
de su hermano, Venustiano Carranza confirió el cargo a uno de los "procónsu-
les" carrancistas revolucionarios de Coahuila, al joven Jesús Agustín Castro.[31]
En compensación Santibáñez fue designado delegado carrancista en la Convención de Aguascalientes y posteriormente comandante de la guarnición de San Jerónimo Ixtepec.[32]

El hecho de que la Convención no logró llegar a un acuerdo entre las facciones
rivales villista y carrancista, la guerra civil que siguió, y la aparente superioridad
de las fuerzas convencionistas, parece que convencieron al ambicioso cabecilla
de Tehuantepec de que su carrera revolucionaria y sus oportunidades de avance
personal se verían más beneficiadas si ofreciera sus servicios a los enemigos de
Carranza. Por lo tanto, a principios de diciembre de 1914, los hermanos Santi-

---

[26] Luis Cabrera, intelectual civil, presidente de la Convención carrancista de octubre celebrada
en México, habló en la Convención de la batalla entre el civilismo y el militarismo, batalla que claramente ganaba el nuevo militarismo. Quirk, *op. cit.*, p. 95.

[27] AC, Jesús Carranza a Pablo González, 3/9/14.

[28] Véase el capítulo III.

[29] DHRM, XIX doc. 3, Santibáñez a Carranza, 20/5/14.

[30] AC Venustiano a Jesús Carranza 4/9/14.

[31] AC, Jesús a Venustiano Carranza 6/9/14, Knight en Brading, *op. cit.*, p. 53. Richmond describe a Agustín Castro, quien pronto sería el gobernador militar preconstitucional carrancista de Oaxaca, como un "natural carrancista", *The First Chief and Revolutionary Mexico: the Presidency of Venustiano
Carranza 1915-20*, tesis doctoral (Washington 1976), p. 170.

[32] Ramírez, *op. cit.*, p. 178.

báñez ofrecieron apoderarse del control de Chiapas "en nombre de la Convención".[33]

La historia del arresto, el encarcelamiento y finalmente la ejecución de Jesús Carranza en Xambao, en el distrito de Villa Alta, en la Sierra de Juárez, se ha relatado con abundancia de detalles.[34] La mayoría de los relatos se han concentrado en las sangrientas minucias acerca del "vil" asesinato del "noble" general por el "grotesco traidor" Santibáñez, y en la "extraordinaria determinación y fuerza de carácter" que demostró Venustiano Carranza ante su gran sufrimiento personal, al rehusarse a acceder a las demandas de rescate.[35] Las especulaciones acerca de los motivos de Santibáñez son con frecuencia contradictorias: en su mayoría coinciden en que su ambición personal fue su más importante factor de motivación, y la existencia de la nota de rescate en la que se exigía la entrega de medio millón de pesos parece confirmarlo;[36] pero, ¿Santibáñez actuaba en colusión con la Convención o de acuerdo con el gobierno del estado como parte de un plan concertado para extirpar el carrancismo del suelo de Oaxaca?

No puede haber duda de que Santibáñez había establecido contacto con los dirigentes de la Convención. El general zapatista Alfredo Serratos escribió a Zapata durante la ocupación de la ciudad de México explicándole que había hecho "arreglos satisfactorios" con Alfonso Santibáñez, "a fin de que coadyuve al triunfo de nuestra causa".[37] Pero no se dispone de ninguna prueba documental que sugiera o compruebe que Santibáñez procedía por órdenes directas de Zapata o de algún otro jefe convencionista: de hecho, Santibáñez se dirigió a Zapata en septiembre de 1915 reiterándole su apoyo, y disculpándose por la falta de comunicación, por haber tenido que escapar, para impedir ser descubierto y perseguido; lo cual sugiere decididamente que el contacto entre los dos jefes no había sido más que superficial.[38]

La posible complicidad del gobierno del estado de Oaxaca en ese desagradable crimen ha recibido una mayor atención, no obstante que la interpretación ha tenido la tendencia de depender de la afiliación del intérprete. Los simpatizantes carrancistas señalan que las autoridades del estado no aprehendieron a Santibáñez (y por tanto, por implicación, no estaban deseosas de hacerlo), aun cuando

[33] DHRM, XVI doc. 603.
[34] S. J. Ross, "La muerte de Jesús Carranza", *Historia Mexicana*, vol. VII, julio 1957, pp. 20-44, Ramírez, pp. 177-182; Iturribarría, pp. 329-339; Bustillo, pp. 72-110.
[35] AHDN, 210 ff. 12-30, Venustiano a Jesús Carranza; Venustiano Carranza consistentemente se negó a reconocer ningún telegrama firmado por su hermano mientras éste se encontrara bajo la presión de Santibáñez.
[36] Ross, *op. cit.*, pp. 25-26; para Jorge Tamayo ésta fue la principal motivación de Santibáñez.
[37] DHRM, doc. 604 11/1/15.
[38] Ross, *op. cit.*, p. 35, el manifiesto expedido por los hermanos Santibáñez al Pueblo del Istmo el 2 de enero de 1915, no menciona a la Convención, pero es decididamente anticarrancista AHDN, ff. 94-97; y Womak, *Zapata, op. cit.*, no hace mención alguna de los contactos de Zapata con Santibáñez; sin embargo, el representante de la Convención en Washington, D. C., Enrique Llorente, hizo la suposición de que Santibáñez actuaba por órdenes directas de la Convención, y por lo tanto recomendó que la "ejecución" de Jesús Carranza se aplazara lo más posible a fin de evitar que la simpatía del público se inclinara en favor de la causa carrancista si la sentencia se ejecutaba inmediatamente. DHRM XIX doc. 39.

era bien sabido que estaba oculto en alguna parte del estado; que los que fueron aprehendidos por sus asociaciones con Santibáñez fueron puestos en libertad después de la Declaración de la Soberanía; y que el propio Santibáñez declaró abiertamente su apoyo en favor del Movimiento de la Soberanía en junio de 1915.[39] Los soberanistas niegan enfáticamente la acusación de complicidad, y recalcan que Santibáñez nunca combatió en las filas del Movimiento de la Soberanía.[40] Para otros, el veredicto es: "no se ha demostrado".[41]

A fin de colocar los acontecimientos de enero de 1915 en su contexto adecuado, es importante reiterar la atmósfera de tensión que existía entre las autoridades locales nombradas por el estado y el ejército carrancista en la región del Istmo. El jefe político de Tequisistlán, Luis Velasco, se quejó ante el gobernador Inés Dávila de que las tropas carrancistas "siempre han manifestado animadversión a toda autoridad oaxaqueña".[42] Consecuentemente, la reacción inmediata de las autoridades estatales al romperse las hostilidades entre los santibañistas y los carrancistas en San Jerónimo Ixtepec, fue la de enviar refuerzos a los istmeños que combatían en las filas del Primer Batallón del Istmo (los santibañistas); Santibáñez había tenido el cuidado de asegurar a las autoridades que respetaría la soberanía del Estado.[43] La recomendación de Inés Dávila a los jefes políticos fue una declaración clara e inequívoca de la política del gobierno del estado con respecto al embrollo que prevalecía:

Reitero recomendación observar neutralidad en conflictos. . . bajo ningún concepto debe comprometerse situación pueblos, puesto que el único objeto debe ser que se respete la soberanía e integridad del estado, para lo cual hay que desplegar toda actividad en la conservación de la paz y la tranquilidad públicas.[44]

Lejos de prestar su apoyo a Santibáñez, Inés Dávila pidió que el Primer Jefe lo retirara, junto con otros "malos elementos" (referencia a los jefes carrancistas Adolfo Palma y Juan José Baños) del estado, "para no desmoralizar a la gente, que recibe malísima impresión al ver impunes los delitos y al ver a los responsables gozar de mando."[45]

Una vez que Dávila y Meixueiro tuvieron conocimiento del crimen y del lugar en que se encontraba Santibáñez, se giraron inmediatamente órdenes a las Fuerzas Defensoras del Estado de "atacar, desarmar y aprehender" a la banda rebel-

[39] DHRM, Santibáñez a Adolfo Palma, XIX doc. 60; acerca de las interpretaciones procarrancistas véase Tamayo, *op. cit.*, y Angel Taracena, *Apuntes para la historia de Oaxaca*, Oaxaca 1921; Bustillo afirma que Santibáñez había celebrado un convenio con Meixueiro desde noviembre de 1914, p. 72.

[40] Ibarra, p. 149, Leovigildo Vázquez Cruz, *La soberanía de Oaxaca en la Revolución*, Oaxaca 1959, p. 15. Santibáñez fue fusilado por el soberanista Mario Ferrer en Lachiguiri, Oaxaca, en agosto de 1916.

[41] Iturribarría, p. 341, Henderson, *Félix Díaz, op. cit.*, p. 115.

[42] AHDN ff. 4-5, Velasco a Inés Dávila, 3/1/15.

[43] DHRM, XIX doc. 33, Pérez Robles a Meixueiro, 2/1/15; Felipe Salinas a Inés Dávila, 2/1/15 doc. 34.

[44] AHDN, 210 ff. 43-44, Inés Dávila a Velasco, 3/1/15.

[45] El delito que cometió Santibáñez fue el asesinato de Carlos Woolrich en 1911 (véase el capítulo III), AHDN 210 ff. 45-46 Inés Dávila a Carranza 4/1/15.

de, en unión con las fuerzas carrancistas del estado.[46] Para mediados de enero, las autoridades estatales habían efectuado 56 aprehensiones, éxito que contrasta- ba con la forma hostil y agresiva con que se recibió a las tropas carrancistas en su frustrada persecución por la sierra.[47]

Consecuentemente, el gobernador Dávila sugirió a Carranza que la persecu- ción de Santibáñez se confiara exclusivamente a las autoridades del estado, que estaban familiarizadas con la gente y con el terreno, a fin de coordinar la opera- ción sin duplicación de autoridad o de mando.[48]

Fue el jefe de las fuerzas del estado, el general Meixueiro, quien informó al jefe de las armas en Oaxaca, Carlos Tejeda, del descubrimiento del cuerpo de Jesús Carranza en Xambao, en una región remota y deshabitada de la Sierra de Juárez. El cuerpo fue enviado a la ciudad de Oaxaca el 20 de enero, y al día siguiente a los límites de Puebla escoltado por tropas serranas, "con todos los honores militares", en camino hacia el cuartel general de Carranza en Vera- cruz.[49]

La ambición y el oportunismo de Santibáñez, como se puede demostrar, habí- an intensificado las tensiones existentes entre las autoridades estatales y los ca- rrancistas en Oaxaca. Carranza recibió una gran cantidad de cartas anónimas e informes militares en los que se describía este episodio como un "brutal com- plot. . . originado por el gobierno de este estado", y recomendándole no "dar oído a gente tan bandida e hipócrita, que tienen el mismo (propósito) de estarle engañando que están a sus órdenes".[50]

No obstante la aparente cooperación de las autoridades del estado en la perse- cución del cabecilla rebelde, no puede haber duda de que Santibáñez y sus com- pañeros conspiradores obtuvieron la protección personal y el abrigo por parte de los habitantes de Ixtlán de Juárez desde enero hasta junio de 1915, cuando Santi- báñez regresó a la ciudad de Oaxaca a consecuencia de la declaración oficial de soberanía hecha por el gobierno del estado.[51] Armado con esta demostración de la aparente complicidad serrana en el crimen, Carranza desatendió cada vez más y hasta se mostró hostil a las repetidas quejas del gobernador Dávila de las viola- ciones a la soberanía del estado durante los primeros meses de 1915.

LA DECLARACIÓN DE LA SOBERANÍA

Además de los acontecimientos de noviembre de 1914 y de enero de 1915, el acento cada vez más fuerte que se ponía en la protección de la soberanía constitu- cional del estado que expresaban los dirigentes políticos en Oaxaca fue entonces

[46] AHDN, 316 ff. 40-41, Tejada a Machuca 5/1/15.
[47] Las comunidades serranas hasta se rehusaron a suministrar alimentos a los carrancistas; AHDN, 210 ff. 136-38; Coronel Marín a Carranza, 16/1/15.
[48] AHDN, 210 f. 154, Inés Dávila al coronel Domínguez, 18/1/15.
[49] AHDN, 210 ff. 185-91, Meixueiro a Tejada, 20/1/15; Dávila envió sus condolencias personales a don Venustiano; Henderson (1981), p. 206.
[50] AHDN, 210 ff. 112-14, Coronel Marín a Carranza 12/1/15.
[51] DHRM, XIX, docs. 63, 64, 65.

directamente desafiado por la incidencia cada vez mayor de las violaciones a la soberanía por los jefes militares carrancistas. Durante todo este periodo la atención de Venustiano Carranza se concentraba necesariamente en la campaña militar contra sus principales adversarios, Villa y Zapata. La confrontación decisiva ocurrió en las poblaciones norteñas de Celaya y León, en donde las tropas constitucionalistas de Obregón, reforzadas por los Batallones Rojos de los trabajadores urbanos, derrotaron a Villa en uno de los más sangrientos combates de la historia de México, con lo cual se preparó el camino para la reocupación de la ciudad de México y para la ascensión de Carranza a la Presidencia.

Después de estos triunfos militares, Carranza procedió a concebir una estrategia política y militar que tendría por objeto consolidar y ampliar su poder personal. El elemento clave en esa estrategia era una forma de "militarismo de pillaje" apoyado por una ideología de nacionalismo radical y por una centralización autoritaria. Oficialmente no permitiría que ninguno de sus comandantes militares contraviniera sus órdenes o cuestionara su suprema autoridad, si bien en la práctica los autorizaba para que ampliaran sus esferas personales de influencia en las zonas bajo su jurisdicción por medio de la aplicación del espíritu, si no siempre de la letra, de las reformas socioeconómicas expedidas por decreto presidencial. Como resultado, en esa época de hegemonía carrancista las poblaciones que se encontraban bajo el control constitucionalista quedaron sujetas a una combinación sin precedentes de radicalismo entusiasta y de venalidad desenfrenada que con anterioridad a 1920 convirtió en millonarios a los principales jefes militares.[52]

La impunidad con la que los comandantes carrancistas en Oaxaca incrementaron su autoridad personal en aquellas regiones del estado que se encontraban bajo su control (el Istmo de Tehuantepec, Jamiltepec y Tuxtepec) fue notoria para el gobernador Inés Dávila durante los primeros seis meses de 1915. Una comisión de comerciantes y agricultores del distrito de Tuxtepec se quejó ante el gobierno del estado de que el jefe carrancista Adolfo Palma se había dedicado a una operación de reclutamiento que consistía en forzar a los trabajadores agrícolas a afiliarse al ejército constitucionalista.[53] Después de una escaramuza entre Palma y las tropas serranas de las Fuerzas Defensoras que se enviaron para investigar los disturbios, Palma fue retirado a Veracruz, tan sólo para ser reemplazado por una Junta de Administración que resultó igualmente indiferente a las protestas del gobernador de que se violaba flagrantemente la soberanía constitucional de las autoridades estatales de la región.[54]

La concentración de tropas carrancistas en el Istmo de Tehuantepec y la importancia estratégica del puerto del Pacífico de Salina Cruz para la movilización de tropas y pertrechos para las fuerzas carrancistas en Guerrero, Colima, Jalisco y Sonora significaba que el control político efectivo de la región había salido de las manos de las autoridades políticas y judiciales nombradas por el gobierno del

[52] Lieuwen, *Mexican Militarism*, *op. cit.*, pp. 37-40; Richmond, tesis *op. cit.*, pp. 200-208.

[53] AHDN, 210 45-6, Inés Dávila a Carranza, 4/1/15.

[54] José Inés Dávila: *Mensaje leído ante la XXVII Legislatura del Estado*, Oaxaca, Imprenta del Estado, 1915, p. 15.

estado. Con posterioridad al mes de enero de 1915, el Istmo se convirtió igualmente en el centro de las operaciones carrancistas en la persecución del rebelde Santibáñez. El hecho de que no se lograra aprehender a Santibáñez y los rumores de la complicidad del gobierno del estado, determinaron que los jefes militares de la localidad mostraran cada vez más su falta de cooperación y su hostilidad ante las quejas constantes del gobernador.[55]

El conflicto entre las autoridades estatales y la banda de rebeldes carrancistas encabezada por Juan José Baños en la región de Jamiltepec, en los límites con el estado de Guerrero, se había iniciado formalmente con la declaración del Plan de Pinotepa en agosto de 1914, en apoyo del Plan de Guadalupe. Haciendo alarde de que sus fuerzas fueron "las primeras y únicas netamente oaxaqueñas que abrazaron la santa causa", Baños reiteradamente insistió en que el gobierno del estado era "un enemigo pérfido de la causa", y acusó a las autoridades del estado de ayudar activamente a las bandas zapatistas que habían incursionado esporádicamente en Oaxaca atravesando los límites con Guerrero.[56] Baños emitió una serie de decretos en los que declaraba la implantación en todo el distrito de las proclamas presidenciales relacionadas con la supresión de la institución de la jefatura política, el establecimiento del municipio libre y la creación de una Comisión Agraria Local que atendiera las peticiones de tierras de los pueblos del distrito de acuerdo con las propuestas de reforma agraria incluidas en la Ley del 6 de enero, con lo cual dejaban de tomarse en cuenta e impedían, por supuesto, las funciones de los representantes locales de la administración del estado. Baños justificó esas violaciones a la soberanía al aducir que estaba obligado a "poner en práctica las reformas revolucionarias".[57]

El precario equilibrio que tan rápidamente se deterioraba entre las dos administraciones rivales se vino abajo finalmente al desembarcar en Puerto Ángel un destacamento de tropas carrancistas el 31 de marzo a fin de apoyar un levantamiento. El gobernador Dávila obtuvo seguridades de Carranza de que el destacamento permanecería en Puerto Ángel, pero con el pretexto de una escasez de agua potable Pochutla fue ocupada el 1o. de mayo. Carranza se abstuvo, o se rehusó, de contestar a las indignadas denuncias de Dávila de esa la más reciente y más flagrante violación a la integridad del estado.[58]

Dávila estaba convencido de que el ataque a Pochutla formaba parte de "un plan preconcebido de ataque a la soberanía del estado". Esa convicción quedó confirmada por una comunicación recibida del secretario de Gobernación en la que se explicaba que todos los jefes constitucionalistas de la República actuaban por órdenes directas del Primer Jefe, y por lo tanto no podían reconocer a ninguna otra autoridad. Al amparo de este pretexto constitucional, Dávila se dedicó a capitalizar los sentimientos populares anticarrancistas en el interior de Oaxaca. La idea de someter el asunto a un plebiscito dentro del estado fue rechazada en

[55] AHDN, 210, Inés Dávila a Carranza, ff. 236-46 4/6/15.
[56] AHDN, 210 ff. 247-50.
[57] AHDN, 209 Baños a Carranza, 24/5/15.
[58] Inés Dávila, *Mensaje, op. cit.*, pp. 19-23.

favor de una serie de reuniones públicas en la ciudad de Oaxaca y de consultas con las autoridades municipales en aquellas zonas que no se encontraban bajo el control carrancista. Lo que fue de mayor importancia, Meixueiro ordenó a los comandantes de las brigadas de seguridad que consultaran con las tropas que estaban a su respectivo mando. Los serranos respondieron con lealtad y de manera predecible a las exhortaciones de sus caciques y caudillos de tomar las armas en defensa de la sierra, si bien algunos obviamente tenían dificultad para entender el concepto de soberanía.[59]

El resentimiento popular anticarrancista de Oaxaca se agravó por el menoscabo de la economía local en el estado. La expropiación del Ferrocarril de Tehuantepec y del de Puebla-Oaxaca con propósitos militares paralizó el comercio entre Oaxaca y los estados vecinos de Veracruz y Puebla.[60] Además de la interrupción de esos vitales medios de comunicación, la producción agrícola interna se redujo de manera espectacular como resultado de una combinación de malas cosechas, acaparamiento y perturbaciones revolucionarias, para producir una grave escasez de alimentos de primera necesidad en todas las regiones del estado.[61] La escasez de alimentos contribuyó para que se desarrollara una epidemia de fiebre tifoidea en el verano de 1915; de agosto a octubre se registraron 682 fallecimientos por la enfermedad tan sólo en la ciudad de Oaxaca.[62] Las desastrosas condiciones económicas eran síntomas de la inestabilidad financiera generada por la caída del valor de diversas monedas en circulación. Los comerciantes de las localidades se negaban a aceptar el papel moneda emitido por las facciones villistas, convencionistas o carrancistas (a menos de que se les obligara físicamente a hacerlo), y las monedas duras de plata u oro eran atesoradas y consecuentemente resultaba imposible conseguirlas: una de las primeras medidas de la administración soberanista fue la de emitir un gran número de billetes de banco, que al carecer de las necesarias garantías financieras, contribuyó a la crónica inseguridad financiera, en vez de aliviarla.[63]

El hambre, las enfermedades y la depresión económica en el estado contribuyeron al apoyo popular en el interior del estado a una decidida postura ante el espectro de los males revolucionarios que afligían a la nación. Este apoyo quedó plenamente demostrado por los festejos populares y el regocijo que llenó las calles

[59] *Mensaje, ibid.*, p. 25, Ibarra refiere la anécdota del oficial zapoteca de la Segunda Brigada de la Sierra de Juárez quien, al pedírsele su opinión acerca de la soberanía, en lugar de contestar "resumimos la soberanía" (adoptaremos la causa de la soberanía) contestó "sumimos la soberanía", p. 105.

[60] AHDN, 210 f. 221, Inés Dávila a Carranza, 29/4/15.

[61] Acerca de las privaciones que sufrieron los pueblos de la Sierra Mixteca véase AHDN, 210 f. 251; el presidente municipal de Miltepec (distrito de Huajuapan) a Carranza 17/6/15 y Saúl, *Sucesos históricos de la Mixteca*, pp. 250-258, acerca del Istmo de Tehuantepec, AHDN, 210 f. 197-98 gral. Domínguez a Carranza 6/4/15; en lo relativo a la Sierra de Juárez, Ibarra, p. 125.

[62] Archivo General del estado de Oaxaca (en lo sucesivo AGEO), expedientes varios; "Epidemias tifo y viruela 1915".

[63] FO, 371/2402/113539, Hohler a Grey, 19/7/15; FO, 204/462/478; de Wiseman (vicecónsul inglés

[63] FO, 371/2402/113539, Hohler a Grey, 19/7/15; FO, 204/462/478; de Wiseman (vicecónsul inglés en Salina Cruz) a Hohler 26/2/15; la situación de la economía local e examina en el capítulo VI.

de Oaxaca el día en que se declaró la soberanía.[64] Los dirigentes políticos del estado, no obstante, fueron suficientemente sensatos para darse cuenta de que el triunfo político alcanzado en los días inestables de 1915 no se habría de encontrar en la aclamación o en la aprobación popular, sino en una seguridad militar efectiva. Dávila y Meixueiro estaban conscientes de la tenacidad de las milicias serranas, cuya lealtad era el *sine qua non* de la soberanía, pero también de que la fuerza militar de la sierra no sería capaz de resistir la inevitable retribución, que habría de exigir Carranza por ese reto directo a su autoridad.

Al verse privados de los servicios de su anterior mentor y defensor por haber menguado las fortunas políticas de Félix Díaz a principios de 1915, Dávila y Meixueiro intentaron aliarse con Emiliano Zapata, quien estaba al mando de la más poderosa fuerza anticarrancista en el Sur de México, y cuya potencia militar en los vecinos estados de Puebla y Guerrero habría de suministrar la necesaria seguridad para Oaxaca. Al día siguiente a la Declaración de Soberanía, Meixueiro suscribió un pacto con Higinio Aguilar, por entonces jefe de la División de Oriente del Ejército Libertador de Zapata en Teotitlán del Camino, Oaxaca. A cambio de armas y municiones, se pidió a los soberanistas de Oaxaca que reconocieran la autoridad de Zapata y se adhirieran al revolucionario Plan de Ayala; era un precio reducido aunque no insignificante que se pagaría por las ventajas militares potenciales que se obtendrían de la alianza.[65]

La alianza con Zapata era indiscutiblemente una alianza de conveniencia; la reacción ante el radicalismo agrario del Plan de Ayala en la legislación promulgada por la administración soberanista, fue, por decir lo menos, el silencio.[66] Pero una alianza como ésa no era ni más ni menos conveniente que las que subsecuentemente se celebraron con Félix Díaz en 1916, con el general villista José Isabel Robles en 1917, y finalmente con Obregón en 1920, en la lucha por la supervivencia del Movimiento de la Soberanía entre 1915 y 1920. El principio que guió a los jefes del Movimiento de Soberanía en sus negociaciones con las demás facciones políticas no fue una identificación ideológica, sino el respeto a la inviolabilidad de las instituciones y del territorio de Oaxaca. La lógica de una alianza con facciones de ideas políticas contradictorias era simplemente la de unirse contra las fuerzas centrípetas de un enemigo común: el carrancismo. Las simientes de esa extraordinaria mezcla de nacionalismo y militarismo, conservadora en su estructura pero radical en su política, se habían sembrado en las sociedades fronterizas prerrevolucionarias de Sonora y Coahuila, y habían florecido en las administraciones posmaderistas en esos estados.[67] Con posterioridad a 1914, la estrategia política carrancista exigió que se trasplantaran de manera efectiva en toda la República. En el Sureste, esta estrategia fue rechazada instin-

---

[64] Ibarra, p. 107.

[65] Una copia del pacto se puede encontrar en la caja 6 del Fondo Zapata, que cataloga el personal del Archivo General de la Nación.

[66] Se ha afirmado, no obstante, que el zapatismo combatía para restaurar el *statu quo* agrario preporfirista bajo la bandera de Tierra y Libertad, *statu quo* que en Oaxaca estaba prácticamente intacto en 1910; Waterbury, "Non-Revolutionary Peasants", *op. cit.*, p. 411; este tema se desarrollará en el siguiente capítulo.

[67] Aguilar Camín en Brading, *op. cit.*, pp. 92-123.

tivamente y de manera uniforme por las élites de los estados a fin de proteger su hegemonía política y económica. La infraestructura política y social de esos estados había permanecido casi intacta y no había sufrido por los efectos del torbellino revolucionario de 1911-1915; consecuentemente, movimientos anticarrancistas de diversos matices políticos y de diferentes intensidades se desarrollaron en esas regiones durante esa época.[68]

La catarsis de la revolución social engendrada por el carrancismo en esos estados del sureste fue, por tanto, un proceso gradual, incompleto hasta que las élites locales o fueron aplastadas u optaron por adherirse a la nueva generación revolucionaria. El carrancismo tuvo que actuar como estimulante y como agente del cambio social, y manipular los nuevos patrones de poder político y de influencia.[69]

La estrategia política carrancista en ninguna parte fue rechazada más enérgicamente que en Oaxaca entre 1915 y 1920. La decisión y la determinación de los dirigentes políticos del estado de oponer resistencia al "ignominioso despotismo" del carrancismo queda de manifiesto en la Declaración de Soberanía de junio de 1915.[70] El extenso prólogo fue una evocación emotiva de la memoria del "Gran Reformador" Benito Juárez, del heroísmo y del patriotismo del pueblo de Oaxaca y de su profundo respeto por el imperio de la ley y por la libertad y los derechos garantizados por la Carta Magna, la Constitución de 1857. Fue el flagrante incumplimiento de la Constitución como resultado de la implantación del "periodo preconstitucional" y el "desenfrenado absolutismo" del régimen de Carranza lo que justificó que se reasumiera la soberanía de Oaxaca por la Legislatura del estado "entretanto se restablece en la República el orden constitucional". El principio que serviría de guía del soberanismo sería el mantenimiento de una estricta legalidad constitucional en el interior de Oaxaca, que así lo mostraría ante los demás estados de la "hoy dolorida Patria" como un asilo seguro de la ley y del orden ante el despotismo, el caos y la insaciable sed de destrucción preferida por "los malos hijos de México".

El emotivo y casi histriónico tono adoptado por el gobernador Inés Dávila no dejó duda alguna en cuanto a la reacción de los amos de la política en Oaxaca ante las invasiones del carrancismo. La declaración fue una expresión de conservatismo político: el deseo no solamente de resistir a los cambios revolucionarios, sino el de volver a un anterior (e imaginario) orden social en donde el respeto a la autoridad y el sentido del deber patriótico fueran axiomáticos. Con base en este documento se emprendieron en lo sucesivo las campañas armadas para proteger la soberanía del estado que han sido criticadas por la escuela prorrevolucionaria como "un típico movimiento reaccionario" y un intento de bloquear el progreso evolutivo hacia un México posrevolucionario más justo, más ilustrado

[68] Véase, por ejemplo, Berzunza Pinto, "El constitucionalismo en Yucatán", *Historia Mexicana*, 12: 2/Oct/Dic/1962, pp. 274-295; Alicia Hernández, "La defensa de los finqueros en Chiapas 1914-1920", *op. cit.*; Ian Jacobs, "Rancheros of Guerrero", en Brading., comp., *op. cit.*, pp. 92-124.

[69] M. A. Goodman, *The Effectiveness of the Mexican Revolution as an Agent of Change in the State of Yucatán* (tesis inédita), Columbia University, 1970, p. 186.

[70] Véase el Apéndice II, reproducido en el periódico oficial del estado, vol. 43, 5 de junio de 1915.

y más igualitario.[71] De acuerdo con esta interpretación del Movimiento de la Soberanía, sus dirigentes eran "un puñado de conservadores ambiciosos que ansiaban el regreso al orden porfirista", y hasta "una caterva de vampiros tonsurados. . . hipócritas y corrompidos", cuya insistencia en el principio de soberanía del estado era "ridícula, maquiavélica, y canallesca"[72] *Richmond*

Pero la historiografía favorable a Carranza ha dejado de hacer la necesaria distinción entre los diferentes componentes del Movimiento de Soberanía: la defensa ideológica del concepto de soberanía del estado y la reacción popular ante la interferencia política del centro. El soberanismo, tal como lo define la Declaración de Soberanía, era la articulación de la oposición política de la élite de provincia, resurrección del federalismo radical que a menudo ha caracterizado las relaciones entre la Federación y el estado a través del siglo XIX. Tal como los apologistas soberanistas señalan, la declaración de la soberanía del estado que hizo la Legislatura del estado en 1915 fue la cuarta declaración similar a partir de la Independencia.[73]

La reacción popular al carrancismo en Oaxaca quedó manifiesta en la reacción colectiva de las comunidades serranas de Oaxaca (principalmente en la Sierra de Juárez, aunque también en la Sierra Mixteca) a las intrusiones del gobierno del centro, a la subversión de las instituciones tradicionales. La estructura del movimiento popular era jerárquica y articulada por medio de las instituciones informales del caciquismo y del caudillismo en la sociedad serrana, y sus propósitos políticos eran generalmente desarticulados y se limitaban a la conservación de la autonomía local (y como tal eran fácilmente adoptados por los intereses externos, sin tomar en consideración ideologías, ya sean "revolucionarias" o "reaccionarias").[74]

La importancia fundamental de la Declaración de la Soberanía, por lo tanto, estriba en la consumación de un matrimonio entre la oposición política conservadora y la reacción popular, lo cual determinó el nacimiento del Movimiento de Soberanía. A medida que las tensiones entre el gobierno del estado y el régimen de Carranza se intensificaban hasta llegar al punto de ruptura en junio de 1915 a consecuencia del fracasado golpe de Jiménez Figueroa, de la incapacidad de las autoridades para aprehender al asesino de Jesús Carranza, y las repetidas violaciones a la soberanía del estado por los comandantes carrancistas de Oaxaca, la élite porfirista que había vuelto a dominar en la Legislatura del estado cimentó su alianza con los caciques de la Sierra de Juárez, cuya comprobada capacidad militar fue el único baluarte interior contra las incursiones del carrancismo. El Movimiento de la Soberanía fue indudablemente una reacción contra las invasiones militares y la centralización política, pero fue una respuesta que parecía estar totalmente en consonancia con la tradición histórica de Oaxaca.

[71] Tamayo, p. 53.
[72] Richmond, tesis, *op. cit.*, p. 196; Rafael Odriozola en Quintero Figueroa, *op. cit.*, p. 472.
[73] Gustavo Pérez Jiménez, *Las constituciones políticas del estado de Oaxaca*, pp. 103-139.
[74] Acerca de los movimientos serranos véase Alan Knight, en Brading, comp., *op. cit*, pp. 17-59

En la primera parte de esta obra se ha hecho una exposición principalmente narrativa de los acontecimientos políticos que tuvieron lugar en Oaxaca durante la primera fase de la Revolución, concentrándose en el resurgimiento del caudillismo serrano y en los cada vez mayores conflictos con el gobierno central. En la segunda parte la narración se restringe a una exposición de la lucha militar y política por la supervivencia del Movimiento de la Soberanía, que llegó a su fin con la firma del Tratado de San Agustín Yatarení en mayo de 1920 (capítulo VII). En el Apéndice III se hace una cronología de los más importantes acontecimientos en la historia de esa lucha.

El más amplio contexto del desenlace del conflicto es un análisis de los antecedentes, propósitos y visiones políticas opuestas de las partes en contienda: los carrancistas y los soberanistas. El capítulo V, por lo tanto, explora los antecedentes del Movimiento de Soberanía, y destaca los vínculos entre el liberalismo, el federalismo y el surgimiento del caudillismo en la Sierra de Juárez como una poderosa fuerza en la política regional en Oaxaca con posterioridad a 1870. Este capítulo también trata de explicar la desavenencia que se creó durante el curso de la Revolución entre las dos generaciones de caudillos serranos representadas por Guillermo Meixueiro e Isaac Ibarra, que llegaría a ser un factor decisivo en el destino final del Movimiento. El capítulo VI investiga la naturaleza del constitucionalismo por medio de la creación de un gobierno preconstitucional en Oaxaca entre 1915 y 1920, destacando el distanciamiento entre la ideología y la práctica.

Segunda Parte

El movimiento de la soberanía. 1915-1920

V. LOS ANTECEDENTES DEL MOVIMIENTO DE LA SOBERANÍA. FEDERALISMO, LIBERALISMO Y CAUDILLISMO SERRANO

El federalismo y la soberanía

La manifestación de la oposición política a la amenazante imposición del constitucionalismo en Oaxaca en 1915 se apoyaba inequívocamente en el principio de la soberanía del estado dentro de la Federación. El artículo 1o. de la Declaración de la Soberanía proclamaba que "Entretanto se restablece en la República el orden Constitucional, el Estado Libre y Soberano de Oaxaca reasume su soberanía", (de acuerdo con la Constitución de 1857). La justificación de dicho acto fue el decreto de Carranza de diciembre de 1914 que suspendió la Constitución de 1857 para establecer un periodo (temporal) de gobierno preconstitucional durante el cual él conservaría el estricto control ejecutivo como Primer Jefe del Ejército Constitucionalista; disolvió así en realidad la base constitucional de la Federación.[1] Así, el gobernador José Inés Dávila declaró que los Poderes Ejecutivo y Legislativo del gobierno del estado asumirían el control y la responsabilidad con respecto a las dependencias y servicios federales dentro del estado.[2]

Ese gesto aparentemente quijotesco, hecho en la cúspide de un periodo de guerra civil en la nación en junio de 1915, tenía, sin embargo, sus precedentes claros. Según se ha dicho con anterioridad, la Declaración de 1915 fue la cuarta que se hizo a partir de la Independencia. La Legislatura de 1858, dominada por los liberales, que resultó electa el año anterior de conformidad con los principios consignados en la Constitución Política de Oaxaca, redactada por el gobernador Benito Juárez, aunque seguía siendo leal a la causa liberal se separó de la Federación a consecuencia del golpe de los conservadores encabezados por el general Zuloaga y de la inminente invasión del estado por un ejército conservador al mando de José María Cobos.[3] Las afiliaciones políticas de la Legislatura, no obstante, parece que no afectaron su disposición de reasumir la soberanía: en 1871, una Legislatura predominantemente conservadora siguió al gobernador Félix Díaz cuando se separó de la Unión para apoyar la fracasada Rebelión de La Noria, encabezada por su hermano Porfirio en contra del gobierno de Juárez.[4]

---

[1] "La implantación del periodo preconstitucional . . . se ha invocado para intentar justificar un ataque a la dignidad y soberanía del estado." Declaración de Soberanía, Apéndice II.

[2] FO, XXXV, núm. 51 26/6/15; la Constitución Política del estado fue reformada en consonancia, PO,XXXV, núm. 43 5/6/15.

[3] Berry, *Reform in Oaxaca, op. cit.*, p. 45.

[4] Berry, *Ibid.*, p. 125; Falcone, pp. 132-138.

La supervivencia de los principios federalistas en la década de la Revolución con posterioridad a 1910 queda demostrada por la reacción de la Legislatura porfirista en Oaxaca ante la renuncia de Díaz en mayo de 1911; circularon rumores en Oaxaca, en medio de una atmósfera de confusión e incertidumbre política, de que el Congreso local estaba a punto de "reasumir su soberanía, desconociendo la Federación".[5] Unos cinco meses después, una nueva Legislaltura recientemente electa, formada principalmente por diputados que eran opositores políticos del régimen anterior, no vaciló en desafiar la interferencia de Madero en los asuntos políticos internos del estado en su intento de designar un candidato de transición para el cargo de jefe político de Juchitán con el propósito de sofocar la rebelión chegomista: una vez más el foco de los debates fue la soberanía del estado dentro de la Federación.[6]

El principio de la soberanía del estado no solamente fue defendido en Oaxaca durante la Revolución. El ejemplo más significativo es la resolución de la Legislatura promaderista en Sonora de defender la soberanía del estado, primero contra la sublevación que encabezó Pascual Orozco en 1912 contra Madero, y después en contra del golpe de Estado de Huerta en 1913. La resistencia en Sonora se apoyaba en el reclutamiento de una milicia del estado profesionalmente adiestrada y equipada, y dirigida por "los representantes de una emergente clase media baja semirrural y semiurbana" a quienes se había prohibido el acceso a la toma de decisiones políticas por los privilegios acumulados de la oligarquía local (porfirista): los agricultores en pequeño (Obregón), los profesores de escuela (Calles), los administradores (De la Huerta), los hombres de negocios en pequeño (Alvarado); hombres que habrían de surgir en el curso de la Revolución para monopolizar el poder presidencial en México por más de una década después de 1920.[7]

Las pruebas *prima facie* sugieren por tanto que los principios federalistas podrían ser, y en realidad fueron, adaptados para adecuarse a las necesidades y aspiraciones políticas de los grupos regionales de distintos orígenes e ideologías, como en el caso de los soberanistas de Oaxaca y de la dinastía de Sonora. Pero el hecho de haber recurrido al federalismo ¿fue simplemente un mecanismo por medio del cual las élites locales fueran capaces de resistir las fuerzas centrípetas del gobierno central, o bien el federalismo siempre ha sido una característica esencial de la evolución política del estado mexicano desde la Independencia? El debate acerca de los orígenes y el efecto del federalismo en México y de su lucha con el centralismo, es algo que ha preocupado a más de una generación de historiadores. El punto básico de discusión se encuentra por una parte, entre los que sostienen que el federalismo nunca ha existido en México; que el centralismo siempre ha sido la característica predominante en la política mexicana; y que la Constitución de 1824 tan sólo imitó el modelo que suministraron los Estados Unidos, y "dio al pueblo mexicano, en nombre del federalismo, una forma de

[5] ARD IV: 18 L. García a Ángel Barrios 1/6/11.

[6] Véase el capítulo II.

[7] Héctor Aguilar Camín, "The Relevant Tradition: Sonoran Leaders in the Revolution", en Brading, comp., *Caudillo and Peasant*, pp. 92-124.

gobierno disfrazada y centralista";[8] y, por la otra, aquellos que sostienen que el federalismo estaba lejos de ser una elaboración artificial, puesto que en realidad provenía de la decisión colectiva que trece diputaciones provinciales aparentemente autónomas tomaron en 1823 para resistir al excesivo centralismo del Imperio de Iturbide.[9] Son pocos los que no estarían de acuerdo en que el más grande triunfo político del federalismo quedó representado por la promulgación de la Constitución de 1857. No obstante, se ha argumentado de manera persuasiva que los que fomentaron y los que heredaron la tradición liberal (Juárez, Lerdo y Porfirio Díaz) destruyeron el federalismo por medio de la creación de una "maquinaria" política altamente centralizada, basada en los nombramientos y en las alianzas con los gobernadores de los estados y con los caudillos regionales a cambio de la protección presidencial, creando así un tipo de centralismo ejecutivo que se ha considerado el progenitor del sistema presidencial posrevolucionario.[10] Perry

Es lógico inferir de este análisis que siempre que las élites regionales se sentían amenazadas por la interferencia del centro, o pensaban que sus intereses económicos y políticos no se realizaban o se protegían adecuadamente por los gobiernos nacionales, pronto seguirían el enajenamiento o la rebelión.[11] En Oaxaca, en 1858 y 1871, el federalismo y el principio de la soberanía del estado suministraron la base ideológica por medio de la cual los dirigentes políticos de la provincia fueron capaces de formular sus agravios en contra del centro. En 1915, la soberanía del estado una vez más vino a ser el principio alrededor del cual se unió la élite política en defensa de sus intereses regionales.

El liberalismo y las élites políticas

La firme defensa de los principios federalistas por la élite política de la provincia de Oaxaca se ajusta convenientemente a la descripción que ordinariamente se hace del estado como bastión del liberalismo. Se reconoce generalmente que numerosos destacados oaxaqueños, sin dejar de mencionar a Benito Juárez y a Porfirio Díaz, formaron un importante contingente en el grupo de liberales que encabezó el ataque nacional sobre los privilegios corporativos del ejército y de la Iglesia. La emergencia de la élite liberal de Oaxaca y las vicisitudes de su fortuna política durante las turbulentas Guerras de Reforma y la de Intervención en la década de 1860 han sido catalogadas pero no han sido explicadas adecuadamente. Un análisis reciente de los logros políticos de los liberales en Oaxaca con anterioridad al Porfiriato ha sugerido que el poder económico, la posición social y consecuentemente la influencia política de la Iglesia fueron desafiados con éxito

---

[8] J. Lloyd Mecham, "The Origins of Federalism in Mexico", *Hispanic American Historical Review*, (HAHR) 18, 1938, pp. 164-182.

[9] Nettie Lee Benson, "The Plan of Casa Mata", HAHR 25, 1945, pp. 45-56; José Gamas Torruco *El federalismo mexicano* (1975).

[10] Laurens Ballard Perry, *Juárez and Díaz: Machine politics in Mexico* (1978), pp. 339-353.

[11] Hubo 40 insurrecciones armadas contra los gobiernos de Juárez y Lerdo entre 1856 y 1876; Perry, *ibid.*

por la aplicación de las leyes de Reforma para liberar y expropiar los bienes de la Iglesia, pero que los liberales fracasaron en su intento de domesticar a la "bestia del militarismo".[12] Acerca de las relaciones entre la élite política y el régimen porfirista anterior a la Revolución no sabemos casi nada. Sí parece, no obstante, que al finalizar el siglo los políticos que representaron a Oaxaca durante el porfiriato habían podido dominar su tradicional antipatía por la propiedad rural (antipatía que se explica por una combinación de la crónica inestabilidad financiera y política de la época posterior a la Independencia, la falta de acceso a más amplios mercados nacionales e internacionales y la escasa rentabilidad de las empresas agrícolas). De los 16 diputados estatales que fueron electos en la última Legislatura porfirista del estado en 1910, 5 eran dueños o herederos de haciendas y 3 aparecían mencionados como rancheros.[13] Esto sugiere que los intereses económicos de la élite política estaban claramente identificados con la existencia de la dictadura. El constante apoyo político al dictador queda demostrado con el telegrama que la Legislatura del estado envió a Díaz cuando se encontraba en Veracruz en espera de ser exiliado.[14]

Las escasas pruebas que tenemos a nuestra disposición en la actualidad hacen pensar que el limitado y disparejo curso del desarrollo económico de Oaxaca durante la segunda mitad del siglo XIX no crea las condiciones previas para el surgimiento de una burguesía industrial o agrícola cuyos propósitos quedaran firmemente consignados en un plan de nacionalismo económico y en un programa de regeneración social y de centralización política, fenómeno que se observó en Sonora al surgir la "dinastía" sonorense en el Norte. Por el contrario, con anterioridad a la Revolución de Oaxaca parece que no hubo una transformación espectacular ni en el predominante sistema de producción agrícola, ni en el de la tenencia de la tierra, ni en la forma de organización política y social dentro del estado. Solamente en las plantaciones de café y tabaco situadas en los límites geográficos del estado (en la región conocida como La Cañada en el distrito de Tuxtepec o en los linderos con Veracruz) parece que la naturaleza de la sociedad rural se haya transformado por la pérdida de las tierras comunales que pertenecían a los pueblos, y por la creación de un sistema de endeudamiento de los peones. En todo el resto del estado, aun en regiones, como las de los valles centrales que circundan a la capital del estado que se vieron directamente afectadas por la implantación del programa liberal, de vender las propiedades corporativas, los hacendados estaban menos inclinados a invadir los ejidos pertenecientes a los pueblos que a disponer de sus propiedades mediante la venta, la división por herencia o, más frecuentemente, por medio de la distribución a los aparceros o arrendatarios. En las vastas regiones montañosas, lejos de los valles centrales, los pueblos indígenas defendieron con tenacidad sus tierras y en todo el resto del estado el sistema campesino de producción siguió floreciendo, aun en el cultivo

[12] Berry, *op. cit.*, p. 197; Berry sugirió que la educación liberal que impartía el prestigiado Instituto de Ciencias y Artes del Estado fue un importante factor en la atracción del liberalismo en Oaxaca desde su fundación en 1826.

[13] Cassidy, *Haciendas and Pueblos, op. cit.*, p. 96.

[14] Véase el capítulo II, telegrama reproducido en Iturribarría, p. 264.

de productos de exportación, especialmente de café y tabaco, introducido a fines del siglo.[15]

La imagen de una sociedad provincial y retrasada, resistente al cambio, parece ser por lo tanto la correcta, en notorio contraste con los estados fronterizos del norte (como Sonora). Los reformadores liberales de Oaxaca pudieron ampliar la base de la propiedad de los bienes en el Distrito Central, debilitando así el poder de la Iglesia, pero habían fracasado miserablemente en su propósito de revitalizar una economía en general estancada, o de establecer instituciones de gobierno democráticas, civiles y representativas. En cambio, el faccionalismo político que caracterizó los años de anarquía y de luchas civiles después de 1856 había creado condiciones en las que podía florecer el caudillismo en el interior del estado. La facción que era más capaz de establecer y luego ampliar su influencia personal en la política del estado en las décadas posteriores a 1870 fue la de los caudillos de la Sierra de Juárez.

EL CAUDILLISMO EN LA SIERRA DE JUÁREZ, 1870-1920

El brote del caudillismo o del "faccionalismo militarizado" como la fuerza predominante en la política local y nacional durante el siglo XIX se ha considerado como uno de los más conspicuos fracasos políticos del liberalismo mexicano. Se ha afirmado recientemente que uno de los más ingentes problemas de los liberales del siglo XIX fue "la subordinación del regionalismo al nacionalismo sin la destrucción del federalismo por el centralismo"[16] Si bien es cierto que en términos nacionales el federalismo perdió ante el centralismo del Ejecutivo en los regímenes de Juárez y de Díaz, es igualmente cierto que la manifestación del federalismo en los baluartes liberales tradicionales como Oaxaca para 1870 se había convertido en una forma de encubrir el regionalismo caudillista. Se puede afirmar que el federalismo en su prístina forma ideológica se puede ver mejor en Oaxaca en la Declaración de la Soberanía de 1858. Para 1871 el fracaso del experimento liberal había visto que el principio se adaptaba a las ambiciones de los poderosos caudillos regionales, los hermanos Félix y Porfirio Díaz. Oaxaca demostró de nuevo en 1876 que era una base regional vital desde la cual Díaz habría de lanzar su candidatura para la presidencia (el Plan de Tuxtepec).

Recientemente se ha prestado una gran atención al papel del caudillo antes, durante y después de la Revolución. Interpretaciones recientes han formulado el argumento de que la hábil manipulación y la cooptación de caudillos regionales por el régimen de Díaz permitió el establecimiento de una forma rígida, pero finalmente frágil, de centralización política. Con el colapso del gobierno porfirista en 1911, el caudillo regresó a la arena política, pero bajo un nuevo disfraz. Los conflictos y la guerra civil que les siguieron se han visto como un choque entre dos distintos tipos de caudillos: aquellos cuyo poder se apoyaba en la autoridad tradicional, "carismática" o personal, como la de Villa o Zapata, que ha-

---

[15] Estas son las conclusiones a las que llegó Cassidy.
[16] Perry, *op. cit.*, p. 5.

bían dirigido el movimiemto popular de la Revolución, y los que eran capaces de movilizar apoyo sobre una base ideológica, nacional e institucional, como Carranza y Obregón.[17] Dentro de este amplio análisis, el caudillismo de Oaxaca parecería caer dentro de la categoría primera o "clásica"; de cualquier manera, pudo conservar algunas de sus características esenciales.

El caudillismo serrano es fundamental en la génesis del Movimiento de la Soberanía, puesto que la movilización de las milicias serranas por los caudillos de la Sierra de Juárez fue el elemento clave en la reacción popular de Oaxaca ante el carrancismo. Me propongo examinar la naturaleza del caudillismo en la Sierra de Juárez por medio de una comparación entre las rebeliones serranas de 1876 y 1914, que servirá para ilustrar los cambiantes destinos tanto de los caudillos como de su clientela de campesinos.

A primera vista, las semejanzas son notables. En ambos casos los caudillos serranos que provenían de las familias de mestizos de Hernández y Meixueiro, movilizaron milicias formadas por campesinos zapotecas y chinantecas, en rebeliones que lograron expulsar del poder a gobernadores impopulares: las dos rebeliones pasaron por periodos de intensa lucha civil y política en todo México a causa de las revueltas nacionales contra los que ocupaban la silla presidencial (Lerdo de Tejada en 1876 y Huerta en 1914); los pretextos para la rebelión incluidos en el Plan de Villa Juárez (Ixtlán), que respaldaba el Plan de Tuxtepec, en 1876, y el Plan de la Sierra de 1914, incluyeron una serie de acusaciones de corrupción en el gobierno del estado, de impuestos exorbitantes, de préstamos forzosos y de suspensión de las libertades civiles.[18] Sin embargo, en tanto que los propósitos generales y la estructura interna de las rebeliones eran fundamentalmente los mismos, eran significativas las diferencias, particularmente en las circunstancias políticas nacionales y también en cuanto a los dirigentes.

Al examinar la significación de esas rebeliones serranas, debe primero hacerse el intento de delinear la estructura del caudillismo y del papel del caudillo y del cacique en la organización política y económica de la sociedad serrana. (A este respecto acepto en términos generales la distinción entre caudillo y cacique en cuanto al alcance y aspiraciones en la búsqueda de o en el ejercicio del poder personal, que en el caso del cacique se limitan a una determinada región o localidad —generalmente la "patria chica"—, y que en el caso del caudillo se amplían para incluir un dominio más grande, polirregional o nacional. Los dos tipos surgieron del mismo ambiente social, no obstante, y al caudillo se le puede ver más sencillamente como a un cacique que ha subordinado a su voluntad a otros caciques.)[19]

[17] Véase la colección de ensayos en Brading, comp., *Caudillo and Peasant*, especialmente los de Alan Knight y Hans Werner Tobler.

[18] El Plan de la Invicta Villa Juárez fue proclamado el 21/1/1876; el texto completo se reproduce en Pérez García. *La Sierra Juárez* (1956), vol. II, pp. 67-68.

[19] Fernando Díaz y Díaz, *Caudillos y caciques* (1972); esta opinión no es compartida por Kern y Dolkein en *The Caciques* (1973), quienes sostienen que los caudillos son "grupos de políticos y militares que se han apoderado del poder bruscamente para realizar una revolución desde arriba, esencialmente en los más altos niveles de la política nacional, sin conexiones con la sociedad local", y que el caciquismo es "un sistema político oligárquico, dirigido por una aristocracia difusa y heterogénea cuyo denominador común es el poder local utilizado con propósitos nacionales", pp. 1-2. Yo prefiero

La base económica del poder de los caciques y de los caudillos en la Sierra de Juárez en la segunda mitad del siglo XIX fue el control del comercio de los productos de las minas, así como del algodón y el café destinados a la exportación. Durante largo tiempo se había conocido a la Sierra por su abundante riqueza minera, aunque en su mayor parte inexplotada; pero las deficientes comunicaciones con el valle central, las primitivas técnicas mineras y las depresiones cíclicas de la economía local a través de todo el siglo resultaron en un bajo nivel de inversiones y rendimiento del capital, que se concentraban en pequeños fundos mineros en los alrededores de los poblados de Ixtlán y Villa Alta (cabeceras de los distritos políticos de la sierra occidental y oriental). Unas cuantas minas daban empleo a una fuerza de trabajo permanente, pero en su mayoría las trabajaban mineros independientes (con frecuencia extranjeros) en fundos mineros irregulares. La minería, no obstante, suministró un importante ingreso suplementario para los habitantes de algunos pueblos serranos, y fue el principal patrón de algunas poblaciones, particularmente como resultado del auge en la minería durante el Porfiriato.[20] Pero aun antes del advenimiento del Porfiriato, las ganancias que habían acumulado los más importantes mineros de la región se destinaron a su inversión en diversas empresas comerciales. Fidencio Hernández, uno de los más poderosos caudillos serranos de la época, ya se había dedicado a la fabricación de velas para usarlas en las minas e igualmente invirtió en la construcción de un camino de Ixtlán a Oaxaca, en una panadería y en experimentos para la introducción del cultivo del café en la sierra.[21]

Una investigación reciente ha indicado que la introducción de cultivos como el café en la sierra con posterioridad a 1870 que se destinarían al mercado de exportación no modificó sustancialmente el patrón de la subsistencia agrícola en los pueblos serranos. A diferencia de otras regiones de México y aun de otras zonas de Oaxaca, el café no se cultivaba en la sierra en extensas plantaciones, sino en parcelas obtenidas de la comunidad por cada familia. El ciclo de cultivo no requería el empleo de trabajadores inmigrantes sino de los familiares sin remuneración, y la producción familiar de café se agregó a los demás cultivos para la subsistencia, tal como la cochinilla y el algodón con anterioridad en el mismo siglo.[22] Aunque la hipótesis no ha quedado comprobada aún, la inferencia de que la legislación liberal para desamortizar los bienes corporativos de las comunidades indígenas no se haya aplicado en la Sierra de Juárez en esta época, es de gran significación en la historia de la región.[23] No obstante, el punto que

café in Oaxaca

utilizar una terminología contemporánea; en julio de 1876 un jefe político de Ixtlán (Juan Ramírez) expidió una declaración en la que instaba al gobernador Francisco Meixueiro a emprender una acción a fin de vengar "el agravio inferido a los libres hijos de la Sierra en la persona de su popular y valiente caudillo, el general Fidencio Hernández", quien había sido encarcelado en la ciudad de México; documento reproducido en Pérez García, *op. cit.*, vol. II, pp. 83-84.

[20] Pérez García, *ibid.*, vol. II, pp. 260-273.

[21] Berry, *op. cit.*, p. 132; Hernández también había sido comisionado para hacer un deslinde topográfico detallado de la Sierra de Juárez en 1870; Pérez García, vol. I, p. 220.

[22] Young, *The Social Setting of Migration*, tesis de doctorado, Universidad de Londres (1976), p 213.

[23] Pérez García (vol. I, pp. 227-231) sugiere que el concepto de propiedad privada en la Sierra de Juárez con anterioridad a la época colonial se entendía únicamente con respecto a las tierras qué

debe recalcarse en este contexto es que no aparece comprobada la concentración de tierras, y que las fortunas que harían los caciques y caudillos como Hernández con el café no derivaban de la propiedad de plantaciones sino de la comercialización del producto. Se ha señalado que una política de concentración de tierras que tuviera como resultado la interrupción de las relaciones sociales y políticas en un cacicazgo sería contraria a los intereses del cacique, cuyo poder se apoyaba en un gran número de relaciones similares a las de clientela con el gran número de productores campesinos. Un cacique estaría renuente a correr el riesgo de provocar la hostilidad (y la posible emigración) de sus seguidores, puesto que su poder dependía del número de individuos que estaban bajo su mando.[24]

El control de la explotación de los recursos económicos de la región, por lo tanto daba a los caciques y caudillos de la sierra una oportunidad para aumentar su prestigio e influencia por medio de su capacidad para proporcionar empleos y hasta protección legal. Era frecuente que el caudillo surgiera como un protector de los derechos del pueblo cuando las disputas territoriales brotaban entre pueblos rivales, lo cual sucedía a menudo. Guillermo Meixueiro, hijo de Francisco Meixueiro (socio y aliado político de Fidencio Hernández), abogado, diputado estatal, minero y comerciante, era bien conocido por sus pleitos en favor de "los humildes" y por su defensa de los bienes comunales de los pueblos de Lachatao, Amatlán y Yavesía.[25]

Parece, por lo tanto, que las organizaciones sociales y políticas de la sociedad serrana no habían sido socavadas por el desarrollo económico de las últimas décadas del siglo XIX. Si bien los caciques y caudillos actuaban como "intermediarios culturales" entre los serranos y la comunidad en general, en el interior del pueblo los ancianos continuaban ejerciendo el poder efectivo y la autoridad. Vigilaban las elecciones del presidente municipal y del alcalde, y designaban al mayordomo, a quien se le confiaba la distribución de las labores recíprocas y comunales (tequios) a cada uno de los miembros de la comunidad para el cultivo del maíz para la fiesta del santo patrón del pueblo (la mayordomía), que constituía el núcleo de la vida social y religiosa del pueblo. Lo más importante era que los jefes de la comunidad tomaban la decisión de movilizar a los jóvenes del pueblo en tiempos de guerra, en respuesta a la invitación que hacía el caudillo.[26]

se dedicaban a "cultivos para el fomento de la religión"; que el concepto quedó firmemente establecido durante la época colonial, y que existe documentación que comprueba que a principios del siglo XVIII existía un creciente mercado de intercambio de propiedades privadas (principalmente por medio de ventas y herencias); no obstante, las cifras que aduce indican que aun después de 20 años de revolución la mayoría de las tierras aún se poseían en forma comunal: en las 26 municipalidades de la Sierra de Juárez calculó que las tierras comunales ascendían a un total de 473 454 hectáreas, en tanto que las propiedades privadas solamente tenían una superficie de 14 365 hectáreas (distribuidas en más de seis mil pequeñas parcelas ("predios menores") con menos de 5 hectáreas cada una. Esto claramente sugiere que las Leyes de Reforma sobre la propiedad no entraron en vigor en la Sierra de Juárez. Berry (1981) se encamina hacia la misma conclusión (p. 181).

[24] Young, *op. cit.*, p. 246.

[25] Pérez García, vol. I, p. 241; Ibarra, *Memorias*, p. 15.

[26] Young, p. 248; en cuanto al concepto de "intermedicación cultural" véase Wolf y Hansen, "Caudillo Politics: A Structural Analysis", *Contemporary Studies in Society and History*, 1967, pp. 168-179.

El enfoque estructural preferido por los antropólogos que han invadido la Sierra de Juárez en las recientes décadas, atraídos por el alto grado de etnicidad y pluralismo cultural entre los pueblos indígenas, es útil para determinar la naturaleza exacta de las relaciones de patrón a cliente entre el caudillo, el cacique y el campesino, pero por su naturaleza el estructuralismo excluye el enfoque histórico de la conservación y aun de la ampliación del poder personal del hombre fuerte de la localidad. En el caso de la Sierra de Juárez, el hecho de que las mismas familias de caudillos hayan conservado un dominio político absoluto sobre la región entre 1870 y 1920 requiere una explicación.

Sospecho que la respuesta se encuentra no solamente en el control de los recursos económicos y en los patrones internos de parentesco, de patrocinio o de relación de patrón a cliente en la sierra, sino también en las relaciones que la aristocracia serrana local estableció y desarrolló con los políticos oaxaqueños (particularmente con aquellos que, como Juárez y Díaz, llegaron a convertirse en dirigentes nacionales), que en el caso del caudillo serrano lo condujeron a una participación directa en la política. Las raíces de esa fructífera asociación pueden remontarse hasta la generación de serranos que fueron miembros activos de la camarilla liberal de Oaxaca durante los años de 1830.[27] Los abogados serranos (Miguel Méndez, Marcos Pérez y Benito Juárez) fueron miembros fundadores del Partido Liberal Oaxaqueño en 1829, y el predominio de esa generación en la política local y nacional después de 1850 era un buen augurio para sus protegidos y asociados.[28] El minero serrano Miguel Castro fue un amigo personal y político de toda la vida de Benito Juárez (a quien éste confió el cuidado de su hija ilegítima). Llegó a ser gobernador de Oaxaca en 1858 y de nuevo entre 1872 y 1874. Para 1880 Castro ya había obtenido los beneficios del patrocinio político y había llegado a ser el más importante minero de Oaxaca (con 38 minas y 2 haciendas de beneficio), y era el propietario de la Hacienda de San Luis Beltrán, cerca de la capital del estado.[29]

Dos de los protegidos de Castro tuvieron el mismo éxito al establecer una relación igualmente beneficiosa con el próximo candidato oaxaqueño para ocupar

[27] Joseph Whitecotton en *The Zapotecas: Princes, Priests and Peasants* (1977) sostiene que la proclividad de los serranos hacia el liberalismo proviene de la precaria base de las tierras en la región de la sierra zapoteca, lo cual había obligado a los habitantes a dedicarse a las empresas comerciales y mineras a fin de poder cubrir sus obligaciones tributarias, y que en cambio determinó que dependieran más de la economía internacional que del sistema de comercio interno en el estado; consecuentemente, la economía local serrana se vio afectada adversamente por la recesión de la industria de la cochinilla en las primeras décadas del siglo XIX, haciendo una mayor presión sobre la tierra; por tanto, se arguye que los liberales serranos (como Juárez, Pérez y Mánez) transformaron esa ansia por la tierra en una política agraria concebida para desamortizar las propiedades comunales a fin de crear una clase media de propietarios. Sin embargo, este interesante análisis no logra explicar por qué parece que las Leyes de Reforma no se aplicaron en la Sierra de Juárez o por qué los serranos paradójicamente tenían tanto interés en defender sus tierras comunales.

[28] Marcos Pérez fue el mentor y el benefactor del joven Porfirio Díaz (quien no era serrano); Pérez lo presentó con Benito Juárez y obtuvo para él el cargo de subprefecto del distrito de Ixtlán en 1858. El padre de Porfirio Díaz igualmente había establecido estrechos vínculos comerciales con la Sierra de Juárez cuando trabajó como arriero transportando mineral de las minas de la Sierra de Juárez a la capital del estado; Pérez García, vol. I, p. 263, vol. II, p. 125.

[29] Cassidy, *op. cit.*, p. 98.

la silla presidencial: Porfirio Díaz. La ayuda de los caudillos serranos Fidencio Hernández y Francisco Meixueiro para asegurar la adhesión de Oaxaca al Plan de Tuxtepec, les garantizó un patrocinio político para toda la vida. Hernández fue gobernador de Oaxaca durante un breve periodo en 1876, y después senador por Oaxaca hasta su muerte en 1881. Meixueiro fue gobernador del estado entre 1876 y 1879, y nuevamente entre 1880 y 1881, e igualmente falleció cuando era senador porfirista en 1890.[30] Ambos poseían los atributos del caudillo "clásico", tal como ha sido analizado por Wolf y Hansen (1967); ambos habían adquirido posición social y prestigio por medio de la fuerza de las armas y de los triunfos militares para llegar a ser generales del Ejército Federal; ambos se habían elevado de sus orígenes humildes hasta llegar a una posición de riqueza y poder por medio de la manipulación del parentesco y del patrocinio y mediante la utilización de sus aptitudes interpersonales y empresariales (Meixueiro inició su vida de trabajo como operario de las minas de la sierra La Natividad y El Socorro, en Ixtlán, siendo al principio empleado y posteriormente cuñado de Castro; Hernández también había sido empleado de las minas de Talea, propiedad de Castro); ambos eran vistos con respeto y aparentemente con afecto por sus compañeros serranos. Hernández era conocido como el "chuc-quia" o sea "el de la fuerte mirada", y Meixueiro como el "tío chico cacle", por una especie de sandalia (cacle) que se usaba con frecuencia en la sierra.[31]

La protección de su anterior compañero de armas permitió a las familias de Meixueiro y Hernández que consolidaran y ampliaran su predominio político y económico en la sierra, suministrándoles un acceso privilegiado al presidente, la exención de impuestos federales y estatales y protección contra la interferencia judicial o administrativa en los asuntos serranos.[32] Los que habían participado en las milicias serranas que defendieron y hasta dieron alojamiento a los gobiernos liberales durante las luchas con los ejércitos conservador e imperial, ahora eran los "niños mimados" de las administraciones del estado y de la Federación;[33] igualmente se les permitió que conservaran sus armas y a numerosos combatientes se les otorgaron pensiones militares. La expansión de las actividades mineras y de la producción de café y algodón después de 1876 requería un sistema de comunicaciones más eficiente, y la Secretaría de Fomento y Obras Públicas se comprometió a cooperar en la construcción de un camino de tierra que ligara a la capital del estado con Ixtlán y en la de un puente de fierro en el Río Grande de la localidad. Hernández condujo personalmente las negociaciones con la compañía inglesa de Mowarts y Grandison para la construcción de

[30] Cosío Villegas, *Historia Moderna de México - El porfiriato, Vida política*, vol. I, pp. 174, 309, 539, vol. II, pp. 309-310, 484-485.

[31] Wolf y Hansen, *op. cit*; Pérez García, vol. II. pp. 128-35.

[32] Pérez García, *ibid.*, vol. II, pp. 90-1 (vol. II); Hernández y Meixueiro aparentemente utilizaron su influencia con Díaz para obtener que Ixtlán quedara eximido de las disposiciones de la Ley de Hacienda de 1896 (que estableció un impuesto de venta sobre los artículos de primera necesidad), lo cual explica el hecho de que Ixtlán no participara en las revueltas que provocó la ley en la Sierra y en todo el estado.

[33] En 1859 se trasladó el asiento del gobierno de Oaxaca a Ixtlán después de la ocupación de la ciudad de Oaxaca por el Ejército Conservador. Berry, pp. 68-70, Pérez García, vol. II, p. 91.

una fábrica textil de algodón movida por vapor en Xía, cerca de Ixtepeji, que para 1878 ya producía mil arrobas de hilo ordinario y 15 mil bultos de tela corriente al año para el consumo nacional. El tejido a mano de algodón en las familias serranas fue substituido por el cultivo doméstico del café, aunque Hernández aparentemente tuvo que obligar a los productores campesinos recalcitrantes a que plantaran cafetos haciendo uso de su autoridad para imponer una multa de 100 pesos por familia a las que dejaran de plantar por lo menos 25 matas. No obstante, para 1900 los serranos parecen haber quedado tan convencidos de la prosperidad que el comercio del café produjo a la región, como agradecidos por el papel personal de Hernández como patrón. En la pared del edificio municipal del pueblo de San Pedro Yarení, en el distrito de Ixtlán, se colocó una placa con esta inscripción: "Al invicto general Fidencio Hernández, benefactor de estos pueblos e introductor del café."[34]

Desde esta poderosa base económica y política, los descendientes directos de Hernández y Meixueiro continuaron ejerciendo un considerable poder personal tanto en la sierra misma como en la política local y nacional en vísperas de la Revolución. Tanto Guillermo Meixueiro como Fidencio Hernández (hijo), que estaban también ligados por una relación de sangre en su carácter de primos, siguieron los pasos familiares por más de dos generaciones de liberales serranos y alcanzaron posición profesional como abogados, y posteriormente ingresaron en la política. En 1910 Hernández era jefe político y Meixueiro diputado local por Ixtlán. La caída de Díaz en 1911 los alentó para prometer su apoyo, junto con el de otros miembros de la aristocracia porfirista, a las ambiciones políticas del sobrino del dictador, Félix Díaz, primero en las elecciones de gobernador en Oaxaca en 1911, y después en la campaña presidencial de 1913, que constituyeron dos grandes fracasos. Los reveses políticos de 1911 y 1913, a los que siguió su encarcelamiento en 1914, incitaron a Hernández y Meixueiro a tomar diferentes caminos en la persecución de sus intereses políticos. Hernández permaneció leal a Félix Díaz y fue su secretario particular, pero Meixueiro demostró su oportunismo político y prefirió regresar a Oaxaca, a su sierra natal, para aceptar una invitación de los caciques y cabecillas locales de dirigir la rebelión serrana de julio de 1914, el éxito de la cual restableció el prestigio de Meixueiro en la sierra.[35]

Una importante y obvia diferencia, por lo tanto, entre las rebeliones serranas de 1876 y 1914, es el espectacular cambio en el patrocinio político nacional que se había creado bajo la dictadura de Díaz en obvio beneficio de los caudillos Francisco Meixueiro y Fidencio Hernández, que habían sido factores importantes para que Díaz llegara al poder en 1876. En 1911, Félix Díaz se convirtió en el portaestandarte de aquellos miembros de la élite porfirista (como las familias de Hernández y Meixueiro) que habían recogido las recompensas políticas y económicas del porfirismo, y que tenían todo que perder los acontecimientos políti-

[34] Pérez García, *ibid.*, p. 274.

[35] Hernández fue asociado durante mucho tiempo en los negocios de Félix Díaz; en 1905 Díaz lo convenció para que entrara en una asociación en participación para explorar yacimientos de carbón en el Istmo de Tehuantepec; Henderson, *Félix Díaz, op. cit.*, pp. 13-14.

cos de 1910 y 1911. Como resultado, era lógico encontrar a los antiguos miembros de esa élite dedicados a un amplio espectro de alianzas anticarrancistas (desde el zapatismo hasta el felicismo) durante toda la fase violenta del conflicto hasta 1920. Pero en el caso de los caudillos serranos de Oaxaca ya establecidos (o sea de la "segunda generación"), su destino político no estaba determinado exclusivamente por la fortuna política del sobrino del dictador (o de cualquier otra facción), sino por el mantenimiento de la autoridad política en su base de poder regional, la Sierra de Juárez.

Ya para 1910 era notorio que esa autoridad se encontraba bajo amenaza. Consciente de que el régimen de Díaz era objeto de tensiones y ataques, a fines de ese año Hernández y Meixueiro habían intentado organizar un ejército serrano para defender al presidente Díaz. Fueron enterados en una junta de los representantes de Ixtlán de que, a pesar del afecto que sentía por el general Díaz, la sabiduría colectiva de la sierra había decidido que el país tenía necesidad de un nuevo gobierno que atendiera las demandas de la época.[36] Al mismo tiempo, una comisión de la Sierra de Juárez, encabezada por Onofre Jiménez, comerciante y exmaestro de escuela en Ixtlán, y por Mariano Ibarra, minero de Lachatao, aprovechó el acceso privilegiado del que la Sierra de Juárez siempre había disfrutado con el Presidente, para quejarse de las actividades del jefe político Hernández, y pedir que el dictador retirara su apoyo a la reelección del científico Emilio Pimentel para un tercer periodo como gobernador de Oaxaca. La negativa de Díaz a acceder a esas peticiones incitó a los jefes serranos a dar su apoyo a la campaña para gobernador a Benito Juárez Maza, hijo del tan festejado liberal serrano. El apoyo popular en favor de Juárez Maza en la sierra fue confirmado por la reacción ante la formación del Batallón de la Sierra de Juárez en noviembre de 1911, cuyo propósito era el de proteger la administración de Juárez Maza contra la rebelión chegomista en Juchitán.[37]

La removilización de la Sierra de Juárez en 1911, que habría de tener tan profundas consecuencias en la participación de Oaxaca durante la Revolución, fue una respuesta directa a las prevalecientes condiciones locales. Existen indicios de que en 1908 se estaba acabando el auge de la minería registrado en la sierra (y en todo México) durante la última década del siglo XIX y en la primera del siglo XX. Las causas subyacentes del desplome fueron la caída en el precio de la plata en el mercado internacional, y en el interior de México, el empleo de adelantos tecnológicos —como el proceso de cianuración— que determinaron que se produjeran grandes cantidades de plata barata, con las que se inundó el mercado. Consecuentemente, sólo los productores a bajo costo, las compañías fuertes o los mineros que explotaban vetas de mineral excepcionalmente ricas, pudieron sobrevivir.[38] En la Sierra de Juárez con posterioridad a 1908 la mayoría de los empresarios extranjeros y mexicanos que habían especulado en pequeños fundos

---

[36] Ibarra (p. 3) asegura que la reacción fue abrumadoramente negativa; sin embargo, en la capital del estado circulaban rumores en junio de 1911 de que Meixueiro había movilizado entre diez mil y quince mil serranos. ARD, V. D. Baeza a Ángel Barrios 10/6/11, tomo IV: 18:48; no existen pruebas que confirmen este rumor.

[37] Ibarra, *ibid*, pp. 33-35.

[38] Marvin Bernstein, *The Mexican Mining Industry 1890-1950* (Nueva York, 1964), p. 31.

mineros, se vieron obligados a suspender sus operaciones, quedando únicamente la mina más grande y más productiva en la región, La Natividad, en producción regular, y forzando a muy numerosos operarios de las minas a abandonar la sierra en busca de trabajo.[39] Los pueblos que resultaron más directamente afectados fueron los de Lachatao, Amatlán y Yavesía, en donde la mayoría de la población para 1900 estaba empleada directamente en las minas, y en los de Ixtlán, Atepec, Jaltianguis, Guelatao y Chicomezúchil, que abastecían a las comunidades mineras de maíz y otras mercancías.[40] Las milicias formadas en esos pueblos constituían la 2a. y 3a. compañías del batallón de la Sierra de Juárez en 1911, que fueron la primera movilización importante de fuerzas serranas desde los acontecimientos de 1876.[41] Los jefes que eligieron esos pueblos para tomar el mando de las milicias no fueron Meixueiro y Hernández, sino los caciques de la localidad Isaac Ibarra y Onofre Jiménez, el primero negociante de la localidad de Lachatao y el último comerciante y exmaestro de escuela de Ixtlán. En el curso de los siguientes nueve años de revolución en Oaxaca, esos aspirantes a caudillos habrían de surgir como los jefes indiscutibles de la Sierra de Juárez, y con posterioridad a 1920 como gobernadores del estado. A fin de lograrlo se vieron obligados no solamente a llegar a un acuerdo con las fuerzas políticas desencadenadas por la Revolución de Madero, sino a desafiar la autoridad de los caudillos serranos establecidos de la "dinastía" de Meixueiro y Hernández.

El antecedente de Ibarra en particular era substancialmente distinto del de Meixueiro o Hernández, o ciertamente del de la élite política clásica y liberal de Oaxaca. Carecía de idoneidad profesional, de propiedades y de vínculos profundos de parentesco o comerciales con la élite serrana. Su padre, Valentín Ibarra, había trabajado, junto con tantos otros del pueblo de Lachatao, en las minas de las cercanías. Después de la muerte de su padre en 1900, Ibarra aprovechó la protección del patrón de su padre, el norteamericano dueño de la mina El Espinal, para obtener una educación rudimentaria en la capital del estado. La clausura de la mina El Espinal en 1902 (a causa de "problemas financieros") obligó a Ibarra a regresar a Lachatao. En 1905 tomó un empleo de dependiente en una tienda en el campo minero de La Natividad, hasta que el cierre del negocio (y el fallecimiento de su madre) en 1907 lo impulsó a abandonar la sierra, y luego encontró trabajo en la tienda de raya (propiedad de la compañía, que con frecuencia tenía el monopolio de abastecer a la comunidad de artículos de primera necesidad) del entonces floreciente campo minero de Los Taviches, en Ocotlán. Su espíritu de empresa y la protección del compadre de su padre lo alentó para

[39] La naturaleza irregular y especulativa de la minería en la Sierra y en todo el estado siempre había determinado que la industria local fuera particularmente propensa a sufrir los efectos de la recesión: según Bernstein, Oaxaca era el "paraíso del promotor" (p. 71); la misma opinión se expresa claramente en el *Mexican Year Book* de 1910, al decir que "el estado es muy rico en recursos minerales, pero que hasta ahora no han sido adecuadamente explotados", p. 598.

[40] Pérez García, vol. I, pp. 269-270.

[41] Ibarra, p. 36; la primera Compañía estaba formada por voluntarios de Ixtepeji y de San Pedro Nexicho, en donde los habitantes habían suministrado la fuerza de trabajo para las minas de la localidad y para la fábrica textil de algodón establecida en Xía; en 1910 la fábrica empleaba una tercera parte de la fuerza de trabajo de 1898, y la producción había disminuido proporcionalmente; véase el capítulo III.

abandonar Oaxaca e irse a Veracruz y posteriormente a la ciudad de México, en donde trabajó como carpintero y jornalero, hasta que finalmente obtuvo el puesto de administrador de tres pescaderías y de los baños públicos de Coyoacán. Al igual que otros miembros de la clase media con ambiciones en México en 1910, Ibarra se sintió atraído por la campaña política de Madero contra la gerontocracia de Porfirio Díaz. Su amistad con el doctor Juvencio Echeverría, quien era amigo personal de los hermanos Figueroa, los rancheros de Guerrero que encabezaron el levantamiento promaderista en ese estado, incitó a Ibarra a alistarse como ayudante de medicina de Echeverría en las filas del Ejército Libertador del Sur, de Zapata, en diciembre de 1910.[42]

Una vez demostrada su naturaleza de revolucionario, Ibarra regresó a Oaxaca y a su sierra natal para invertir el capital que había acumulado como resultado de sus actividades de negocios en la ciudad de México, en la extracción comercial de trementina de los abundantes e inexplotados pinares de la región. Como otros muchos serranos políticamente conscientes, y al igual que otros muchos oaxaqueños, Ibarra apoyó la campaña de Benito Juárez Maza para las elecciones de gobernador de septiembre de 1911 contra el continuismo representado por Félix Díaz, y ofreció sus servicios al batallón serrano que se formó en noviembre. Su experiencia anterior en el Ejército Libertador, y el hecho de que su tío Mariano Ibarra había tenido el grado de coronel en el Batallón de Juárez por los años de 1860, lo convirtió en el candidato obvio para capitán de los voluntarios de su pueblo natal de Lachatao y de sus aliados.[43]

Meixueiro y Hernández procedieron rápidamente a reconocer la necesidad y la conveniencia de concertar una alianza con esa nueva generación de jefes serranos. Meixueiro utilizó su influencia política en Oaxaca para asegurar que Ibarra fuera puesto en libertad después de haber sido aprehendido en 1912, acusado de complicidad en la revuelta de Ixtepeji. Tanto Hernández como Meixueiro convencieron entonces al gobernador Bolaños Cacho de la necesidad de movilizar y armar una milicia constituida por serranos locales que eran los enemigos de Ixtepeji (incluyendo a Ixtlán y a Lachatao) como la única manera de garantizar que se acabara con la revuelta, particularmente en vista de que el destacamento de tropas federales no logró la derrota de los rebeldes.[44] Se confirió a Ibarra y a Jiménez el mando de esa milicia (que tenía como base la 2a. y 3a. compañías del Batallón de la Sierra de Juárez) y por el papel que posteriormente desempeñó Ibarra para dar fin a la revuelta se le recompensó nombrándolo jefe político de Ixtlán. En tanto que Hernández y Meixueiro salieron de Oaxaca después del éxito del golpe de Estado de Huerta en contra de Madero en febrero de 1913 para hacer una activa campaña en favor de las aspiraciones presidenciales de Félix Díaz, Ibarra permaneció en la Sierra de Juárez, desde donde presenció la creciente

---

[42] Ibarra, pp. 22-26; en cuanto a la participación de los hermanos Figueroa en la Revolución, véase el capítulo de Ian Jacobs, "Rancheros of Guerrero" en Brading, comp., *Caudillo and Peasant*, *op. cit.*, pp. 76-92; y su *Ranchero Revolt* (1982).

[43] Pérez García, vol. II, p. 228.

[44] FO 371/1395/40141, Rickards a Wiseman 30/8/12; aparentemente 800 soldados federales fueron emboscados cerca de Xía (por tan sólo 40 rebeldes); perdieron todas sus armas y municiones y se vieron obligados a regresar en desgracia a la capital del estado.

depresión en la economía local y la progresiva desintegración de la autoridad de la administración de Bolaños Cacho, que se manifestó en su incapacidad de sofocar una serie de revueltas locales en todo el estado (en la Mixteca, en la Costa del Pacífico, en la Cañada y en el Istmo de Tehuantepec). En esas circunstancias los mineros, los comerciantes y los dirigentes de la comunidad en la Sierra de Juárez rechazaron la imposición de nuevas cargas fiscales por el gobierno de Bolaños Cacho, y prefirieron seguir el curso de la rebelión en julio de 1914. Se hizo a Guillermo Meixueiro una invitación para encabezar la rebelión, ya que él tenía sus propias razones personales y políticas para oponerse a Bolaños Cacho, y cuya influencia entre la élite política y comercial de la capital del estado resultaría sumamente benéfica para la legitimación de la rebelión en Oaxaca.[45]

La alianza que así quedó concertada entre los supervivientes de la élite porfiriana (que incluía a Meixueiro y a Hernández junto con José Inés Dávila) y los nuevos jefes serranos se reforzó en el curso de 1914 como resultado de la presión que se ejerció sobre los dirigentes políticos de Oaxaca por las maniobras militares y por las maquinaciones políticas de Carranza, en las que las milicias serranas habían desempeñado un papel cada vez más significativo como defensores de la integridad territorial del estado. A la integración de los serranos como portaestandartes de las Fuerzas Defensoras del Estado siguió, en junio de 1915, la Declaración de la Soberanía, que cimentó formalmente la alianza.

No obstante, había indicios de posibles divisiones dentro de la alianza desde la iniciación del Movimiento de la Soberanía. La Declaración de la Soberanía había coincidido con una gran hambruna no solamente en la Sierra de Juárez sino en todo el estado, ocasionada por los trastornos en las actividades comerciales a consecuencia de la intensificación de las hostilidades. Ibarra y Jiménez se comprometieron a invitar a los propietarios de las principales haciendas productoras de maíz en el distrito central, en los alrededores de la capital del estado, a una junta para discutir las diversas formas en que se podría mitigar la escasez y la consiguiente inflación en los precios. Se convino en que el precio de un almud de maíz (7.5 litros) se debería limitar a 1.50 pesos por la cosecha del año anterior y a 1.00 peso por la cosecha actual, e igualmente en que se deberían imponer sanciones (multas o prisión) a quienes vendieran a un precio superior al fijado o acapararan el grano.[46] Sin embargo, cuando Ibarra intentó poner en vigor los términos del convenio, descubrió que numerosos hacendados se negaban a cooperar, por lo que inmediatamente procedió a incautar sus existencias para distribuirlas en el interior de la capital del estado. A fin de evitar nuevos incidentes, Meixueiro ordenó a Ibarra que partiera pronto para iniciar una campaña militar saliendo de la capital. Ibarra hizo el comentario de que tanto Meixueiro como Dávila

---

[45] Meixueiro había sido encarcelado por Huerta con la aprobación y connivencia de Bolaños Cacho. Ramírez, p. 142.

[46] FO, XXXV, núm. 59 24/7/15; las multas no deberían exceder de 100 pesos y la prisión de 20 días. Los precios que se negociaron parece que fueron muy elevados: en una carta dirigida a Carranza en 1917 se decía que el precio de 120 litros de maíz (16 almudes) en Oaxaca en 1910 era de sólo 2.50 pesos. AHDN, 212, f 114.

estaban ligados, por compadrazgo o parentesco, con estos desalmados hambreadores.
. . No necesité mucha imaginación para darme cuenta de que el extrañamiento que
había hecho el gobernador se debió a que algunos ricos hacendados, allegados a pa-
rientes de él, le fueron a hacer creer que yo estaba cometiendo abusos y protestaron
por mis procedimientos.[47]

Esas destructoras divisiones internas se exacerbaron por los estrechos vínculos
que tanto Dávila como Meixueiro (pero particularmente Dávila) mantenían con
Félix Díaz, y por la consiguiente negativa de Dávila a entablar negociaciones con
Carranza. Los conflictos entre los jefes serranos llegaron al extremo en julio de
1919, cuando Ibarra fue nombrado general de División en la Sierra de Juárez
en lugar de Meixueiro. Este golpe tan importante significó que Ibarra había logrado ganar en sus maniobras a su anterior jefe: era Ibarra quien ahora tenía
el firme control como caudillo de la sierra. Su alianza con el obregonismo en
mayo de 1920 parecía confirmar que era uno de los miembros de la generación
de caudillos revolucionarios que habrían de asumir el control político de México
después de 1920.[48]

Al igual que otros numerosos representantes de la élite arribista posrevolucionaria, Ibarra era de orígen humilde y tenía aspiraciones burguesas, y según lo
demostraría durante su breve estancia como gobernador en 1924, era un reformador anticlerical y activo promotor del desarrollo económico regional y hasta
un reformador agrarista. En el breve periodo de 9 meses en que desempeñó el
cargo afirma que resolvió 20 solicitudes pendientes de reparto de tierras, equipó
al Hospital General en la capital del estado (aunque solamente con sábanas y co-
bertores), estableció escuelas, construyó caminos y reanimó a la desfalleciente industria minera en su sierra natal (en donde él mismo había hecho inversiones
en 1920).[49] En este sentido su alianza con Obregón fue no solamente conveniente, sino lógica. No obstante, la fuerza política de Ibarra en Oaxaca durante
la década posterior a 1920 dependió sólo parcialmente de su identificación ideológica con la política presidencial, y más decisivamente de su exitosa
manipulación de la estructura clientelista del caciquismo y del caudillismo en la
sierra, que durante su época de auge, entre 1870 y 1920, había alentado la resistencia a cualquier cambio fundamental en las relaciones políticas y económicas

[47] Ibarra, pp. 125-127.
[48] Anatoli Shulgovsky, *México en la encrucijada de su historia* (1968) ve a los "caudillos revolucionarios" como representantes de la pequeña burguesía mexicana, los cuales, disfrazados de reformadores sociales y respaldados por el vital apoyo del ejército, manipulaban a las organizaciones laborales
y a las masas campesinas en la promoción de sus intereses de clase y en la consolidación de su poder
personal (pp. 37-68); los peligros del análisis marxista se han sacado a la luz recientemente, y se destaca un análisis (al estilo de Weber) de las contrastantes formas de autoridad adoptadas por los caudillos rivales durante la Revolución, esto es, la autoridad personal en oposición a la institucional. En
este contexto, Obregón y Carranza representaban una síntesis nacional que logró reunir el apoyo
a través de una amplia base social y no estrictamente de una base de clase; Alan Knight, en Brading,
comp., pp. 17-59; no puede haber duda de que la base de la autoridad de Ibarra en Oaxaca era personal y estrictamente regional. Véase el capítulo VII.
[49] Ibarra, pp. 326-336; en cuanto a las inversiones de Ibarra en la minería en la Sierra de Juárez
en 1920, véase el *Periódico Oficial del Gobierno Provisional del Estado Libre y Soberano de Oaxaca*, vol. I,
número 19, 16/9/20

dentro de la sociedad serrana. La suprema ironía es que Ibarra participó voluntariamente como agente del gobierno federal después de 1920 en la implantación de políticas que se habían concebido precisamente para debilitar el poder político de los caudillos regionales: la federalización de las escuelas municipales; el establecimiento de comités locales del Partido Nacional Revolucionario (el PNR, establecido en 1929) en los municipios; la abolición de los trabajos recíprocos y comunales (tequios) en los pueblos de la Sierra de Juárez, pues minaban la autoridad y la influencia de los jefes de comunidad y del cura párroco; y la difusión de un sistema fiscal federal para mantener a los estados económicamente ligados a los cordones que operaban los bolsillos del gobierno central.[50] Fue así como la implantación exitosa de la centralización política, particularmente después de 1934 bajo la Presidencia de Lázaro Cárdenas, destruyó la base del poder local de los caciques en sus dominios regionales por medio del establecimiento de una dependencia política dentro del PNR, después PRM (Partido de la Revolución Mexicana) y ahora el PRI, (Partido Revolucionario Institucional) como el asiento del poder.[51] Como consecuencia, si bien los jefes serranos como Ibarra y Jiménez pudieron individualmente haber sido capaces de aprender las reglas del juego político posrevolucionario, ni el caudillismo serrano (ni el federalismo) podrían ser de nuevo una fuerza en la política de Oaxaca.

No obstante, el destino final del soberanismo y del caudillismo en Oaxaca no era manifiesto y ni siquiera se sospechaba en 1915. Aun después de las desastrosas derrotas militares infligidas al Movimiento de la Soberanía por el Ejército Constitucionalista entre julio de 1915 y marzo de 1916, las autoridades militares designadas por Carranza para administrar el estado fueron incapaces de suplantar las lealtades políticas tradicionales en el interior de Oaxaca. Por el contrario, se ha visto que la implantación forzosa del constitucionalismo en Oaxaca entre 1915 y 1920 alentó positivamente el apoyo al Movimiento de la Soberanía por parte de todos los sectores de la sociedad de provincia. En el siguiente capítulo me propongo, por lo tanto, hacer una descripción de la práctica del gobierno preconstitucionalista en Oaxaca, lo cual ilustra la brecha abierta entre la ideología y la práctica del carrancismo y el fracaso general de los representantes carrancistas en Oaxaca, ya sea para atraer o para forzar a los oaxaqueños a entrar al redil constitucionalista.

[50] Se ha comprobado que para 1870 el 90% de los impuestos locales de Oaxaca se remitía directamente al gobierno federal y sólo el 8% iba a dar a la Tesorería del estado; Young, p. 270, nota 19.

[51] Como un caso de estudio de este proceso en Oaxaca, véase el capítulo "Contemporary Mexico: From Hacienda to PRI, Political Leadership in a Zapotec Village", por Antonio Ugalde, en Kern y Dolkart, comps., *The Caciques, op. cit.*, pp. 119-134.

127

VI. EL ENEMIGO: EL CARRANCISMO Y EL GOBIERNO PRE-CONSTITUCIONAL EN OAXACA, 1915-1920

EN contraste con la apasionada defensa del federalismo liberal en Oaxaca, ha resultado más difícil definir la ideología que servía de guía al carrancismo o al constitucionalismo. La historiografía reciente ha puesto de relieve la naturaleza ecléctica de las influencias ideológicas en la fórmula triunfante de la *realpolitik* carrancista. El constitucionalismo se ha descrito de diversas maneras: como "una ideología híbrida, engendrada al calor del conflicto revolucionario"; como "una infraestructura creada como respuesta a una rápida politización";[1] y las máximas constitucionalistas incorporadas en la Constitución de 1917 como "una acrecencia de numerosos actos y decisiones pragmáticas".[2] Se ha argumentado por lo tanto que la clave del éxito del constitucionalismo no fue una innovación ideológica, sino más bien una síntesis de ideologías y acciones capaz de suministrar no solamente una solución a corto plazo a la lucha y al caos de la guerra civil, sino una solución política a largo plazo para la reconstrucción del estado.

La investigación de Héctor Aguilar Camín ha suministrado nuevas luces acerca de la naturaleza del constitucionalismo. Este autor ha demostrado que las políticas radicales adoptadas por la "dinastía sonorense" de Obregón, Calles y Huerta que monopolizaron el poder presidencial en la década de 1920, se formularon como una respuesta al particular desarrollo económico y político en su estado natal durante el porfiriato, y a la experiencia y al ejercicio del poder político durante las guerras civiles del periodo revolucionario. En consecuencia, la política agraria constitucionalista no se preocupaba por los litigios comunales por las tierras, que habían disminuido como resultado de la guerra de exterminio contra los yaquis, sino por la expansión y la inversión en las modernas fincas comerciales encaminadas al mercado de exportación. La aparición de un proletariado industrial militante en la industra minera sonorense con anterioridad a la Revolución había destacado la necesidad no solamente de la cooperación sino del control de la fuerza de trabajo organizada. La tradición de la autodefensa municipal en una región de constante violencia fronteriza explica la entusiasta respuesta a la creación de una milicia profesional para defender a Sonora contra Pascual Orozco en 1912, y para defender a la nación contra Victoriano Huerta después de 1913. Las circunstancias políticas en Sonora con posterioridad a 1911 alentaron experimentos para la administración por el estado de la agricultura y la industria que promovieron la creación de un "capitalismo revolucionario y nacionalista". Aguilar Camín llega así a la conclusión de que el constitucionalis-

---

[1] Alan Knight, "The Mexican Revolution: Ideology and Practice 1915-20". Estudio presentado en el Congreso Anual de la Sociedad de Estudios Latinoamericanos, Universidad de Birmingham, Abeil, 1981; Douglas Richmond, tesis, *op, cit*, p. 221.

[2] Charles Cumberland, *The Mexican Revolution: The Constitutionalist Years* (1972), p. 213.

lo era conservador en su estructura, pero radical en su política, y de que estaba dirigido por una naciente burguesía nacional que utilizó a la Revolución para eliminar los obstáculos al poder y a la fortuna personales.[3]

Si bien es importante recalcar el papel del radicalismo como un factor decisivo en la final victoria política del constitucionalismo, es también importante llamar la atención hacia la enorme brecha que existía entre la tan ensalzada ideología radical y la práctica constitucionalista, particularmente durante la presidencia de Venustiano Carranza. Durante el periodo del gobierno preconstitucional en Oaxaca, esa brecha no se hizo más estrecha sino que se ensanchó. No puede haber duda de que con anterioridad a 1920 la resistencia provincial en Oaxaca había logrado socavar tanto la efectividad como la legitimidad de la administración carrancista en el interior del estado. A pesar de la ocupación de la ciudad de Oaxaca por las tropas constitucionalistas ya desde marzo de 1916, las regiones que se encontraban fuera de los valles centrales, el Istmo de Tehuantepec y la zona norte de la Mixteca aún permanecían firmemente fuera de su control político en 1920. La economía local, lejos de mostrar indicios de recuperación, se describía a fines de 1919 como "irremediablemente arruinada".[4] Los gobernadores preconstitucionales de Oaxaca, quienes también disfrutaban del cargo de comandantes del ejército, y que fueron designados directamente por Carranza, reproducían fielmente la copiosa legislación por decreto que emanaba de la ciudad de México (aunque frecuentemente con demoras hasta de 18 meses), conscientes de que sus administraciones actuaban en un vacío político. El gobernador militar Juan Jiménez Méndez se quejaba amargamente ante Carranza acerca de la campaña de obstrucción a su administración realizada por "la burguesía agrícola que ha constituido el grupo director en el estado".[5] La hostilidad de la provincia aún no se había abatido para 1920, y las condiciones que prevalecían en ese año incitaron al historiador local José Tamayo a declarar que Oaxaca "política y militarmente estaba por completo fraccionada".[6]

La tarea a la que se enfrentaban los gobernadores preconstitucionales de Oaxaca era ciertamente atemorizante. Además de la antipatía que se demostraba en todos los niveles de la sociedad de provincia hacia su sola presencia en el estado, y de las dificultades concomitantes para establecer una autoridad política efectiva, la depresión en la economía local y la escasez general de recursos militaban aún en contra de una mínima implantación del programa constitucionalista de regeneración social y económica. Los infructuosos intentos para atraer prosélitos valiéndose de los múltiples beneficios de la salud, la educación y el progreso social cayeron en los oídos sordos de la provincia, sobre todo porque se presentaban por medio del cañón de un rifle. La base del poder constitucional en Oaxaca entre 1915 y 1920 era sin duda un gobierno militar autoritario.[7]

[3] Héctor Aguilar Camín, *La frontera Nómada: Sonora y la Revolución Mexicana* (1977).

[4] El doctor Arthur, vicecónsul norteamericano en Oaxaca, en una conversación con el cónsul general inglés en funciones Norman King. FO, 204/532, Expediente 8 "Oaxaca 1919".

[5] AHDN, 213 ff. 42-8 Jiménez Méndez a Carranza 17/4/18.

[6] Jorge Tamayo, *Oaxaca en el siglo XX* (México, 1956).

[7] La ley marcial se estableció oficialmente en la ciudad de Oaxaca el 7 de agosto de 1916, pero estuvo prácticamente en vigor en todas las regiones que se econtraban bajo el control constitu-

No obstante, aun si se pone el acento en las prácticas de mano dura de las autoridades militares en Oaxaca, sería erróneo sobrestimar la fuerza y la eficacia de las tropas carrancistas (conocidas localmente, aunque no de manera afectuosa, como "carracos", "carranclanes" y hasta "con sus uñas listas").[8] Repetidas peticiones se hicieron a Carranza de armas, provisiones y refuerzos por el cuartel general militar en Oaxaca, y por las diversas guarniciones diseminadas en todo el estado, con el fin de que un concertado esfuerzo militar aplastara a los rebeldes y asegurara la victoria de la Revolución, pero con pocos resultados tangibles. La moral constitucionalista era con frecuencia baja, la disciplina difícil de imponer, y las deserciones eran frecuentes. En este sentido, la particular debilidad de la maquinaria militar carrancista se agregaba a las dificultades políticas que experimentaban las autoridades militares.[9]

Inicialmente, sin embargo, los funcionarios carrancistas en Oaxaca parecían tener una confianza suprema en su capacidad para establecer un nuevo orden revolucionario. El primer gobernador preconstitucional de Oaxaca nombrado por el Primer Jefe Carranza fue el general Jesús Agustín Castro, comandante de la División 21, quien estableció su gobierno provisional en Salina Cruz, en el Istmo de Tehuantepec, en agosto de 1915. Rebosando entusiasmo y retórica revolucionaria, Castro lanzó el "Manifiesto al Pueblo Oaxaqueño", en el cual delineaba los principios ideológicos y administrativos del gobierno preconstitucional, e identificó con toda claridad a los "enemigos de la Revolución" en la localidad. Describía a los jefes del Movimiento de la Soberanía como "vampiros acostumbrados a sangrar inicuamente a los que tienen el infortunio de estar al alcance de sus garras", y de manera más prosaica como "unos cuantos caballeros de industria que pretenden entronizarse en el poder", que carecían de toda pretensión legítima al poder porque eran culpables de complicidad en el golpe militar de 1913. Castro declaró que el propósito de la "impetuosa falange revolucionaria" de la cual tenía el orgullo de ser miembro, era el de suministrar "el mayor bien para el mayor número... el mejoramiento efectivo del pueblo, y el bienestar de la sociedad en general". Por lo tanto declaró que él estaba a cargo de los poderes Ejecutivo, Legislativo y Judicial del gobierno, y decretó que todos los actos de las autoridades rebeldes eran nulos y carecían de valor.[10]

Existía un elemento de fantasía casi quijotesca involucrado en las disposiciones iniciales dictadas por la nueva administración, que consistía en un personal de únicamente nueve jóvenes constitucionalistas enviados desde la ciudad de México, cuya área de jurisdicción estaba limitada a 31 municipios en los Distritos de Tuxtepec (en los límites del estado con Veracruz al norte), y Juchitán y Tehuantepec (en el Istmo).[11] El alcance de la administración carrancista se in-

cionalista. *Periódico Oficial, del Gobierno Pre-Constitucional de Oaxaca*, Volumen III, No. 5, 10/8/16 (citado en lo sucesivo como PO, volumen, número y fecha).

[8] AHDN, 214 f. 96; Leovigildo Vázquez Cruz, *La soberanía de Oaxaca en la Revolución*, México, 1959, p. 358; Iturribarría, *op. cit.*, p. 357.

[9] AHDN, 213, ff. 31-4, 35-6, 42-8; los aspectos militares de la ocupación carrancista de Oaxaca se tratarán en el capítulo VII.

[10] PO, I, No. 1, 16/9/15 *Manifiesto al pueblo Oaxaqueño*.

[11] El número total de los municipios en el estado era de 463; *Mexican year Book*, 1910, p. 597.

crementaba en proporción con la superficie del territorio que se encontraba bajo su jurisdicción oficial,[12] pero los gobernadores militares nunca fueron capaces de contratar personal administrativo entre los oaxaqueños nativos o entre los niveles bajos del personal administrativo que había prestado servicios al anterior gobierno. Tanto Agustín Castro como su sucesor Juan Jiménez Méndez comentaron que esto se debía en parte al analfabetismo general de la población y en parte a la abierta hostilidad de los burócratas del estado. En los actos informales organizados por la administración constitucionalista, los funcionarios oaxaqueños trataban a sus invitados con "un desprecio insolente".[13]

La hostilidad que mostraban las anteriores autoridades civiles de Oaxaca hacia el gobierno constitucionalista difícilmente podría ser sorprendente en vista de las purgas políticas que se realizaron cuando el régimen se iniciaba, las cuales, aunque posteriormente se atenuaron, establecieron el tono y el tenor del gobierno carrancista. Desde un principio quedaron establecidas las bases del gobierno por decreto, de conformidad con la fórmula: "en vista del nombramiento que Venustiano Carranza, Primer Jefe del Ejército Constitucionalista, a cargo del Poder Ejecutivo de la Nación, se ha servido conferirme, y en ejercicio de las facultades extraordinarias de que me encuentro investido, yo por medio del presente decreto..."; para lo cual no existía remedio o apelación, puesto que el sólo hecho de su publicación en el *Periódico Oficial* hacía obligatoria su aplicación. Por medio de ese procedimiento las autoridades locales quedaron informadas en septiembre de 1915 de que a causa de las circunstancias que prevalecían en Oaxaca, no era "propicio" dar cumplimiento al decreto de Carranza de diciembre de 1914 que establecía el principio del municipio libre y de la autonomía municipal en lugar de la impopular institución de la jefatura política, decretando en cambio que *todas* las autoridades municipales serían nombradas y depuestas por el ejecutivo, y que los presidentes municipales de las cabeceras de los distritos asumirían el papel y las funciones que anteriormente ejercían los jefes políticos.[14] Esas facultades dictatoriales se justificaban en vista de la "urgente necesidad" de remplazar a las autoridades civiles existentes en Oaxaca, pues la "abundancia de caciques" y la "gran mayoría de analfabetas, ignorantes de sus derechos y responsabilidades", excluía la posibilidad de celebrar elecciones municipales.[15]

A pesar de la subsecuente publicación del decreto original que establecía el municipio libre como la base del gobierno local en México, el compromiso de lograr una efectiva autonomía municipal por parte de las autoridades militares

---

[12] He hecho cálculos sobre la base del número de las Juntas Calificadoras del Catastro establecidas por las autoridades municipales en Oaxaca, en cumplimiento del decreto de 19/9/14 expedido por Carranza con el propósito de compilar un registro detallado de la superficie y el valor de todas las propiedades urbanas y morales en México, principalmente con fines fiscales. Para mayo de 1920 solamente se habían establecido 146 juntas en únicamente 18 de los 26 distritos políticos del estado, lo que demuestra las limitaciones en la jurisdicción efectiva del gobierno preconstitucional del estado.

[13] AHDN 213, ff. 42-8; los burócratas de la localidad sin duda estaban temerosos por sus propias vidas, ya que a Jiménea Méndez se le hacía responsable generalmente del asesinato de Adolfo Soto, secretario del juez de distrito del Distrito Central, en un caso que atrajo la atención nacional.

[14] PO, I, No. 2, 23/9/15.

[15] J.M. Márquez, *El 21: hombres de la Revolución* (México, 1916), p. 170. Márquez fue secretario del gobernador Agustín Castro hasta noviembre de 1916.

131

de Oaxaca fue notoriamente indeciso. En septiembre de 1916 se hizo la convocatoria para las elecciones municipales (aunque no se efectuaron sino hasta diciembre, y aun entonces solamente en los 46 municipios que estaban bajo el control constitucionalista), pero transcurrió un periodo de 3 años antes de que se celebraran las siguientes elecciones, a pesar de la disposición contenida en la Ley de Ayuntamientos de 1889 en el sentido de que las elecciones municipales se debían efectuar anualmente. A pesar de la afirmación de que "todos los ciudadanos mexicanos en ejercicio de sus derechos (constitucionales) pueden votar y ser electos", la Ley Electoral de 1916 se redactó con todo cuidado para eliminar la posibilidad de que resultaran electas las autoridades municipales que fueran hostiles o sintieran antipatía por el constitucionalismo. La lista de los que no podían resultar electos incluía a los que estaban en el servicio activo en el ejército y a los analfabetas, y la lista de los no calificados ni para votar ni para ser electos incluía a los vagos, a los ebrios consuetudinarios, a los que se habían declarado en quiebra, a los criminales, a los jugadores profesionales y a "los que han perdido sus derechos a la ciudadanía", lo que incluía a cualquiera que activa o pasivamente hubiera ayudado al "enemigo". (El dejar de informar sobre los movimientos del enemigo se llegaba a considerar como un delito, que merecía una pena de hasta 10 años de prisión.)[16] Aun con todas estas prevenciones el triunfo dependía en definitiva de la aprobación del gobernador: así en abril de 1917 Jiménez Méndez declaró que la elección de Taurino Díaz como presidente municipal de San Pedro Apóstol, Ocotlán, era contraria a la Ley Electoral, porque Díaz había sido miembro de un club político felicista, porque había suministrado alimentos a las tropas enemigas y porque había desempeñado el cargo de presidente municipal durante el periodo del gobierno soberanista. Por tanto, declaró nula la elección y ordenó que Díaz fuera arrestado y encarcelado.[17]

Se requerían seguridades repetidas de que no solamente las autoridades municipales, sino todos aquellos que prestaran sus servicios a la administración del estado, cualquiera que fuere su cargo, fueran políticos vírgenes, o bien, si habían perdido su virginidad, la hubieran perdido en favor del constitucionalismo. Todos los empleados del gobierno del estado estaban obligados a jurar que cumplirían con las disposiciones que encerraba como en un relicario el Plan de Guadalupe.[18] A cada posible burócrata se le pedían detalles acerca de su moralidad y antecedentes políticos, su nivel educativo y su ocupación en los últimos cinco años.[19] Antes de que se pagara un sueldo se exigía la comprobación del nombramiento: los empleados juraban mantener en secreto los planes y proyectos del gobierno; ningún empleado podía desempeñar más de un cargo oficial (aunque esto no se aplicaba estrictamente en la práctica).[20]

[16] PO, III, No. 4, I/8/16, *Ley electoral*; la lista de crímenes y de sus castigos aparece en PO, III, No. 18, 9/10/16.

[17] PO, IV, No. 17, 26/4/17.

[18] PO, II, No. 4, 3/2/16.

[19] AGEO; Diversos, expediente marcado "Departamento del Estado, Sección de Gobernación, 1916".

[20] PO, VI, No. 25; II, No. 12, 23/3/16; Isaac Olivé desempeñó los importantes cargos administrativos de secretario del Despacho (secretario del gobernador) y de presidente de la Comisión Local Agraria en 1917. IV, No. 14, 29/3/17.

Al control en la selección del personal se agregaba un estricto control ejecutivo de la función y de la jurisdicción de las autoridades municipales. El decreto del municipio libre de diciembre de 1914 (publicado en Oaxaca en noviembre de 1915) establecía el principio de que "el municipio independiente es la base de la libertad política de los pueblos, así como la primera condición de su bienestar y prosperidad, puesto que las autoridades municipales están más capacitadas, por su extrema proximidad al pueblo, para conocer sus necesidades, y, por consiguiente, para atenderlas y remediarlas con eficacia". Cada uno de los estados de la Federación, por lo tanto, debería adoptar "para su régimen interior la forma de gobierno republicano, representativo, popular, teniendo como base de su división territorial y de su organización política, el municipio libre, administrado por Ayuntamientos de elección popular y directa y sin que haya autoridades intermedias entre éstos y el gobierno del estado".[21] Ya se ha demostrado que las elecciones populares y directas nunca se efectuaron en la gran mayoría de las municipalidades del estado durante los cinco años de administración constitucionalista. Pero también hay que tener presente que la "independencia" municipal estaba sujeta a una constante vigilancia y con frecuencia a una directa violación por las autoridades militares de la localidad. El requerimiento inicial de informes mensuales de las actividades de todos los ramos del gobierno municipal se modificó posteriormente para exigir un detallado informe semanal. Se dieron instrucciones a los presidentes municipales de que no se involucraran en los asuntos de los demás ayuntamientos. Se exigía el estricto cumplimiento de todos los decretos del Ejecutivo, y las autoridades municipales tenían prohibido contratar abogados para que intercedieran ante el gobierno del estado en su representación.[22] Los funcionarios municipales eran multados u obligados a renunciar en caso de incumplimiento.[23] Pero la más grave amenaza a la autonomía municipal, sin embargo, era el abuso dictatorial del poder por las autoridades militares. Los arrestos arbitrarios, el encarcelamiento y el fusilamiento de civiles por sospechas de connivencia con los rebeldes, y el saqueo, el pillaje y la "confiscación" de bienes y mercancías en las casas particulares y establecimientos comerciales eran prácticas normales, que introdujeron un nuevo verbo en el vocabulario del mexicano promedio: "carrancear".[24]

Otra fuente de antagonismo entre las autoridades municipales y militares era la impaciencia del régimen constitucionalista por restringir las posibilidades del soborno y de la corrupción que previamente habían estado a la disposición de los funcionarios de los ayuntamientos de la localidad. Los presidentes municipales, por ejemplo, no percibían un sueldo, pero se les había permitido establecer impuestos especiales a guisa de "donativo voluntario" en su propio beneficio. El sistema se prestaba a abusos y uno de los primeros actos del régimen carrancista fue decretar que en el futuro los presidentes municipales y los miembros del poder judicial de cada localidad percibirían un sueldo que se tomaría de los

[21] PO, I, No. 10, 18/11/15.
[22] PO, II, No. 7, 17/2/16, No. 12, 23/3/16; No. 13, 30/3/16; III, No. 25, 23/12/16.
[23] PO, II, No. 10, 9/3/16; No. 21, 25/5/16.
[24] AHDN, 213 ff. 78-9; Carta anónima enviada de Ejutla a Carranza 29/9/18.

fondos municipales en proporción a la capacidad del municipio para recaudar ingresos. Se debería mantener un estricto control de las erogaciones municipales y el tesorero estaba obligado a mostrar todos los respectivos documentos y recibos antes de que se pudiera autorizar el pago.[25] Para demostrar la seriedad de sus intenciones, las autoridades militares procedieron a juzgar al tesorero y presidente municipal de Tehuantepec por malversación de fondos.[26]

La determinación de las autoridades constitucionalistas de mantener una estrecha vigilancia de las actividades de los presidentes municipales derivaba en parte de la convicción de que el poder político que habían disfrutado bajo el régimen anterior los había convertido en "caciques y cínicos explotadores del pueblo", y en parte del deseo de educar y politizar a la población indígena de Oaxaca y suministrarle un ambiente moral y físico más estimulante. Para Agustín Castro era de la mayor importancia que la administración del Estado funcionara en persecución de la "senda honrada y difícil de la reconstrucción", y de conformidad con un estricto código moral. La justicia constitucionalista, declaró, era igualitaria y se impartiría "lo mismo al grande que al chico, lo mismo al pobre que al rico". El ciclo de corrupción que perpetuó el monopolio de los recursos económicos por una reducida élite local debía terminar. Los funcionarios del estado deberían asegurarse de que el nepotismo y el favoritismo quedasen erradicados en el nombramiento de los funcionarios estatales y municipales, los cuales serían responsables de la creación de un nuevo universo moral.[27]

El presidente municipal de Juchitán se quedó probablemente muy sorprendido cuando una solicitud de rutina para obtener una licencia para establecer una cantina en propiedades del municipio fue negada por el gobernador Castro fundándose en que las propiedades municipales se deberían destinar a "fines más nobles".[28] De ahí en adelante se distribuyeron circulares entre las autoridades municipales recordándoles sus responsabilidades en la materia de la higiene pública, advirtiéndoles los peligros del alcohol (particularmente los peligros de beber con exceso en los entierros), y de su deber de prohibir las prácticas "bárbaras" de las corridas de toros y de las peleas de gallos.[29] Las prohibiciones y las proscripciones, no obstante, eran complementadas por la información que se daba al público por medio de folletos en los que se daba todo tipo de consejos a los habitantes de la localidad, que iban desde "los beneficios de los plátanos" hasta la "selección de semillas".[30] La creación de una Oficina de Información y Propaganda en enero de 1916 y el subsecuente establecimiento de Juntas Regionales de Propaganda, ilustraban el reconocimiento del régimen de la necesidad de comunicar a los habitantes de Oaxaca los beneficios de la cornucopia constitucionalista.[31]

[25] Márquez, op. cit, p. 178; PO, I, No. 9, 11/11/15.

[26] PO, II, No. 9, 21/1/16.

[27] PO, II, No. 2, 13/1/16.

[28] PO, II, No. 11, 4/3/16.

[29] En la capital del estado se impuso una prohibición temporal de vender alcohol en julio de 1916; AGEO, Diversos. PO, III, Nos. 19 y 22, 16/11/16 y 7/12/16.

[30] PO. III. Nos. 9 a 15, 2/3/16 a 13/4/16.

[31] PO, II, No. 1, 6/1/16; a uno de los regimientos agregados a la División 21 se le llamaba "Orden y moralidad". Según parece hubo una desviación en el camino hacia la rectitud moral trazado

Fue desafortunado, sin embargo, que Agustín Castro no pudiera transmitir esa energía moral a sus sucesores o subordinados. Los funcionarios locales continuaban siendo multados o destituidos por sus malos manejos, pero las actividades ilegales a las que se dedicaba la jerarquía de los mandos militares carrancistas generalmente quedaban sin castigo.[32] Los delitos sancionados con penas graves, inclusive la ejecución sumaria, incluían el robo, la deserción y el suministro de armas al enemigo. Solamente un caso obtuvo publicidad en el periodo del gobierno preconstitucional en las páginas del *Periódico Oficial*: el encarcelamiento de un soldado a quien se encontró culpable de robo, lo que sin duda se utilizó tanto como un ejercicio de la propaganda como una lección ejemplar para las tropas. Merece hacer notar, quizá, que aun en ese caso, el culpable había robado bienes que pertenecían a su oficial comandante.[33] Los jefes militares tenían que mantener un difícil equilibrio entre la disciplina militar y hacerse de la vista gorda ante las indiscreciones a fin de asegurar la lealtad de las tropas, pero queda poca duda de que la balanza se inclinaba decididamente en favor de las tropas durante el periodo de gobierno militar en Oaxaca. En un caso ilustrativo, el jefe de las armas en Ejutla recibió órdenes de sus superiores de investigar una queja formulada por el hacendado Enrique Aragón de que sus tropas habían robado bienes de su propiedad, incluyendo rifles, herramientas, caballos, mulas, alimento y ropa de su finca, y de castigar a los culpables (con el fusilamiento si era necesario), porque los casos de esta naturaleza "redundan en descrédito del buen nombre de nuestra causa". El jefe de las armas, Luis Avendaño, en un principio replicó que el "reaccionario" Aragón mentía, y después reconoció que algunos caballos habían sido robados pero hizo saber que no era una ofensa grave, puesto que "ya bien sabe usted lo que es la tropa". Esto pareció convencer a las autoridades militares y el asunto fue abandonado.[34]

Si bien el robo de propiedades era frecuente y ordinario entre los militares de baja graduación del ejército constitucionalista, era algo que rivalizaba con los sobornos y venalidades de los oficiales comandantes. Las fortunas personales que hicieron los generales carrancistas en toda la República se lograron por medio de una combinación de préstamos, pagos especiales, la práctica tradicional de alterar las listas de raya de las tropas y el manejo de monopolios comerciales.[35] En Oaxaca, la imposición de "multas" y la 'confiscación' de bienes de los "elementos reaccionarios" que ayudaban al Movimiento de la Soberanía, así como los "convenios" que se concertaban con comerciantes locales para el transporte ilegal de mercancías por trenes y embarcaciones que debían destinarse a propósitos militares, eran las prácticas favoritas.

por el régimen carrancista en Oaxaca. En el presupuesto municipal de la ciudad de Oaxaca en junio de 1918 se incluían las cuotas que se deberían cobrar a las tres clases de prostíbulos y prostitutas que actuaban en la ciudad. PO, V, No. 24, 13/6/18.

[32] El recaudador de rentas del distrito de Etla fue destituido por malos manejos en junio de 1917. PO, IV, No. 26, 28/6/17.

[33] El caso del soldado Jacinto Pinto del Regimiento "Leales de Tlalnepantla" se menciona en PO, V, No. 9, 28/2/18/.

[34] AHDN, 211, ff. 161-6 1/4/16.

[35] Se dice que Obregón tuvo una ganancia de 45 millones de pesos con el control del comercio de garbanzo en 1918. Richmond, tesis, *op. cit*, pp. 200-202

La escasez de alimentos y de mercancías básicas en el Istmo de Tehuantepec impulsó a Agustín Castro a declarar, en abril de 1916, una prohibición de exportar del estado maíz, frijol, arroz, azúcar, papa, garbanzo, harina, café y otros artículos de primera necesidad. El elevado precio del cuero del ganado en los mercados nacional e internacional en la segunda mitad de 1915 amenazaba igualmente el abastecimiento de alimentos a la localidad puesto que los rancheros del Istmo reaccionaron ante las oportunidades del mercado realizando una matanza en gran escala de su ganado, lo que a su vez determinó una prohibición nacional sobre las exportaciones.[36] Los comerciantes istmeños lograron eludir esa prohibición en los puertos del Pacífico de Salina Cruz y Puerto Ángel por medio de "acuerdos" con el jefe de armas de la localidad.[37] Agustín Castro estaba decidido a acabar con esas prácticas ilegales y exigió una estrecha vigilancia de las actividades portuarias y una verificación regular de las mercancías que salían del estado. Este intento de apretar los controles paradójicamente dejó a los vulnerables comerciantes aún más a merced de las autoridades militares locales, las cuales podían ahora imponer multas arbitrarias, arrestos y encarcelamientos. Esta era ya una práctica establecida entre los comandantes del ejército. E.J. Ansell, inglés que comerciaba con café en el Istmo, protestó enérgicamente contra la "confiscación" forzosa de 2 820 pesos por el general Heriberto Jara en Jaltipan, Veracruz, lo que resultaba sumamente perjudicial porque esa cantidad estaba en barras de plata, mercancía cada vez más escasa y que era vital para los comerciantes en café, porque los productores de la Sierra de Oaxaca se negaban a aceptar las emisiones de billetes constitucionalistas en circulación.[38]

La caída de la ciudad de Oaxaca en marzo de 1916 y el subsecuente control de la vital comunicación por ferrocarril entre Oaxaca y Puebla propició nuevas oportunidades de cohecho y corrupción tanto para los jefes militares como para los que administraban el ferrocarril. Éstos ofrecían un medio ilegal para el transporte de mercancías al mejor postor y si se les reclamaba contestaba que la mercancía era propiedad de los oficiales del ejército, quienes, a su vez, por medio de convenios habían solicitado el uso del material rodante con propósitos militares. Carranza llevó esas prácticas a la atención de Agustín Castro, quien negó tener conocimiento de ellas, pero prometió investigar y erradicarlas de todas maneras.[39]

El sucesor de Agustín Castro como gobernador militar, el general Juan Jiménez Méndez, parecía, sin embargo, ser mucho menos escrupuloso que su predecesor, y decidió aprovechar su autoridad en su beneficio pecuniario personal. Con anterioridad a su nombramiento como gobernador, había estado al mando de las fuerzas constitucionalistas que habían sido la punta de lanza en la segunda invasión de la Sierra de Juárez entre octubre y diciembre de 1916. El más importante triunfo militar de la campaña había sido la ocupación de Ixtlán, cuartel general de las fuerzas serranas de la División de la Sierra de Juárez. Mientras se

[36] PO, II, Nos. 8 y 14, 24/2/16 y 6/4/16.

[37] PO, II, No. 23. 8/6/16.

[38] FO, 204/362, Ansell a Hohler 26/12/15; sobre el arresto de comerciantes en Salina Cruz, PO, II, No. 23, 8/6/16.

[39] AHDN, 212, ff. 44-5, 12/2/17. Agustín Castro a Carranza, 12/2/17.

136

encontraba en Ixtlán, Jiménez Méndez descubrió nueve toneladas de mineral no procesado de oro y plata de alta calidad que se encontraban ocultas cerca del cuartel general de la División de la Sierra de Juárez. El mineral se había extraído por órdenes del caudillo serrano Guillermo Meixueiro de la mina de La Natividad después de la evacuación de Oaxaca, aparentemente con el propósito inicial de crear un fondo de reserva para las familias de los serranos que habían perdido la vida luchando por el Movimiento de la Soberanía. Jiménez Méndez ordenó que se trasladara el mineral a lomo de mula de Ixtlán a Oaxaca y de ahí a la ciudad de México, en donde fue canjeado por abastecimientos de azúcar, cerveza, tabaco, harina y otras mercancías que escaseaban en Oaxaca. Esa mercancía se vendió después en el mercado negro en Oaxaca y las ganancias fueron a dar directamente a los bolsillos de Jiménez Méndez.[40]

Si bien esta historia es posiblemente apócrifa, o por lo menos quizá se le haya embellecido para adecuarla a los propósitos de propaganda del Movimiento de la Soberanía, existen pruebas de que los funcionarios militares en Oaxaca presentaban peticiones exorbitantes a los miembros de la comunidad que poseían grandes intereses en el comercio local, en la minería o tierras, y a los "adinerados" que constituían la élite social y política, y a quienes Jiménez Méndez se refería con frecuencia como "reaccionarios burgueses". Una de las primeras medidas que tomó Méndez como gobernador fue la de solicitar al presidente Carranza su autorización para que *no* se aplicara en Oaxaca la circular expedida por la Secretaría de Gobernación el 29 de marzo de 1917, en la que se ordenaba la devolución de todos los bienes "intervenidos" o confiscados en el curso de los disturbios revolucionarios a sus propietarios legales. A causa de la "crítica situación económica" en Oaxaca, Méndez pidió igualmente que la política de confiscación se hiciera extensiva a su gobierno, puesto que un "gran número (de los) adinerados del lugar encuéntranse levantados en armas, perjudicando grandemente (la) labor (de) este Gobierno"; argumentaba que los productos obtenidos de las fincas agrícolas, y los ingresos por concepto de rentas de la propiedad urbana y rural serían una considerable ayuda para su atribulada administración. Sus argumentos fueron convincentes y se le otorgó la autorización.[41]

Después de haber asegurado la aprobación a su política, las autoridades carrancistas procedieron a ampliar las disposiciones de la Ley de Facultad Económica Coactiva de 1861, que confería al gobierno del estado de Oaxaca la facultad de confiscar, sacar a remate o administrar cualquier propiedad de la cual el impuesto anual sobre el valor catastral no hubiera sido pagado dentro de los 15 días siguientes a la primera notificación oficial.[42] Por la práctica establecida por los propietarios de asignar un valor inferior a sus propiedades para efectos fiscales, y por el incremento en el valor de la tierra a partir del último censo de propiedades que se había levantado en Oaxaca en 1894, Agustín Castro decretó que el impuesto predial en el estado se cobraría a razón del 0.5% del quíntuplo del va-

---

[40] Ibarra, *Memorias,* op. cit, p. 179; el mineral proveniente de La Natividad también se destinó a la adquisición de armas y pertrechos.

[41] AHDN, 212, ff. 64-5, 66-7, 68, 69. Jiménez Méndez a Carranza, abril de 1917.

[42] La Ley de la Facultad Económica Coactiva se transcribió en PO, IV, No. 19, 10/5/17.

lor catastral de 1894, hasta que se hubiera levantado el nuevo censo que se proyectaba.[43]

Los primeros propietarios que sufrieron las consecuencias de la estricta aplicación del impuesto predial fueron los enemigos políticos del régimen carrancista. Las casas particulares y los terrenos urbanos de propiedad de los hermanos Guillermo y Luis Meixueiro, de José Inés Dávila, Félix Díaz, Pedro Castillo y Onofre Jiménez en la ciudad de Oaxaca y en sus alrededores fueron confiscados en enero de 1917.[44] En lo sucesivo ese procedimiento se aplicó de manera muy extensa no nada más con respecto a los enemigos políticos del gobierno, sino a las compañías mexicanas y extranjeras y a los pequeños y grandes terratenientes. Entre 1917 y 1920, en las regiones que estaban bajo la jurisdicción del gobierno preconstitucional, se iniciaron más de 600 procedimientos contra los propietarios registrados por falta de pago del impuesto predial de propiedades cuyo valor catastral iba de 26 a 84 784 pesos.[45] El hecho de no haberse dado a la publicidad el monto de los ingresos que se generaron por la aplicación de la Ley Económica Coactiva, por medio del pago del importe original del impuesto, o por medio de remates o de convenios de arrendamiento, determina que resultase imposible hacer suposiciones comprobables acerca de la venalidad de las autoridades militares. Las oportunidades de todas maneras fueron muy considerables.[46]

La administración de la justicia dio una oportunidad más. El artículo 80 de la Constitución Política de Oaxaca establecía la elección directa de los jueces de primera instancia en cada distrito administrativo del estado, y la elección directa de los alcaldes en cada municipio. En enero de 1916 Agustín Castro declaró que a causa de las "anormales circunstancias" y del peligro de que las elecciones locales de los jueces removieran las "pasiones políticas", los jueces de primera instancia serían nombrados por el Ejecutivo y los jueces auxiliares (en lugar de los alcaldes) serían seleccionados de una terna presidida por los presidentes municipales (quienes, como se recordará, estaban sujetos estrechamente a selección por el propio gobernador militar). Las disposiciones relacionadas con el establecimiento de un Tribunal Superior de Justicia, la más alta autoridad judicial y el tribunal de apelación en el estado de Oaxaca, se pasaron por alto. Los ciudadanos involucrados en litigios tendrían el derecho de apelar ante el propio goberna-

[43] Agustín Castro estimó que el valor de la tierra había aumentado tanto como 15 veces desde el censo de 1984. po, III, No. 16, 26/10/16. El proyecto de levantar un nuevo censo de conformidad con la Ley del Catastro de septiembre de 1914 fue dado a conocer en Oaxaca en abril de 1916.

[44] Guillermo Meixueiro era propietario de 3 casas, 3 terrenos y 1 lote (y adeudaba 2 239 pesos por concepto de impuesto predial no pagado); Luis Meixueiro era propietario de una casa (y adeudaba 729 pesos); José Inés Dávila era dueño de 2 casas y 2 lotes (y adeudaba 555 pesos); Félix Díaz era dueño de una casa (y adeudaba 174 pesos); Pedro Castillo era dueño de una casa (y adeudada 106 pesos); y Onofre Jiménez era propietario de una parcela sobre la cual debía únicamente 12 pesos por impuesto no pagado. po, No. 1, 4/1/17. Un lote tenía una superficie de aproximadamente 100 hectáreas.

[45] po, Vols. IV, V, VI, VII.

[46] El sabor de la corrupción se infiltraba por toda la República. El cónsul de la Gran Bretaña en Tampico hizo comentarios acerca del "terrible estado de cosas" en el puerto en mayo de 1917; "desde el más alto funcionario hasta el humilde mensajero cometen continuos latrocinios". fo, 371, 26911/116927.

dor, quien de todas maneras proclamó irónicamente que "debe respetarse la teoría de la separación de los poderes, tan benéfica para conservar la libertad de los pueblos". En concordancia con el patrón de la centralización de toda la autoridad política y judicial, la jurisdicción de las fuerzas de policía locales pasó de las autoridades municipales a una Inspección General de Policía, nombrada (por supuesto) por el gobernador.[47]

Aun con el control de los jueces tan firmemente establecido en manos de las autoridades militares, hubo de todas maneras algunos casos en los que jefes militares individuales continuaban su interferencia con las funciones de los jueces locales. Esto constituía un problema nacional, que incitó al Primer Jefe Carranza a expresar públicamente su preocupación y su desaprobación, al decretar que todos los pronunciamientos arbitrarios y las proclamas de los jefes militares en asuntos que estaban fuera de su competencia serían nulos.[48] Ocurrieron relajamientos en el estricto control de las funciones de los jueces en Oaxaca a medida que el régimen ampliaba su jurisdicción, pero para 1920 aún no había terminado por completo el proceso. Como respuesta a una iniciativa de Carranza, Agustín Castro expidió los reglamentos de la Administración de la Justicia Común Ordinaria en el estado en noviembre de 1916, que aún dejaban el nombramiento de los jueces de primera instancia en manos del Ejecutivo y, aunque restablecían el principio de que el alcalde era el representante directo del municipio, permitían que su nombramiento se hiciera "de conformidad con las disposiciones que dicte el Ejecutivo".[49] El Tribunal Superior de Justicia quedó finalmente establecido en noviembre de 1917, y el decreto nacional dictado en el mismo mes que establecía la Ley Orgánica del Poder Judicial de la Federación fue debidamente reproducido en Oaxaca en octubre de 1918. La Ley Orgánica establecía las reglas del procedimiento para la administración de la justicia federal en la República, bajo el firme control de la Suprema Corte, que era la responsable del nombramiento de los magistrados de los 9 tribunales de circuito distribuidos en toda la República, y de la designación de los jueces de distrito (de los cuales había dos en Oaxaca, uno en la capital y el otro en Tehuantepec), de conformidad con los principios de los artículos 94 a 107 de la Constitución de 1917.[50] Los Tribunales de Circuito, presididos por los jueces de distrito, deberían estar formados por magistrados que se escogerían de listas de ciudadanos responsables, que supieran leer y escribir, las cuales debían formular los presidentes municipales de cada localidad y presentar para el 15 de junio de 1918. La inercia con que estas disposiciones fueron cumplidas en Oaxaca se puede estimar por el hecho de que al finalizar el periodo de gobierno preconstitucional, la lista de los posibles magistrados se había sometido tan sólo con respecto a la ciudad de Oaxaca, a dos distritos electorales y a dos municipios.[51]

Es notorio que el deseo original de Carranza de lograr una "completa independencia del Ramo Judicial" en marzo de 1916, no se cumplió en Oaxaca.

[47] PO, II, No. 4 27/1/16.
[48] PO, III, No. 10, 14/9/16.
[49] PO, III. No. 21. 30/11/16.
[50] La Ley Orgánica de 2/11/17 se publicó en PO, V, Nos. 41-43, 24/10/18.
[51] PO, VI, Nos. 18, 37, 41, 42, 44 (1919).

Existen pruebas de que decisiones tomadas por el poder judicial en Oaxaca podían ser revocadas o nulificadas por las autoridades militares. En marzo de 1918 León Esperón, miembro de la acaudalada familia Esperón, que poseía grandes intereses en la minería en la Sierra Mixteca y era propietaria de una hacienda de beneficio (para la refinación de mineral) y de una fundición de hierro en Tlaxiaco, fue arrestado por órdenes de las autoridades militares, y se le amenazó con que si no pagaba diez mil pesos en plata, quedaría detenido permanentemente. De acuerdo con sus derechos constitucionales, Esperón solicitó, y le fue concedido, el amparo, o sea la protección legal del juez de distrito y fue debidamente puesto en libertad. El mismo día de su liberación fue detenido de nuevo por el inspector de polícia, bajo el cargo de tener "contacto con los reaccionarios", y se le obligó a entregar cinco mil pesos. Entonces él comunicó a su hermano a la ciudad de México que estaba decidido a salir de Oaxaca tan pronto como fuera posible a fin de eludir nuevos atentados, que según decía eran lo usual en Oaxaca, y adherirse a un creciente grupo de las clases profesionistas de Oaxaca en un exilio de su estado natal que ellos mismos se habían impuesto.[52]

La impunidad con que los jefes militares encubrían su autoridad personal tuvo un efecto perjudicial en el restablecimiento de la ley y el orden en el estado. El cónsul inglés Cunard Cummins comentó a principios de 1919 que en Oaxaca "el espíritu de ilegalidad se está generalizando en vez de reducirse". El agente de minería ingles Henry Domville, representante de una compañía minera canadiense que era propietaria de un grupo de minas en San Martín de los Cansecos, en el distrito de Ejutla, dejó de notificar a las autoridades militares los robos y ataques de las bandas rebeldes en propiedades de la compañía, porque un destacamento de tropas constitucionalistas no le proporcionaba ninguna seguridad. Al contrario, "los dos bandos roban y saquean en el lugar en que se encuentren estacionados, hecho bien conocido por los nativos de esta región". La falta de seguridad en las zonas adyacentes a los valles centrales (Ejutla, Ocotlán, Miahuatlán, Zimatlán, Tlacolula), y en partes de la Mixteca, había obligado a los comerciantes, mineros y hacendados, a buscar refugio en la ciudad de Oaxaca, "prefiriendo incurrir en los gastos y molestias de trasladarse en lugar de permanecer en lugares donde las autoridades militares han acaparado fuerzas."[53]

Las pruebas indican *prima facie* que la práctica del constitucionalismo en Oaxaca era más rapaz que radical. En su detallado estudio del periodo constitucionalista de la Revolución, Charles Cumberland pone de relieve seis temas de la política y la práctica doméstica que fueron sometidos a una cuidadosa revisión: las relaciones entre la Iglesia y el Estado; la cuestión agraria; la propiedad de

---

[52] AHDN, ff. 19-20, 7/3/18. Las palabras finales de Esperón sugieren que el correo estaba siendo interceptado; "no puedo decirte todo lo que ocurre en Oaxaca..." En el expediente 213 (ff. 49-56) se incluye una lista de unos 160 individuos con detalles de sus actividades y de su actual residencia. En su mayoría eran profesionistas y Jiménez Méndez consideraba que todos eran "reaccionarios", íntimamente relacionados con el Movimiento de Soberanía.

[53] FO, 206/31 Domville a Cummins, 27/1/19. La opinion de Domville acerca de las garantías que daban las tropas constitucionalistas no era compartida por los habitantes de Pochutla, Salina Cruz y Mitlantongo (Nochixtlán), quienes pidieron que las guarniciones no se deberían retirar. AHDN, 212, ff. 79-80, 85-86 y 213 ff. 29-30.

los yacimientos del subsuelo; el trabajo; la educación y la política.[54] Un examen de la implementación en Oaxaca de esas áreas específicas de política podrá ayudar a ilustrar el efecto que causó el carrancismo en la sociedad de provincia entre 1915 y 1920.

REPRESENTACIÓN POLÍTICA

Como lo he indicado con anterioridad, las autoridades militares en Oaxaca no estaban dispuestas a permitir, ni podían hacerlo, que se realizaran elecciones libres o representativas, ya sea a nivel municipal, estatal o federal. Las elecciones municipales propuestas eran invariablemente aplazadas, y la Legislatura del estado estuvo clausurada durante todo el periodo del gobierno preconstitucional, hasta las elecciones de noviembre de 1920. Se hicieron preparativos, sin embargo, para la representación de Oaxaca en las elecciones federales del Congreso Federal y del Senado que se efectuarían en febrero de 1917, después de la promulgación de la Constitución de Querétaro. El gobernador Castro anunció que Oaxaca quedaría dividida en 17 distritos electorales. La razón que se dio oficialmente para reorganizar los distritos electorales (se aumentó su número de 16, para las elecciones de 1912, a 17) fue el incremento en la población del estado consignada en el censo de 1910, pero parece evidente que uno de sus principales propósitos fue dividir los distritos electorales de Tlaxiaco (Mixteca) y de Ixtlán (Sierra de Juárez), que eran los centros de apoyo del Movimiento de la Soberanía. Los pueblos anteriormente incorporados al distrito electoral de Tlaxiaco se distribuyeron entre los distritos de Nochixtlán y Teposcolula, en tanto que los que anteriormente pertenecían al distrito electoral de Ixtlán se incorporaron a Etla, Choapam y Tuxtepec.[55] En esa ocasión la reorganización resultó superflua: las elecciones previstas no se realizaron sino hasta julio de 1918, y aun entonces solamente tomaron lugar en 4 de las 17 nuevas divisiones electorales (el Distrito Central, Juchitán, Tlacolula y Zimatlán), lo que claramente indica cuáles eran los límites de la autoridad política carrancista en el estado.

Sin embargo, el más claro ejemplo de la falta de representación democrática de los intereses oaxaqueños en los asuntos nacionales es la elección de delegados para que asistieran a la Convención Constitucional que se reunió en Querétaro en diciembre de 1916. Esas elecciones se han calificado como "unas de las elecciones más limpias que se hayan realizado nunca en México".[56] Eso ciertamente es inexacto en el caso de Oaxaca, en donde las elecciones se caracterizaron por

[54] Cumberland, op. cit., p. 213.

[55] PO, IV, No. 8, 22/2/17; la condición de distritos electorales se les restableció tanto a Ixtlán como a Tlaxiaco para las elecciones estatales de noviembre de 1920. PO, I No. 20, 23/9/20.

[56] Richmond en Wolfskill y Richmond (Comps.), op. cit., p. 64.
E. V. Niemeyer Jr. dice que las elecciones se realizaron en 216 de los 244 distritos electorales en toda la República, y especula acerca de que "es dudoso si un grupo más representativo pudo haberse reunido en Querétaro", Revolution at Queretaro: The Mexican Constitutional Convention of 1916-1917 (1974), p. 36.

una combinación de incompetencia administrativa y de fraudes electorales.[57]

El decreto emitido por Carranza el 19 de septiembre de 1916 dejó bien aclarado que las elecciones no serían libres ni representativas. Los candidatos obligados a protestar su lealtad al Plan de Guadalupe (y por lo tanto al propio Carranza) y a comprobar "con hechos positivos" su adhesión a la causa constitucionalista. El decreto fue reproducido en el *Periódico Oficial* de Oaxaca el 28 de septiembre, por lo que las autoridades militares contaban únicamente con un mes para organizar las elecciones, convocadas para el 22 de octubre. Se envió un ejemplar del decreto a los presidentes municipales de las cabeceras de los distritos políticos que estaban bajo el control constitucionalista; y se reconoció abiertamente que 10 de esos distritos (Ixtlán, Villa Alta, Choapam, Nochixtlán, Putla, Teposcolula, Tlaxiaco, Huajuapan, Silacayoapan y Coixtlahuaca) estaban fuera de la jusrisdicción constitucionalista. Aun en aquellas regiones que supuestamente estaban dentro de la jurisdicción carrancista, la confusión era lo ordinario. El presidente municipal de Cuicatlán envió un telegrama al gobernador Castro tan sólo cinco días antes de la fecha señalada para las elecciones solicitando detalles del procedimiento para el nombramiento de candidatos, de la organización de las elecciones y hasta de la fecha en que se deberían celebrar. Como resultado, las elecciones no se efectuaron sino hasta el 10 de noviembre. Una confusión semejante reinaba en los distritos de Juquila y Jamiltepec, que para los propósitos de la elección se habían incorporado en un solo distrito electoral. El presidente municipal de Juquila envió un telegrama a Castro el 29 de octubre informándole que precisamente acababa de recibir un ejemplar del decreto, y preguntándole en qué fecha se deberían efectuar las elecciones. El presidente municipal de Jamiltepec formuló una pregunta similar el 9 de noviembre, y el secretario de Castro, J. M. Márquez, le contestó de manera abrupta que la fecha de las elecciones ya había pasado y que era demasiado tarde para celebrarlas. Esto provocó la intervención del Secretario de Gobernación Jesús Acuña, quien dio instrucciones al gobernador Castro el 14 de noviembre, 6 días antes de la fecha en que la Convención se debía reunir en Querétaro, en el sentido de que se asegurara de que se "eligiera" un delegado de Jamiltepec y Juquila. El 21 de noviembre el presidente municipal de Jamiltepec anunció que Dámaso Gómez había resultado electo sin ningún detalle de la elección. Sin embargo, Dámaso Gómez no participó en la Convención pues el artículo 9 del decreto original de Carranza excluía la participación de los delegados que no hubieran estado presentes en la sesión inaugural.

Solamente en 6 de los 15 distritos electorales apresuradamente organizados se efectuaron las elecciones en la fecha señalada: el Distrito Central, Miahuatlán, Ocotlán, Tlacolula, Nochixtlán y Zimatlán. Aun en esos distritos, no obstante, ocurrieron irregularidades alarmantes. En Tlacolula, las elecciones se efectuaron

---

[57] AGEO; la información que aparece en esta sección proviene de un legajo marcado "Congreso 1916", que contiene la correspondencia de las autoridades militares con los presidentes municipales: Ocotlán, Ejutla, Jamiltepec, Juquila, Zimatlán, Miahuatlán, Nochixtlán, Cuicatlán y Tlacochahuaya (Tlacolula); desafortunadamente el expediente no contiene detalles de las elecciones efectuadas en Juchitán o en Tehuantepec.

el 22 de octubre, pero no se hizo el cómputo de los votos sino hasta el 26 de noviembre porque "desapareció" el presidente municipal; esta demora administrativa, sin embargo, no impidió que el delegado "electo", el abogado Celestino Pérez, participara en la Convención. En Ejutla, que formaba parte del distrito electoral de Miahuatlán, las elecciones sencillamente no se efectuaron; no obstante, la "elección" del delegado Luis Espinosa, periodista Chiapaneco que era también mayor del ejército constitucionalista, no fue impugnada. En Nochixtlán, el delegado electo, Manuel García Vigil, no asistió a la Convención, porque no pudo obtener el permiso necesario de la Secretaría de Guerra.[58] Como resultado de esa flagrante manipulación electoral, solamente 9 delegados "representaron" a Oaxaca en Querétaro. Únicamente 2 de los delegados participaron activamente en los debates, y ninguno de ellos era originario de Oaxaca: Espinosa, de Chiapas, y el "representante" del Distrito Central, el general Salvador González Torres, de Michoacán, quien actuó como segundo vicepresidente de la Convención.[59]

ANTICLERICALISMO

El renacimiento del anticlericalismo radical como un renglón importante en la plataforma constitucionalista ha sido generalmente reconocido. El hecho de que Oaxaca se caracterizaba también por su adhesión al catolicismo parecía augurar fuertes choques entre las autoridades militares carrancistas y los católicos de Oaxaca. Pero aunque el espíritu del anticlericalismo fue transmitido por las autoridades militares en el estado, la naturaleza·e intensidad de su implantación fue menos severa de lo que pudo haberse esperado, y dependió en último término de la disposición de los comandantes militares que ejercían el control en un momento determinado. Al quedar establecida la inicial administración preconstitucionalista en Salina Cruz, Agustín Castro aclaró en forma muy explícita que "el gobierno no ha tenido ninguna ingerencia (*sic*) respecto a los cultos en el estado", reconociendo que cada pueblo tenía un templo católico (y con frecuencia dos). Declaró que su gobierno solamente se preocupaba por la estricta observancia de las Leyes de Reforma, y "a lo único que sí se opone y se ha opuesto es a los abusos del clero". Consecuentemente, su respuesta a las peticiones de las asociaciones religiosas de la región del Istmo de que se permitiera celebrar misas en público en honor del santo patrón de la localidad fue que su gobierno "no reco-

[58] Basilio Rojas, en su biografía de García Vigil, sugiere que la negativa se debió a la asociación de Vigil con el oposicionista PLC (Partido Liberal Constitucionalista); también nos pide que creamos que Vigil de todas maneras se habría rehusado a aceptar el nombramiento, dados los notorios fraudes electorales; p. 235.
[59] Acerca de los antecedentes de Espinosa y González Torres y de su participación en los debates, véase Niemeyer, *op. cit*, pp. 40-41, 54, 76-77, 153, 156, 207, 213; los delegados de Juchitán y Tehuantepec, José Gómez y Crisóforo Cabrera, trataron infructuosamente de convencer a la Convención de que creara un estado federal independiente en el Istmo de Tehuantepec. Véase anteriormente (capítulo II,) y Ramírez, *op. cit.*, pp. 211-14.

noce sociedades religiosas ni se opone a la práctica de las mismas''.[60]

La determinación de Castro de castigar los abusos del clero quedó demostrada durante la campaña para apoderarse de la capital del estado a principios de 1916, cuando ordenó la ejecución del cura párroco de Miahuatlán por dar alojamiento a los "reaccionarios" en su casa.[61] La firme creencia de las autoridades militares de que el clero ayudaba y encubría a los rebeldes determinó que los subordinados de Castro tomaran medidas más enérgicas. El coronel Luis Mireles, que fue el primer carrancista que ocupó la ciudad de Oaxaca, "descubrió" que los curas de la ciudad habían apoyado abiertamente a los soberanistas, e inmediatamente ordenó que se cerraran todas las iglesias, aduciendo como prueba el descubrimiento de armas y pertrechos escondidos bajo diversos altares.[62] Después de haber sido nombrado gobernador, Jiménez Méndez adoptó complacientemente la retórica anticlerical y xenófoba contemporánea y exigió la expulsión de seis sacerdotes extranjeros por atacar la política constitucionalista e insistió en que se llevara un registro de los sacerdotes y de las iglesias en cada municipio.[63]

Una gran parte de la retórica anticlerical constitucionalista derivaba de la suposición de que la Iglesia católica era inmensamente rica. Se pensaba en general en todo México que la base de esa fabulosa riqueza era la propiedad de muy numerosos bienes. Como resultado, el celo revolucionario de los comandantes constitucionalistas provocó una ola de incautaciones y confiscaciones de edificios eclesiásticos, que se destinaron entonces a una diversidad de fines socialmente benéficos (como escuelas y hospitales) ocurrió como cuarteles de las tropas constitucionalistas (como en el caso del palacio del arzobispado de Oaxaca, que se utilizó como cuartel general de operaciones militares entre 1916 y 1919).[64] A fin de imponer en cierta medida la autoridad central, y de moderar los excesos de sus comandantes regionales, Carranza revivió e invocó nuevamente la Ley de Nacionalización de Juárez de 1859, el decreto de Lerdo de 1874, y la ley porfiriana de 1902, para restablecer el principio del dominio directo de la nación de todos los bienes eclesiásticos, encomendando a la Secretaría de Gobernación la vigilancia de las prácticas religiosas, y a la Secretaría de Hacienda la responsabilidad del mantenimiento y la reparación de los edificios eclesiásticos.[65]

Resulta difícil determinar el alcance del anticlericalismo que ponían en práctica las autoridades militares en Oaxaca. Existía ciertamente la persecución de determinados sacerdotes, sobre todo en el caso del propio arzobispo, Eulogio Guillow. Su decidido apoyo a la campaña de Félix Díaz en las elecciones de gobernador de Oaxaca en julio de 1911 hizo que se considerara *persona non grata* para los carrancistas, por lo que tuvo que huir después de la ocupación de Oaxaca en 1916 hacia el asilo favorito de los opositores a la Revolución, o sea los Esta-

---

[60] Las peticiones provenían de los pueblos de Ixtaltepec y San Jerónimo del distrito de Juchitán, PO, I, núm. 11, 25/11/15.

[61] AHDN, 211, f. 45, Agustín Castro al secretario de Guerra 31/1/16.

[62] Márquez, *op. cit.*, p. 183. Castro ordenó que se abrieran de nuevo las iglesias el 27 de abril.

[63] AHDN, 212, ff. 75-6 Jiménez Méndez a Carranza 20/5/17.

[64] PO, VI, núm. 5, 30/1/19.

[65] PO, III, núm. 16, 26/10/16; estos principios se incorporaron a los artículos 27 y 130 de la Constitución de 1917.

dos Unidos. Su finca particular en las cercanías de Puebla fue "intervenida", y el palacio del arzobispado y otras propiedades urbanas que utilizaba el clero en Oaxaca sirvieron como hospitales y cuarteles. Por órdenes de Carranza, el palacio fue desocupado en 1919, pero en 1920 aún era necesario hacerle reparaciones, aunque fue devuelto a los representantes del arzobispo.[66] Las únicas otras propiedades particulares que fueron "intervenidas" durante el periodo del gobierno preconstitucionalista en Oaxaca y que pertenecían al clero secular fueron 3 casas en la propia Oaxaca, que tenían un valor en conjunto de 7 356 pesos, que se sacaron a remate de acuerdo con las disposiciones de la Ley de Facultad Económico-Coactiva por falta de pago del impuesto predial en 1917.[67]

Todas las pruebas de que se dispone sugieren que ni el clero ni los bienes eclesiásticos sufrieron exageradamente a manos del régimen constitucionalista, en Oaxaca. Si bien la legislación anticlerical y social (particularmente el divorcio) indudablemente enemistaron al sacerdocio, existen pocas pruebas de que los sacerdotes individualmente hayan prestado su apoyo activo al Movimiento de la Soberanía. En la memoria de los que participaron en el Movimiento, solamente un sacerdote se identificó como participante activo, aunque las campanas siempre repicaran y se oficiaran misas en Tlaxiaco al anunciarse las "victorias" de las fuerzas soberanistas en la Mixteca.[68] Eran tales las condiciones que prevalecían que Edward Rickards, sacerdote católico romano que había vivido durante muchos años en Oaxaca (y que era hermano del vicecónsul inglés honorario en Oaxaca, Constantino Rickards), pudo describir las relaciones entre la Iglesia y las autoridades militares en Oaxaca en 1920 como "cordiales", y describir la actitud de determinados comandantes como "cortés y atenta".[69]

Al estudiar el efecto del anticlericalismo en Oaxaca, los argumentos tienen que depender en definitiva del poder efectivo y de la influencia de la Iglesia en el interior del estado en vísperas de la Revolución. Ha quedado demostrado que el poder social, político y económico de la Iglesia se había debilitado seriamente en la segunda mitad del siglo XIX por la desamortización de los bienes eclesiásticos en cumplimiento del programa de la Reforma Liberal en Oaxaca entre 1856 y 1876. Tampoco parece que la Iglesia haya recuperado su influencia y su autoridad durante el porfiriato, en contraste con otras regiones de México, sobre todo en el Bajío.[70]

[66] FO, 204/532, Expediente 8 "Oaxaca 1919"; en cuanto al apoyo de Guillow a Félix Díaz, véase ARD, IV, expediente 18, documentos 74 y 83.

[67] PO, IV, núms. 46 y 52, 15/11/17 y 26/12/18.

[68] Vázquez Cruz, *La Soberanía de Oaxaca en la Revolución* (p. 228) menciona el caso del padre Velasco de Topiltepec (Teposcolula en la Mixteca Alta); y hace un relato del sermón pronunciado por el cura de Juxtlahuaca (Tlaxiaco) en el que atacaba al carrancismo (p. 115); el mismo Vázquez Cruz ataca a Carranza por el hecho de que "los templos han sido profanados" (p. 192); en la Sierra de Juárez, Ibarra siempre anunciaba a los párrocos locales la presencia de tropas carrancistas y les aconsejaba que ocultaran sus posesiones y huyeran, *Memorias*, p. 159; parece que éste fue un buen consejo en vista de la destrucción y el saqueo de la iglesia de Santo Tomás en Ixtlán por las fuerzas expedicionarias carrancistas en noviembre de 1916, Pérez García, *op. cit.*, I, p. 196.

[69] FO, 204/547 Rickards a King, 3/1/20; King informó que en "todas las 22 iglesias de la ciudad (Oaxaca) se celebran misas" en septiembre de 1919.

[70] Berry, *op. cit.* (1981); véase el capítulo I: esta hipótesis todavía queda sin prueba.

Si el estímulo del anticlericalismo por parte de las autoridades militares en Oaxaca disminuyó por la misma debilidad de la Iglesia, entonces el estímulo de la reforma educativa sólo puede haberse incrementado por el pésimo estado de la educación en 1915. De acuerdo con las estadísticas de que se dispone, menos del 5% de la población de Oaxaca recibía una educación formal en 1910, cuando se calculaba que menos del 50% de la población tenía una edad inferior a 15 años.[71] Agustín Castro era indudablemente directo cuando decía que la educación era "la piedra angular del edificio que encierra el triunfo definitivo de la gran Revolución Mexicana". Por lo tanto declaró que era necesario que exista un esfuerzo concertado por parte de todos los revolucionarios para aplicar esa parte fundamental de la política social constitucionalista, a fin de impartir al pueblo de Oaxaca la conciencia de sus derechos y responsabilidades civiles, de los cuales la gran mayoría obviamente no estaba al tanto. Sus opiniones tuvieron eco en sus subordinados, que incluyeron entre sus actitudes revolucionarias decretos que autorizaban un inmediato aumento de los sueldos de los profesores en los pueblos que se encontraban bajo su control.[72]

No puede haber duda de la seriedad de las intenciones de la administración de Castro de ampliar y reformar radicalmente la educación pública en Oaxaca. El presupuesto de egresos provisional para los 3 primeros meses de la administración preconstitucional en Salina Cruz ascendía a un total de 500 mil pesos, de los cuales la mitad se destinaría a la educación. Las erogaciones anuales propuestas para el gobierno del estado se incrementaron a algo más de 4 millones de pesos después de la ocupación de la capital del estado, y la proporción de lo que se destinaría a la educación siguió siendo la misma.[73] Ya desde noviembre de 1915 el régimen carrancista publicó detalladas reformas que se proponía realizar en la estructura, el contenido y el financiamiento del programa educativo. En concordancia con la centralización administrativa que era aparente en todos los aspectos de la legislación constitucionalista, los sueldos de los profesores debería pagarlos el estado, a diferencia del complicado sistema anterior según el cual los sueldos se debían pagar en parte por el estado y en parte por el municipio. Los municipios serían exclusivamente responsables de suministrar y mantener los edificios y los materiales. El *curriculum* que se debía estudiar durante los seis años de estudios obligatorios era revelador de las inquietudes de la educación social constitucionalista. Además de los cursos de aritmética, ciencias naturales, geografía, historia y lengua nacional, los estudiantes debían asistir a disertaciones semanales de moral práctica, instrucción cívica y hasta economía política, y con regularidad se les calificaba por su conducta en la clase. El comportamiento político y la rectitud moral de los profesores también estaban sujetos a un constante examen. El ausentismo (que aparentemente estaba muy difundido) y los "pretextos fútiles" para dejar de cumplir con sus deberes de una manera responsable,

[71] *Estadísticas Sociales*, 1956, *op. cit.*
[72] PO, II, núm. 2, 13/1/16.
[73] Véase el cuadro VI.

CUADRO 6. *Erogaciones propuestas del gobierno preconstitucional de Oaxaca 1915-1920 (pesos)*

Ramo del Gobierno Año	Legislativo	Ejecutivo	Judicial	Gobernación	Hacienda	Beneficencia pública	Pensiones	Registro Civil	Fomento	Educación	Total
1915*	—	64 520	133 356	197 088	104 252	—	12 956	33 820	452 388	1001368	200000
1916**	96 800	282 749	403 666	567 430	288 442	100 993	13 109	55 010	178 865	2031189	4018262
1917***	57 444	95 388	206 228	249 918	191 396	66 930	13 134	52 978	109 256	219 440	1262180
1920	48 678	87 109	207 496	134 319	344 030	52 965	12 899	48 854	90 898	190 000	1217248

* Presupuesto asignado para 3 meses-octubre-diciembre 1915: cálculos hechos sobre la base de 12 meses para fines de comparación.
** Presupuesto asignado para 9 meses, abril-diciembre 1916: cálculos hechos sobre la base de 12 meses para fines de comparación.
*** Presupuesto asignaco para 6 meses, julio-diciembre 1917: cálculos hechos sobre la base de 12 meses para fines de comparación.

FUENTE *Periódico Oficial del Gobierno Preconstitucional del Estado de Oaxaca (1915-1920).*

serían sancionados con una multa por el importe del doble del sueldo diario y los profesores estaban bajo la amenaza de una destitución sumaria en el caso de que ocurrieran nuevas transgresiones. Los profesores tenían prohibido vivir en los edificios escolares o utilizarlos con propósitos que pudieran corromper "la moralidad y el buen nombre de los planteles de educación", y estaban sujetos a los mismos requisitos de afiliación política que los demás empleados del gobierno: se daban a la publicidad los casos ejemplares de los directores o profesores de las escuelas que hubieran perdido sus cargos "por convenir así a los intereses de la Revolución".[74]

El propósito pedagógico del constitucionalismo, de enseñar a la nación a "leer, escribir y contar", no se debería restringir exclusivamente a los niños en edad escolar, sino que se debería ampliar a los sectores de la comunidad que se hubieran visto privados de los beneficios de una educación básica o que hubieran infringido el código moral y social. La más notable innovación educativa en Oaxaca durante el periodo del gobierno preconstitucionalista fue el establecimiento de escuelas o cursos nocturnos para los ciudadanos de la capital del estado mayores de 15 años que no hubieran recibido una educación formal, y de escuelas primarias en el interior de la cárcel de la ciudad.[75]

No obstante esas innovaciones de poca importancia y la agitación inicial del entusiasmo demagógico, las autoridades militares en Oaxaca no podían envanecerse hacia 1920 de haber logrado el éxito "difundiendo la luz de la instrucción al pueblo oaxaqueño". El gobierno transitorio estableció en Salina Cruz y lo anunció orgullosamente, el establecimiento de 73 escuelas primarias ("rudimentarias") en la región del Istmo en los primeros tres meses de su administración, pero ningún otro anuncio semejante se hizo durante el régimen preconstitucional. Los más importantes problemas eran los perennes de falta de autoridad política y jurisdicción administrativa y de suficientes ingresos para financiar la ampliación del programa educativo. El ambicioso presupuesto de egresos para 1916 se redujo drásticamente en 1917 de 4 millones de pesos a 1 millón y cuarto, y la proporción que se destinaría a la educación, se redujo de la mitad a una sexta parte.[76] La carencia de fondos determinó que las responsabilidades del pago de los sueldos de los profesores regresaran a las poco confiables tesorerías municipales, que fueron notoriamente negligentes en el cumplimiento de su deber de suministrar la educación en sus localidades. Por ejemplo, el maestro de escuela del poblado de Guadalupe Etla en el distrito de Etla, escribió con desesperación al presidente Carranza en octubre de 1918 pidiéndole que intercediera en su favor con las autoridades municipales que retenían su sueldo de un peso diario porque la escuela había sido clausurada a causa de los "disturbios revolucionarios".[77]

[74] PO, II, núm. 21, 25/5/16; III, núms. 23 14/12/16, 9, 7/9/16; y 12 28/9/16.

[75] PO, IV, núm. 45, 8/11/17; V, núm. 2, 10/1/18.

[76] Véase el cuadro 6; el periodo de tiempo previsto inicialmente para los presupuestos provisionales se ampliaba con frecuencia con base en que el hecho de que los municipios no sometieran presupuestos para su aprobación por el centro era un obstáculo para terminar las cuentas del estado.

[77] AHDN, 213, f. 80. Mónico Aguilar a Carranza, 9/10/18. Los profesores de las escuelas no fueron los únicos empleados municipales que sufrieran por la falta de pago de sus sueldos. Una serie de quejas incitaron al tesorero del estado a enviar un memorándum a todas las autoridades municipales en el que se les recordaba la necesidad de pagar a su personal. PO, VI, núm. 35, 28/8/19.

Si la implantación de una educación elemental no llegó a alcanzar las metas que se habían proyectado, la educación superior sufrió todavía más a manos de las autoridades militares. El prestigiado Instituto de Ciencias y Artes del Estado, en donde se educaban desde 1826 los miembros de la élite de provincia que aspiraban a obtener un título profesional, fue clausurado en 1916 porque era "un foco de reaccionarios chiquitos", y no se volvió a abrir sino hasta marzo de 1920. Una suerte parecida tuvieron las dos escuelas normales superiores en la capital del estado. Las peticiones para que se volvieran a abrir el Instituto y las escuelas fueron rechazadas por los gobernadores Castro y Jiménez Méndez, quienes de esa manera aseguraron la enemistad del Club Liberal de Estudiantes, que distribuía activamente la propaganda anticarrancista.[78]

Ciertamente no existen pruebas de que durante el periodo que se examina hayan surgido en Oaxaca grupos de presión radical formados por profesores implicados en la agitación por la reforma agraria o en la organización de sindicatos, tendencia que se habría de desarrollar en las décadas posteriores al periodo de Carranza en todo México y que culminó en el programa de Educación Socialista que patrocinó Cárdenas después de 1934.[79] Pero la importancia de la radical reforma educativa para la política social carrancista y para los comandantes del ejército en Oaxaca fue innegable entre 1915 y 1920. Sin embargo, las circunstancias que prevalecían eran tales que su implantación hubiera tenido que esperar hasta que la regeneración social y política se hubiera arraigado firmemente tanto en el estado como en toda la nación.[80]

REFORMA LABORAL

La actitud de las autoridades militares en Oaxaca hacia la reforma laboral durante el periodo del gobierno preconstitucional fue un reflejo del tratamiento ambivalente de las organizaciones laborales por los dirigentes constitucionalistas. Los decretos de Carranza de principios de 1915, que reconocían ostensiblemente la necesidad de "la libertad de trabajo, la justa retribución de él... (y) la conservación y desarrollo adecuado del trabajador", pero que de hecho fueron expedidos como parte de un provechoso intento de utilizar a las organizaciones laborales como un peón de ajedrez en la lucha política contra sus enemigos convencionistas, fueron debidamente publicados por el gobernador Agustín Castro en enero de 1916, aunque se reconoció públicamente al mismo tiempo que esa legislación se implantaría "tan pronto como las circunstancias lo permi-

---

[78] AHDN, 212 ff. 46-7. El Club Liberal de Estudiantes a Carranza, 17/2/17; el expediente 213 contiene ejemplos de la propaganda anticarrancista que se distribuyó en Oaxaca en 1918.

[79] Véase David Raby, *Rural Teachers and Social and Political Conflict in Mexico 1921-40*. Tesis inédita para optar el doctorado en Filosofía, Warwick, 1970.

[80] De hecho se habían implantado en Oaxaca innovaciones radicales antes de que concluyera el año de 1920 con el establecimiento de un cuerpo de profesores voluntarios no profesionales para combatir el difundido analfabetismo en el estado, que se conocería como "Profesores honorarios de educación elemental". PO, I, núm. 10, 15/7/20.

tan''.[81] Las circunstancias permitieron, no obstante, el establecimiento de una sucursal de la militante Casa del Obrero Mundial en Salina Cruz en noviembre de 1915, y la inauguración de la Federación de Sindicatos Obreros de Oaxaca en mayo de 1916, en el edificio del Teatro Juárez, en la capital del estado.[82]

El estímulo y el aliento que se dio a la organización de la fuerza de trabajo urbana fue algo irónico, dado que la lentitud como de tortuga con que caminaban la industrialización y el crecimiento urbano en Oaxaca durante el siglo XIX no había tenido como resultado que surgiera un proletariado urbano politizado. Pero si la luna de miel entre el régimen de Carranza y las organizaciones laborales fue breve, en Oaxaca el matrimonio apenas si quedó consumado. La ola de huelgas en la ciudad de México que provocó la devaluación de la moneda en el verano de 1916 trajo consigo una reacción de disgusto por parte de Carranza. Declaró que la huelga de los trabajadores de los transportes, del agua y de la electricidad era criminal y antipatriótica, e implantó la pena capital para los trabajadores que resultaran culpables de iniciar huelgas, declarando que el propósito de la Revolución era ''la destrucción de la tiranía capitalista'', pero no la creación de la ''tiranía de los trabajadores''. El decreto fue declarado vigente en Oaxaca en noviembre de 1916, después de la declaración de la ley marcial en la misma ciudad en agosto, combinación que restringió seriamente las actividades de la naciente organización laboral del trabajo en el interior del estado.[83]

El único grupo de trabajadores que pudo verse beneficiado en el periodo del gobierno preconstitucional de Oaxaca fue el de los empleados del estado. Para festejar la ocupación de la capital de Oaxaca en marzo de 1916, se otorgó a los empleados del gobierno un aumento de sueldo del 100%; en mayo de 1916, en vista de la escasez de artículos de primera necesidad en el estado, las autoridades militares establecieron un almacén (con un subsidio de 25 mil pesos) para el uso exclusivo y el abastecimiento de los empleados del estado; en febrero de 1917 a todos los que trabajaban para el gobierno se les otorgaron generosas concesiones para los casos de enfermedad y vacaciones anuales (hasta de un mes y medio con pago del sueldo). Las autoridades en Oaxaca estaban impacientes por que los empleados del estado no sufrieran perjuicios a causa de la escasez de moneda y en consecuencia quedaron exentos de la aceptación forzosa de los bonos emitidos por el régimen como pago hasta del 50% del sueldo (las tropas constitucionalistas también quedaron exentas)[84]

LA ECONOMÍA LOCAL

Las medidas adoptadas por el régimen constitucionalista para amortiguar en sus empleados el efecto de los problemas financieros son una obvia indicación de las

[81] PO, II, núm. 5, 20/1/16; los detalles de las negociaciones entre los constitucionalistas y la Casa del Obrero Mundial a fines de 1914 y en 1915, y la formación de Batallones Rojos se incluyen en Hart, *Anarchism and The Mexican Working Class,* pp. 127-130. (Austin, 1978).

[82] Márquez, *op. cit,* pp. 174-185.

[83] PO, III, núm. 20, 23/11/16.

[84] La implantación de una estricta jornada de 8 horas para los que trabajan en las tiendas y ofi-

dificultades que se experimentaban en el manejo de la economía local. Las pruebas que suministra Oaxaca ponen en duda la estimación de que el régimen de Carranza "revivió una economía hecha añicos".[85] El predominio de la legislación monetaria y fiscal promulgada entre 1915 y 1920 atestigua el hecho de que los más apremiantes problemas a los que se enfrentaban los gobiernos de la nación y del estado eran de carácter financiero y estaban relacionados con la reglamentación y el control de la explotación de los recursos económicos de la nacion. Durante todo el periodo el régimen procuró mantener un precario equilibrio entre el control central de la economía con propósitos tanto de ingresos como de política, y la promoción tentativa de la regeneración de la economía que habría de suministrar la base de los beneficios sociceconómicos prometidos por los representantes y los apologistas del constitucionalismo. El principio del nacionalismo económico quedó firmemente establecido y constituía una redefinición de las reglas bajo las cuales el capital extranjero y los empresarios individuales podrían operar en México. Pero la implantación de la "reorganización económica de la nación" quedó frustrada por los perennes problemas de la época: la inestabilidad monetaria, la interrupción del comercio interno e interregional, la escasez de mercancías básicas y la inflación de los precios de los productos básicos.

La depreciación en el valor del peso había llegado a un punto crítico para el verano de 1916. En 1905 el peso estaba bajo el patrón de oro, con un valor en el mercado de Nueva York de 49 centavos (de dólar de los Estados Unidos). A pesar de los trastornos producidos por la revolución de Madero, el valor internacional del peso era aún de 40 centavos en mayo de 1913. La guerra civil redujo su valor de manera espectacular: en abril de 1915 el peso tenía un valor de 10 centavos y para junio de 1916 había caído a 2 centavos.[86] La moneda metálica prácticamente había desaparecido de la circulación, substituyéndosele por un número excesivo de bonos y papel moneda emitidos por los jefes militares locales de ambos bandos del conflicto. El papel moneda convencionista y el villista se habían desacreditado a consecuencia de las derrotas militares y políticas del verano de 1915, dejando en circulación unos 700 millones de pesos, representados por una gran variedad de papel moneda constitucionalista. La falta de las necesarias garantías y seguridades y las falsificaciones generalizadas tuvieron como resultado una constante depreciación en su valor. El régimen de Carranza fijó el valor de los billetes de "papel antiguo" en 10 centavos, pero se reconocía generalmente que para los tres primeros meses de 1916 carecían totalmente de valor: en todo México los comerciantes, los negociantes y los humildes tenderos se rehusaban a aceptar los billetes o los aceptaban a un valor sumamente reducido de 3 centavos.[87]

La solución de Carranza al problema de la moneda consistió en la creación de una Comisión Monetaria que estaría presidida por la Secretaría de Hacienda y que debería vigilar la emisión de otros 500 millones de pesos de "papel nuevo" o "infalsificable" en forma de billetes de banco que se pondrían en circulación el

cinas benefició aún más a los borócratas al servicio del estado, po, VI, núm. 17, 24/4/19/.

[85] Richmond, tesis, *op. cit.* p. 27.

[86] Kemmerer, *Inflation and Revolution 1912-17*, citado por Richmond, *ibid.*, p. 30.

[87] po, II, núm. 19, 11/5/16.

1o. mayo de 1916. El propósito de la nueva emisión no era el de realizar un cambio directo del papel viejo por el nuevo, sino el de hacer una emisión controlada que estableciera un valor más permanente del nuevo papel moneda. En consecuencia, los nuevos billetes entrarían en circulación por medio del pago de sueldos, y los antiguos se utilizarían en el pago de impuestos federales (con valores de 20 y 10 centavos respectivamente), con el doble propósito de que la Comisión Monetaria reconstituyera sus reservas en oro en cantidad suficiente para garantizar la emisión y retirara de la circulación el papel antiguo para el 31 de diciembre de 1916.[88]

Ya desde entonces era evidente que para fines de 1916 el valor declarado del nuevo papel moneda infalsificable no podría ser mantenido. En noviembre se declaró que el oro y la plata serían las únicas monedas de curso legal y durante todo el año de 1917 se hicieron intentos de reconcentrar en la Tesorería los billetes infalsificables, en donde podrían ser destruidos autorizándose mientras tanto que se utilizaran en el pago de ciertos impuestos federales, que iban de los derechos de exportación e importación al impuesto del timbre sobre los metales y el petróleo. A causa de las insuficientes reservas de oro y plata, el gobierno en seguida restringió la exportación de la plata y prohibió totalmente la de oro. Los bancos comerciales de emisión quedaron sujetos a estricto control y reglamentación y muchos se vieron obligados a entrar en liquidación entre 1914 y 1918, aunque nunca se llegó a establecer el plan de Carranza de crear un sólo banco de emisión del estado. A pesar de esas medidas, la declinación en la producción de oro y plata durante el periodo de Carranza y la espectacular fluctuación en su valor en el mercado internacional hizo que la tarea de controlar el abastecimiento de moneda a la economía doméstica fuera compleja y precaria. El regreso de la moneda metálica en 1917 fue una bendición a medias: si bien la inflación y la especulación con la moneda quedaron progresivamente bajo control, la escasez de dinero tuvo un efecto perjudicial en todos los tipos de negocios.[89]

Las pruebas que suministra Oaxaca en esa época hacen pensar que la legislación monetaria de Carranza encontró una fuerte resistencia. Jesús Acevedo, quien asumió el cargo de gobernador del nuevamente establecido Estado Libre y Soberano de Oaxaca en mayo de 1920, después de haberse concertado el Pacto de San Agustín Yatarení, tuvo que requerir a todos los presidentes municipales del estado para que impusieran multas y si era necesario encarcelaran a todos los individuos que continuaran negándose a aceptar las nuevas monedas de plata

---

[88] PO, II, núm. 18, 4/5/16; Carranza se mostró inflexible al negarse a negociar préstamos extranjeros.

[89] PO, IV, núm. 12, 22/5/17; las cifras de la producción de los principales metales son las siguientes:

Año	Oro	Plata	Cobre (kilos)
1910	41 419	2 416 699	48 160 355
1915	7 358	910 052	205 978
1919	23 586	1 988 518	56 172 235
1920	23 370	1 919 972	46 056 900

FUENTE: *Mexican Year Book 1920-21*, p. 282.

que se habían acuñado para reemplazar al antiguo peso de plata, que se retiró de la circulación en noviembre de 1918.[90] Esa resistencia había sido un fenómeno recurrente durante todo el periodo del gobierno preconstitucional. La renuencia a aceptar el papel moneda constitucionalista, desacreditado y sin valor, quedó comprobada por los comerciantes del Istmo de Tehuantepec desde la llegada de un numeroso destacamento de tropas constitucionalistas a la región con posterioridad al mes de agosto de 1914. Los comerciantes que realizaban operaciones en el estado estaban bien conscientes de que los productores campesinos no aceptarían ningún tipo de billetes constitucionalistas.[91] La llegada del gobierno preconstitucional a Salina Cruz no debilitó en manera alguna su determinación. Un grupo que representaba al comercio de Tehuantepec se quejó ante Agustín Castro de que el jefe de las armas de la localidad los había obligado a aceptar billetes que ya habían sido retirados de la circulación por decreto.[92]

Las quejas de la comunidad mercantil se contrarrestaron por las acusaciones de los civiles de que esos mismos comerciantes realizaban muy cuantiosas ganancias con el acaparamiento de las mercancías hasta el momento en que la escasez de los artículos de primera necesidad hubiera determinado un aumento en el precio. Se reclamaba que el precio de 120 litros de maíz en la ciudad de Oaxaca en junio de 1917 era de 12 pesos, en comparación con el precio en 1911, que era de 2.50 pesos[93] Las autoridades militares de Oaxaca estaban al tanto de los "continuos abusos del comercio" y expidieron una serie de decretos concebidos para controlar la venta y el precio de todas las mercancías, y particularmente a fin de mitigar la escasez de los artículos de primera necesidad. Una de las primeras circulares que se enviaron a los presidentes municipales por la recién establecida administración, les ordenaba imponer multas a todos los traficantes que no dieran cumplimiento a la vigente legislación sobre pesas y medidas. En enero de 1916, se estableció en Salina Cruz una Comisión Reguladora de Precios, y el 1º. de abril las autoridades militares impusieron una prohibición total a la exportación del estado de artículos de primera necesidad: maíz, arroz, frijol, azúcar, papa, garbanzo, harina, café y grasas animales, y simultáneamente ordenaron a los comerciantes que sacaran a la venta todas la mercancías que tuvieran en existencia. A fin de facilitar las transacciones de menor cuantía en el mercado local, el gobierno preconstitucional se unió a las filas de otras administraciones regionales y emitió 125 mil pesos en vales con denominaciones de 50 a 25 centavos. En mayo de 1916 se amplió la lista de mercancías que tenían señalado un precio oficial, invocándose la sanción de retirar el permiso para ejercer el comercio, no sólo contra los comerciantes que hubieran violado el precio oficial, sino contra los que hubieran cerrado sus locales y se rehusaran a comerciar. Esa legislación fue acompañada por una campaña de propaganda que intentaba convencer al público de que "el alto comercio y los bancos" eran los culpables de la inestabili-

[90] PO, I núm. 28, 18/11/20.
[91] AC, presidente municipal de Rincón Antonio a Carranza 28/8/14; el papel moneda aún no era aceptado (y casi imposible de obtener) en la Sierra de Juárez en 1925, Young, *op. cit.*, p. 218.
[92] AGEO; expediente marcado "Departamento de Estado 1916".
[93] AHDN, 212, f. 114.

dad financiera y monetaria, de la inflación y de la escasez de mercancías, porque se habían rehusado a dar cumplimiento a la legislación del gobierno, como parte de un plan coordinado de obstruir la "labor revolucionaria" de la administración constitucionalista.[94]

La prohibición de exportar alimentos básicos y las sanciones impuestas a los comerciantes locales continuaron en vigor durante todo el periodo del gobierno preconstitucional en Oaxaca. Ocasionalmente y en respuesta a una presión local, era posible convencer a las autoridades para que moderaran la prohibición de hacer algunas exportaciones, como en el caso del café.[95] Las pruebas que se mencionan anteriormente indican de igual manera que los "convenios" que se celebraban entre los comerciantes y los jefes militares de la localidad permitían hasta cierto punto el comercio exterior, aunque esto resulte imposible de cuantificar. De cualquier manera resulta, no obtante, que las ganancias derivadas del comercio exterior valían la pena de incurrir en los riesgos que implicaban. La exportación de ganado del estado había incrementado en los primeros meses de 1920 hasta convertirse en una práctica lucrativa, frecuentemente ilícita, ya que numerosas cabezas de ganado eran robadas o se habían "importado" de regiones que quedaban fuera del control del gobierno del estado. El impuesto de 25 pesos por cada cabeza de ganado que se exportara no había logrado poner un alto a la exportación, y la amenaza de dejar de abastecer de carne a la capital del estado y de suministrar bueyes a los agricultores llegó a un extremo tal que se tuvo que imponer una prohibición absoluta. Esto provocó a su vez una reacción inmediata y hostil de los agricultores istmeños, quienes reclamaban que la prohibición los privaría de su única fuente de ingresos.[96]

Las medidas que tomaron las autoridades carrancistas de Oaxaca pueden haber exacerbado el conflicto de intereses entre el régimen y los comerciantes y agricultores, pero fue poco lo que contribuyeron a aliviar la escasez de alimentos que sufrían los habitantes del estado. Las más graves hambrunas ocurrieron de 1915 y 1916, y coincidieron con el más intenso periodo de actividades militares en el interior del estado en toda la Revolución. Las memorias y los relatos de los contemporáneos cuentan una historia idéntica: Agustín Castro informó a Carranza la grave escasez de maíz en la región del Istmo en mayo de 1916; Ibarra describió el lamentable aspecto de familias enteras que vagaban de pueblo en pueblo y de casa en casa en una infructuosa búsqueda de alimentos a causa del cierre de los mercados en la Sierra de Juárez; y en la Mixteca las consecuencias de la guerra se agravaron por la sequía y por la resistencia de los comerciantes a aceptar cualquier tipo de moneda que no fueran las monedas de plata, y obligó a los habitantes a sobrevivir alimentándose únicamente de hierbas y tunas. Esa época de grave hambruna coincidió y contribuyó a la propagación de epidemias de tifoidea y viruela en todo el estado.[97]

[94] po, I, núm. 9, 11/11/15 AHDN, 211, f. 94 incluye una lista de mercancías, precios oficiales y sanciones.

[95] po, II, No 22, 1/6/16.

[96] AHDN, 214 ff. 6-9, 3/3/20.

[97] AHDN, 211 f. 60, Agustín Castro a Carranza 20/5/16; Ibarra, p. 125; Saúl, *Mi madre y yo; sucesos históricos de la Mixteca*. pp. 250-258; AGEO, Expediente "Epidemias de tifo y viruela 1915".

Aunque persistían las escaseces, las hambrunas de 1915 y 1916 no se repitieron. Existen buenas razones para suponer que la depresión económica general que caracterizó a los años constitucionalistas indujo un cierto grado de autosuficiencia económica en las diversas zonas geopolíticas que forman el estado de Oaxaca. (El Valle Central, la Sierra, la Mixteca, la costa del Pacífico, el Istmo). En este sentido es posible ver que la Revolución en Oaxaca produjo una repetición del patrón de depresiones cíclicas de la economía local en el siglo XIX.[98] Parece que esta hipótesis se apoya en lo acontecido en la Sierra Mixteca y en la Sierra de Juárez, particularmente en relación con la autosuficiencia de la producción de alimentos. El gobierno carrancista en Oaxaca supuso que las rebeldes Fuerzas Defensoras del Estado se morirían de hambre cuando se remontaran a sus respectivas sierras en 1916, pero sus suposiciones resultaron equivocadas. La naturaleza esporádica de los combates era indicativa de que la mayoría de los campesinos que combatían como soldados rasos de las milicias serranas regresarían a sus pueblos cuando no estuvieran en servicio activo. Cuando la producción local resultó insuficiente para satisfacer todas las necesidades, otras mercancías producidas en la localidad (como los minerales y el ganado, por ejemplo) se podrían canjear por los abastecimientos y equipos necesarios. A través de todo el estado, los productores campesinos mostraron su resistencia al trastorno crónico civil entre 1915 y 1920 de la misma manera en que habían reaccionado ante la endémica intranquilidad civil del siglo XIX.[99]

De cualquier manera, debe hacerse hincapié en que para 1920 las bajas en los combates, las epidemias, el hambre y la emigración habían tomado su tributo en la población y en la economía del estado. Pero es difícil cuantificar el grado en que la base productiva del estado había quedado destruida al finalizar el periodo del gobierno preconstitucional, aunque el perjuicio era indudablemente muy considerable. La tendencia a regresar a la agricultura de subsistencia significaba inevitablemente que los cultivos especializados que se encaminaban hacia el mercado de exportación, y que fueron introducidos durante las dos últimas décadas del siglo XIX como respuesta a los estímulos económicos del porfiriato, habrían de sufrir las consecuencias. El apoyo de esta hipótesis proviene de un reciente estudio del efecto de la introducción del cultivo del café en la economía local de la Sierra de Juárez.[100] El café se había introducido en la Sierra durante los años de 1870, y para 1900 la producción era muy abundante en las zonas cálidas y húmedas de la región. Para 1910 la explotación del café ya había producido cambios demostrables aunque no revolucionarios en el patrón tradicional de interdependencia de las zonas en los pueblos de la sierra. Los pueblos que no se dedicaban directamente a la producción de café suministraban el maíz y el transporte necesario hacia el mercado de mayoreo en Tlacolula, en el valle de Oaxaca, para los productores. La mayoría de las transacciones se realizaban con base en el trueque (en el que el ocote y la sal eran los medios de intercambio más comunes), y las ganancias que acumulaban tanto los productores como los inter-

[98] Cassidy, tesis, *op. cit*, p. 27; véase el capítulo I,
[99] Cassidy, *ibid.*, pp. 200-228; Ibarra, p. 178; AHDN, 214, f. 85, 13/11/19.
[100] Young. *The Social Setting of Migration, op. cit.*

mediarios, al principiar el siglo XX, habían empezado a generar significativos desequilibrios en la riqueza entre los miembros de las comunidades de la Sierra, que a su vez provocaron un cierto grado de tensión en las instituciones sociales tradicionales. Todo este proceso se trastornó seriamente por la Revolución y la naciente industria del café requirió un tiempo considerable para recuperarse de ese contratiempo. Las pruebas de que se dispone demuestran claramente que a consecuencia de los disturbios, la economía de la Sierra volvió a ser de trueque, y no fue sino hasta los años de 1930 cuando ocurrió la monetarización de la economía, lo que significó su incorporación a la economía nacional y la progresiva interrupción de la autosuficiencia económica de la región.[101]

En cuanto a las zonas ubicadas fuera de la Sierra, en donde había importantes inversiones de capital en las plantaciones de café y en las fincas, de los distritos de Cuicatlán, Teotitlán, Tuxtepec y Pochutla, las pruebas disponibles sugieren que la explotación comercial en una mayor escala sufría igualmente a consecuencia de la Revolución. En el transcurso del 1917, 14 propiedades dedicadas a la producción de café (8 plantaciones, 5 terrenos y 1 finca) tan sólo en Cuicatlán fueron "intervenidas" por las autoridades militares de acuerdo con las disposiciones de la Ley de Facultad Económico-Coactiva de 1861 por falta de pago del impuesto predial, que ascendía a un total de 27 948 pesos. No obstante, las prevalecientes condiciones económicas no disuadieron a los inversionistas de hacer inversiones en la producción de café. En septiembre de 1918 Cornelio Cruz obtuvo un préstamo de 20 mil pesos para adquirir dos fincas cafetaleras en el distrito de Pochutla, en la "tierra caliente" de la costa del Pacífico. Los términos en que se concertó el préstamo reflejan o bien la rentabilidad potencial de la producción de café o la insensatez del señor Cruz. Se le obligó a pagar el importe total de la deuda para fines de marzo de 1920 o, si eso resultaba imposible, se convino en que todo el café producido pasara a manos de sus acreedores mientras la deuda no hubiera quedado redimida. En mayo de 1920 aún quedaban pendientes de pago 18 704 pesos y, como Cruz dejó de entregar su cosecha, le fue embargada su finca.[102]

La depresión económica de los años constitucionalistas tuvo también un efecto perjudicial en las industrias más tradicionales del estado. La industria minera había resultado afectada particularmente por las depresiones cíclicas de la economía local durante el siglo XIX, pero al finalizar el siglo la minería ya era la principal beneficiaria del fomento económico del porfiriato, que en Oaxaca se precipitó por la llegada del Ferrocarril Mexicano del Sur en 1892, y sobre todo con la construcción de ramales que ligaban a la capital del estado con los centros mineros de Tlacolula, Ejutla y San Jerónimo Taviche, en Ocotlán. La legislación federal estimuló muy considerablemente a la industria. La Ley Minera de 1892 otorgó a los concesionarios de minas exenciones de impuestos federales y locales, de los derechos de importación sobre los materiales y la maquinaria y de los de exportación del producto de las minas. Los incentivos resultaron muy efectivos. En 1898 estaban registrados en Oaxaca un total de 313 fundos mineros, pero

---

[101] Young, *ibid.*, pp. 211-239.
[102] PO, I, núm. 4, 3/6/20.

para 1904 esta cifra se había elevado a 1 324 y en 1909 el total había llegado a 1 989.[103]

Una importante proporción de los que habían hecho inversiones en la minería en Oaxaca eran extranjeros. En la región de los Taviches en 1910 se calculaba que en una superficie de 40 millas cuadradas operaban más de 40 compañías norteamericanas. Todavía en 1915 de las 24 concesiones otorgadas por el gobierno del estado soberano en 14 los concesionarios eran extranjeros.[104] No obstante, la confianza entre todos los inversionistas continuó declinando bruscamente con posterioridad a 1915. El número total de concesiones mineras otorgadas por las autoridades militares de Oaxaca fue solamente de 8 en los dos años de 1916 y 1917, y aun cuando la cifra se elevó a 19 en 1918 y a 25 en 1919, no se puede suponer que ello constituyera un renacimiento de la confianza en la industria, puesto que un cierto número de ellas fueron consecuencia de nuevas solicitudes formuladas en cumplimiento de un decreto de abril de 1917 que declaraba la nulidad de todas las concesiones mineras otorgadas por la administración anterior con posterioridad a la Declaración de la Soberanía.[105] De las 64 concesiones otorgadas en total entre 1916 y 1920 por el gobierno preconstitucional, solamente 12 fueron en favor de empresas mineras extranjeras. La reducción en la proporción de inversionistas extranjeros fue indudablemente una consecuencia de la legislación nacionalista del periodo de Carranza con respecto a la propiedad y explotación de los yacimientos del subsuelo, pero en el mismo grado por el estado de anarquía que prevalecía en los remotos distritos mineros y por las mayores cargas fiscales impuestas a la industria en general.

El artículo 27 de la Constitución de 1917 era muy preciso al declarar que únicamente los mexicanos por nacimiento o por naturalización tenían el derecho de obtener concesiones para la explotación de minas o yacimientos minerales, con la advertencia de que se podrían conceder los mismos derechos a los extranjeros, "siempre que convengan ante la Secretaría de Relaciones en considerarse nacionales respecto de dichos bienes y en no invocar, por lo mismo, la protección de sus gobiernos." En la práctica, sin embargo, la renuencia de los concesionarios extranjeros a dar cumplimiento a esos requisitos legales, y la urgente necesidad de obtener ingresos de la Tesorería de la Federación determinaron que su aplicación no fuera muy estricta en toda la República. En julio de 1918 el Secretario de Industria y Comercio reconoció que la mayoría de los mineros extranjeros no había presentado solicitudes a la Secretaría de Relaciones Exteriores, y anunció que se ampliaría el plazo límite hasta el 31 de agosto.[106] Era notorio igualmente que el cumplimiento del artículo 27 entraba en conflicto con el decreto de Carranza de septiembre de 1914 que exigía que se explotaran todas las mi-

---

[103] El impuesto sobre las propiedades mineras era la mayor fuente de ingresos del gobierno del estado en 1909; *Mexican Yaer Book* (1910) p. 598.

[104] Estas cifras no están completas, ya que dos terceras partes del volumen XXXV del *Periódico Oficial* del Gobierno Soberano de 1915 han desaparecido del Archivo del Estado (AGEO). Por lo tanto se puede suponer que el número real de las concesiones otorgadas era por lo menos del doble de esta cifra.

[105] PO, IV, núm. 17, 26/4/17.

[106] PO, V, núm. 31, 22/8/18.

nas del país, bajo la amenaza de que las que se dejaran inactivas serían intervenidas para que las operara el gobierno. Esa amenaza inquietaba a todos los propietarios y concesionarios de minas hasta 1920, y se le utilizó principalmente para forzar a los mineros recalcitrantes a que pagaran las nuevas cuotas impuestas por el régimen: en la práctica, la amenaza de la confiscación quedó con frecuencia en suspenso a cambio de la ampliación del plazo límite señalado para el pago de las contribuciones.[107]

Los aumentos en la tasa del impuesto a la explotación minera dictados por la administración constitucionalista constituyeron una carga muy pesada sobre la industria. En 1912 el gobierno de Madero había establecido un impuesto del timbre sobre los títulos mineros de 5 pesos por pertenencia (unidad de medida que corresponde a una hectárea); un impuesto predial de 6 pesos por hectárea anualmente (para propiedades hasta de 25 hectáreas, de 3 pesos por cada hectárea adicional); y derechos de exportación sobre los minerales de oro y plata del 3½, y de 2½% sobre oro y plata en lingotes, y derechos de importación sobre las refacciones y la maquinaria. El 1o. de marzo de 1915 el gobierno de Carranza expidió el primero de una serie de decretos que tenían el propósito de incrementar los ingresos y al mismo tiempo estimular el fraccionamiento de algunos de los fundos muy extensos propiedad de compañías extranjeras. El impuesto del timbre se aumentó a 10 pesos por hectárea y se creó un impuesto predial progresivo que se cubriría anualmente, sobre la base de 12 pesos por pertenencia, que se incrementaba según el número de pertenencias. Los derechos de exportación se elevaron a 6½% sobre los lingotes y a 8½% sobre el mineral.[108]

Las cifras de la producción nacional para 1915 ilustran la grave depresión de la industria minera si se le compara con las cifras de 1910.[109] La baja en la producción coincidió con la caída del precio internacional de la plata de 53 centavos (de dólar norteamericano) la onza en 1910 a 49 centavos en 1915. En abril de 1916 el gobierno, como respuesta a las presiones, redujo a la mitad la base del impuesto por pertenencia y al mismo tiempo anunció que todas las exportaciones de oro y plata quedarían sujetas a un impuesto *ad valorem* del 10%. Esa medida provocó airadas protestas de las empresas mineras extranjeras, que se quejaban de que tal porcentaje, cuando se tomaran en cuenta los costos inflados de la refinación y del transporte, eliminaría cualquier ganancia. La prohibición total de exportar oro y plata en barras impuesta en diciembre de 1916 a consecuencia de la crisis monetaria, constituyó otro duro golpe a la ya malherida industria.[110]

Los impedimentos económicos y los ataques legislativos coincidieron con el surgimiento de la violencia y de los atentados físicos contra los mineros y sus propiedades en 1915 y 1916. El robo de propiedades y abastecimientos por los bandidos, los rebeldes, los revolucionarios y las tropas constitucionalistas (que con frecuencia no se podían distinguir) eran lo usual en esa época. En Oaxaca, el ingeniero de minas norteamericano Howard Elton fue ejecutado por un "Conse-

[107] PO, IV, núm. 12, 22/3/17, VI, núm. 49, 4/12/19.
[108] *Mexican Year Book 1920-21*, pp. 277-278.
[109] Véase la nota 89 supra.
[110] FO, 371/480 1/5/16; PO IV, núm. 6, 8/2/17.

158

jo Extraordinario de Guerra'' de tropas carrancistas en diciembre de 1916 bajo el cargo de complicidad con los rebeldes soberanistas, lo que trajo consigo las protestas de la embajada norteamericana y la turbación de Obregón, que había ordenado que se suspendiera la ejecución.[111] Como resultado de la inseguridad en las vidas y propiedades, numerosas compañías se vieron obligadas a suspender temporalmente sus operaciones y en algunos casos a abandonar totalmente sus propiedades. La destrucción de las vías del ferrocarril y del material rodante afectó también seriamente a la industria, lo que frecuentemente obligó a interrumpir por completo las actividades, ya sea por la falta de refacciones o porque el mineral no se podía embarcar en las minas. El número de carros con los que operaba el Ferrocarril Mexicano del Sur en la ruta de Puebla a Oaxaca se había reducido a 274 en 1917 de un total de 335 en 1911, aunque el movimiento del equipo determina que estas cifras no sean muy confiables.[112]

Las estadísticas de la producción minera que se han publicado hacen pensar que la industria nacional ya había revivido para 1919.[113] El mercado que abrió la Guerra Mundial trajo consigo una demanda sin precedentes y un aumento espectacular en los precios y parecía que los impedimentos de los años de la Revolución se habían atenuado. En Oaxaca, sin embargo, la situación de la industria minera en 1919 parecía peor que en 1915. En numerosas minas las operaciones se habían suspendido y, en tanto que algunas se habían abandonado, en otras se conservaba un personal mínimo para realizar el necesario mantenimiento y los trabajos subterráneos para impedir que las minas se inundaran. Los aislados campos mineros de Tlacolula, Ocotlán y Ejutla, en los valles centrales, ubicados al sur de la capital del estado, fueron fácil presa de las numerosas bandas de merodeadores que venían de la Sierra de Juárez y de la Mixteca. Las tropas constitucionalistas no impartían protección alguna contra esas incursiones y en numerosos casos los mineros exigían una adecuada ''compensación'' para impedir que se iniciara alguna acción por complicidad con los rebeldes.[114] La Agencia de Minería en Nochixtlán, que tramitaba las solicitudes de concesiones mineras en la Mixteca, y que continuó sus operaciones durante los peores años de perturbaciones revolucionarias fue clausurada en octubre de 1918 por las ''circunstancias que prevalecen en la región''. Las operaciones de la Agencia de Minería en Ejutla se trasladaron a la agencia central en Oaxaca en septiembre de 1919 en vista de los continuos ataques de los rebeldes.[115]

Las estadísticas oficiales acerca del número de fundos mineros registrados en Oaxaca con posterioridad a 1920 muestran la declinación en la industria de la localidad. El total de 1 989 propiedades en 1909 había quedado reducido a 1 526 en 1920 y a 1 501 para fines de 1922. Aún más significativa es la reducción de la superficie en explotación. El total de 19 646 hectáreas en 1909 se redujo a

[111] AHDN, 211 ff. 87-90 Obregón a Agustín Castro, 8/12/16.
[112] Mexican Year Book 1920-1.
[113] M. Bernstein, The Mexican Mining Industry 1890-1950 (1966), pp. 118-222
[114] FO, 371/206; los mineros extranjeros sufrieron particularmente las consecuencias de esas incursiones, según los informes consulares ingleses.
[115] PO, V, núm. 49, 5/12/18; VI, núm. 19, 28/9/19.

13 466 en 1920 y a 13 139 en 1922. No obstante, se debe tener presente que ése era el número y la superficie de las propiedades sobre las cuales se habían pagado impuestos, y por lo tanto no reflejan los niveles de la producción. El hecho de que solamente se registraran 36 nuevos títulos sugiere que los inversionistas aún no habían vuelto a tener confianza, especialmente en comparación con el auge que presenció la década de 1900 a 1910.[116]

Los datos que se han tomado del *Periódico Oficial* indican que para 1920 tanto los empresarios individuales como las compañías mineras pasaban por dificultades financieras que fueron suficientes para obligarlos a salir del negocio. En mayo de 1913 un tal Mr. W.R. Wallace obtuvo un préstamo de 7 400 pesos de Henry Domville, administrador inglés de un grupo de minas ubicadas en el campamento cerca de San Martín de los Cansecos, en Ejutla, para la adquisición y explotación de dos minas en San José, distrito de Ocotlán. Los términos del contrato requerían que Wallace reembolsara el importe total del préstamo en un plazo de dos años, más intereses a la tasa de 10% anual. Para noviembre de 1919 no se había pagado ni el capital ni los intereses, y la propiedad de Wallace fue embargada y posteriormente se puso a remate.[117] En febrero de 1920 la Sociedad Minera de San Juan Taviche fue declarada formalmente en quiebra por su incapacidad de cubrir adeudos en favor de sus acreedores que ascendían a un total de 279 479 pesos.[118] En marzo de 1917 los representantes legales de la Corpus Christi Mining Company, de propiedad norteamericana, que era propietaria de una planta fundidora y procesadora en Xanica, en el distrito de Miahuatlán, fueron notificados de que adeudaban 1 144 pesos por no haber pagado los impuestos prediales y sobre la minería desde 1911. Transcurrió un año sin que las autoridades continuaran el procedimiento y entonces se anunció que en vista de que la compañía no había reaccionado en ninguna forma, y de que la suma adeudada ya ascendía 2 278 pesos (al agregarse el importe de los recargos y de un incremento en el impuesto federal del timbre decretado en marzo de 1918), la propiedad sería embargada y después rematada de conformidad con las disposiciones de la ley de Facultad Económico-Coactiva. En 1921 las propiedades de la más importante compañía minera en operación en Oaxaca, la Compañía Minera de Natividad y Anexas, de Ixtlán, fueron embargadas por un adeudo de 181 580 pesos en favor de la Tesorería del Estado.[119]

En general, eran muy reducidos los estímulos que daban a la industria las autoridades militares en Oaxaca. El gobernador Agustín Castro declaró en febrero de 1916 que uno de los principales propósitos de la Revolución era el de poner fin a

> los odiosos monopolios... los detestables privilegios... (y) las onerosas concesiones, llevadas a cabo a la sombra de compadrazgos, de parentescos o de influencias, en provecho de unos cuantos explotadores y en perjuicio de la mayoría de los mexicanos.

[116] *Mexican Year Book, 1910, 1920-1921, 1922-1924.*
[117] PO, VI, núm. 49, 22/11/19; I, núm. 6, 20/7/20.
[118] PO, VII, núm. 8, 19/2/20.
[119] PO, IV, núm. 14, 15/4/17; V, núm. 22, 30/5/18; *Informe del gobernador Manuel García Vigil a la XXVIII legislatura del estado,* 16/9/21.

De todas maneras, reconocía que los abundantes y subexplotados recursos minerales y agrícolas del estado no se podrían fomentar sin capital, y en consecuencia hizo una abierta invitación a todos los "capitalistas honorables" para que invirtieran en empresas industriales y comerciales en Oaxaca, asegurándoles que la administración revolucionaria les ofrecería su protección y todas las demás garantías que fueran necesarias.[120]

Es innecesario decir que la retórica revolucionaria no podría ocultar las duras realidades económicas de la época y, en cualquier caso, la invitación de Castro no fue apoyada por incentivos o iniciativas legislativos. Por lo contrario, a esas seguridades se acompañó la publicación de una circular de la Tesorería de la Federación en la que expresamente se prohibía a los gobiernos de los estados que otorgaran concesiones que confirieran injustas ventajas económicas, tales como la exención de impuestos, a las nuevas empresas industriales.[121] La decisión de Carranza de establecer un firme control de la explotación de los recursos económicos de la nación obstruyó y desvirtuó aún más el papel de las administraciones regionales. El decreto del 31 de agosto de 1916 prohibió a los gobiernos de los estados que expidieran leyes, decretos y hasta medidas administrativas que tuvieran relación con la reglamentación del comercio, la minería, las instituciones bancarias, los terrenos nacionales y los bosques, las tierras comunales (ejidos), las aguas de jurisdicción federal, la pesca en aguas territoriales, la organización laboral o la explotación de los depósitos del subsuelo (carbón, petróleo e hidrocarburos).[122]

Como consecuencia, la actividad de los gobiernos estatales quedó restringida a los fines impositivos en vez de al estímulo de la economía local, encomendándoles el establecimiento de un estricto control del centro en cuanto a la aplicación de la abundante legislación fiscal que emanaba de la ciudad de México. También, las administraciones estatales quedaron autorizadas para establecer impuestos locales que tenían el propósito de cubrir los costos de la administración local. La base de los impuestos locales en Oaxaca fue establecida en diciembre de 1916, y a pesar de las fluctuaciones en los niveles de las tasas, permaneció en vigor durante todo el periodo del gobierno preconstitucional. En los impuestos locales quedaban incluidos los que afectaban toda la propiedad urbana y rural, las ventas, la explotación de café, tabaco, alcohol y madera, la marca y la matanza de reses, una gran diversidad de documentos legales (la traslación de dominio de propiedades o herencias, las operaciones que se deben inscribir en el registro civil, etc.), y el capital moral (impuesto *per capita* sobre los profesionistas). Otros ingresos provenían de la administración de fincas, de las multas y de las utilidades producidas por la imprenta del estado.[123]

Sin embargo, el hecho de que la autoridad política del gobierno constitucionalista en Oaxaca no se hiciera extensiva a la mayoría de los municipios constituyó

[120] "Importantes declaraciones acerca de la verdadera misión del capital", PO, II, núm. 8, 24/2/16.
[121] PO, II. núm. 1, 6/1/16.
[122] PO, III, núm. 13, 5/10/16.
[123] PO, I, núm. 16, 30/12/15; III. núm. 23, 14/12/16.

un serio obstáculo para la recaudación de rentas que realizaban los recaudadores designados por la administración del estado en las cabeceras de cada uno de los distritos políticos. Los ataques sobre los recaudadores y los desaguisados que los mismos cometían no contribuían a mejorar la situación. Un problema adicional para la salud de las finanzas del estado fue la elevación en el nivel de la contribución federal en proporción a los impuestos estatales, del 25 al 50% en agosto de 1916, y al 60% en marzo de 1918.[124] El más importante problema fiscal de la administración estatal de todas maneras seguía siendo la ausencia de una efectiva autoridad política, que desafiaba todos los intentos por atraer, halagar u obligar a los habitantes del estado, particularmente en las regiones más cercanas a los centros de actividad rebelde, para que atendieran los dictados de las autoridades militares de la capital del estado. Las repetidas amenazas encontraron una respuesta poco cooperativa, hasta que finalmente las autoridades aceptaron en marzo de 1920 que los impuestos que se hubieran pagado a las administraciones "ilegítimas" entre febrero de 1913 y septiembre de 1918 no se exigirían de nuevo, y que no se impondrían recargos por la falta de pago de los impuestos siempre que todos los impuestos causados de septiembre de 1918 en adelante quedaran cubiertos en su totalidad antes de que finalizara el mes de abril de 1920.[125] El establecimiento de únicamente 146 Juntas Municipales Calificadoras del Catastro de los 463 municipios del estado en mayo de 1910 era una indicación de que no se podría hacer un avalúo más realista de la propiedad urbana y rural con fines impositivos.

Por no haberse podido obtener ingresos en Oaxaca para sostener las erogaciones de las autoridades militares, Jiménez Méndez pidió a Carranza al ser nombrado gobernador, un préstamo mensual de 30 mil pesos, no solamente para atender los gastos administrativos sino también para "impulsar el desarrollo (de la) riqueza del Estado".[126] Pero cualesquiera que hayan podido ser las intenciones de las autoridades militares para promover el desarrollo del estado, una comparación del propuesto presupuesto de egresos del gobierno preconstitucional indica que tanto su capacidad financiera como su voluntad política habían declinado para 1920 (véase el cuadro 6). Es asombrosa la drástica reducción en el presupuesto, particularmente en el caso de Fomento, aunque es importante subrayar que cerca del 88% del presupuesto de Fomento para 1915 se debería erogar en gastos administrativos generales del establecimiento del gobierno preconstitucional. De todas maneras las cifras indican claramente el grado en que las autoridades militares estuvieron obligadas a economizar en un periodo de cinco años en todos los renglones del gasto público.

Es un ejemplo pertinente la erogación en Obras Públicas, que se redujo de la cantidad presupuestada de 30 700 pesos en 1916 a 8 416 pesos en el presupuesto para 1917 y a sólo 3 026 en 1920. El número del personal administrativo empleado en la coordinación de las obras se redujo de 9 a 3, y los que se quedaron

---

[124] Circular del tesorero del estado a los funcionarios fiscales, PO, VII, núm. 9, 26/2/20.

[125] PO, II, núm. 22, 1/6/16; III, núm. 21, 30/11/16; IV, núms. 18 y 29 3/5/17 y 19/7/17; VI, núm. 39, 25/9/19; VII, núm. 11, 11/3/20.

[126] AHDN, 212 ff. 64-5, 16/4/17.

tuvieron que aceptar una reducción en su sueldo por un mínimo de 40%. El monto destinado a obras materiales en los edificios públicos bajó de 12 mil pesos en 1916 a sólo cuatro mil en 1917 y 1920. Así pues, lo que afirmó Agustín Castro en 1915 de que la Revolución constitucionalista habría de fomentar el "embellecimiento de los pueblos" aún no era una realidad en 1920. Algo se hizo en materia de construcción y pavimentación de caminos, pero al plan detallado de mejoras en los sistemas de drenaje y electrificación quedó abandonado.[127]

REFORMA AGRARIA

La Secretaría de Fomento tuvo también bajo su responsabilidad la creación de la Comisión Local Agraria, establecida en Oaxaca en noviembre de 1916 para aplicar en el interior del estado las disposiciones del decreto de la reforma agraria de 6 enero de 1915. En enero de 1917 se envió una invitación oficial a todos los pueblos y comunidades legalmente constituidos en el estado para que presentaran solicitudes de restitución de tierras o ejidos ilegalmente invadidos, enajenados o usurpados ya sea por individuos o por autoridades federales en contravención a la Ley agraria de 1856, o para la dotación de parcelas de conformidad con sus necesidades agrarias.[128]

Se ha comentado con frecuencia la ausencia de un compromiso expreso de realizar una reforma agraria como una doctrina fundamental de la política carrancista con anterioridad a 1915. No se puede poner en duda que, a pesar del celo agrarista individual de determinados carrancistas, la incorporación del agrarismo en la ideología constitucionalista fue una consecuencia directa de la presión agrarista popular representada por los opositores políticos del régimen, en particular por el zapatismo. Como consecuencia, difícilmente podría sorprender que las declaraciones carrancistas al respecto fueran una bien conocida combinación de la retórica revolucionaria que prometía curar todos los males agrarios de la nación, y de los procedimientos burocráticos que invariablemente demorarían la aplicación de la subsecuente legislación. La legislación sólo se preocupó por los pueblos y otras comunidades agrícolas que ya estaban constituidos legalmente, pero pasó por alto las necesidades de una multitud de aparceros, arrendatarios y parceleros agrícolas, que constituían una parte fundamental de la infraestructura agraria nacional. Las solicitudes de tierras que no provenían de pueblos legalmente constituidos eran rechazadas de inmediato.[129]

A raíz de que la reforma agraria no había sido un tema muy destacado en la mayoría de las insurrecciones locales que ocurrieron en Oaxaca durante la fase inicial de la Revolución, la publicación del decreto de la Reforma Agraria en el estado (precisamente un año después de su promulgación original) provocó un número bastante considerable de peticiones ante la recientemente creada Comi-

[127] PO, III, núm. 7, 24/8/16.
[128] PO, IV, núm. 4, 25/1/17.
[129] La solicitud de los terrasgueros (arrendatarios y generalmente empleados de la hacienda) de la hacienda San José Lagarzona en Ocotlán fue rechazada con este fundamento, PO, IV, núm. 37, 30/8/17.

sión Local Agraria. [130] Aun desde antes de que se estableciera la Comisión, Agustín Castro había recibido numerosas solicitudes de pueblos del Istmo de Tehuantepec para la dotación o restitución de tierras ejidales, así como muy numerosas reclamaciones de pueblos que estaban implicados en disputas territoriales con sus vecinos.[131] Entre 1917 y 1920 la Comisión recibió en total 40 solicitudes del interior del estado, de las cuales solamente 9 tuvieron como resultado dotaciones de tierras hasta 1920. Las demás solicitudes se demoraron por un tedioso procedimiento burocrático hasta la siguiente década, y aún más en ciertos casos, a pesar de la advertencia que el presidente de la Comisión Local hizo a Carranza en el sentido de que la demora injustificada o las resoluciones desfavorables de la Comisión producirían "desagradables efectos" en los pueblos de Oaxaca, que creían que "su justa causa sería apoyada por los guardianes de la Ley Agraria".[132] A fin de que sus solicitudes siguieran su curso, los peticionarios fueron requeridos para que exhibieran el título legal del pueblo, las pruebas o la documentación de la usurpación de las tierras, una descripción topográfica o un plano de la zona y un censo detallado de los habitantes del pueblo. Después de habérsele suministrado esta información, que con frecuencia determinaba demoras mientras se llevaba a cabo una investigación en los archivos nacionales, la Comisión Local designaba a un ingeniero para que hiciera el apeo y deslinde de las tierras, y con base en el informe que rindiera, se sometía la recomendación de la Comisión Local a la aprobación del gobernador, después a la Comisión Nacional Agraria y por último al propio presidente de la República.

Los casos individuales ilustran las demoras en el procedimiento y las modificaciones a las que quedaban sujetas las solicitudes originales. El 1º. de noviembre de 1916 los habitantes de San Lorenzo Cacaotepec, en el distrito de Etla, formularon una solicitud a la Comisión Agraria Local para que les fueran restituidos ejidos de los que, según afirmaban, habían sido despojados. Esa solicitud fue rechazada con fundamento en que los documentos exhibidos demostraban que las tierras en disputa ya se encontraban en la posesión legal del pueblo, por lo que se presentó una nueva solicitud de dotación que fue aceptada. El topógrafo designado por la Comisión Local informó en enero de 1917 que las tierras que pertenecían al pueblo consistían aproximadamente en 800 hectáreas (en su mayoría inadecuadas para el cultivo) para atender a una población de 1 366 habitantes, de los cuales 364 eran jefes de familia. Los propietarios de la haciendas colindantes, La Blanca y Guadalupe, fueron notificados de la solicitud, y exhibieron documentación que comprobaba la legalidad de sus títulos y declaraciones en el sentido de que los vecinos de San Lorenzo estaban en posesión de todas la tierras que eran adecuadas para sus necesidades. El gobernador Jiménez Méndez hizo una estimación de las respectivas peticiones y resolvió dotar al pueblo con 955 hectáreas de tierras cultivables, que serían expropiadas a las haciendas

[130] Véase *supra* el capítulo II acerca de los detalles de los conflictos agrarios locales en Pinotepa Nacional y Etla.

[131] PO, II, núm. 5, 3/2/16.

[132] AHDN, 212 f. 63. Isaac Olivé, presidente de la Comisión Local Agraria a Carranza, 6/4/17; una solicitud de dotación de ejidos de los vecinos de Tehuantepec no se resolvió sino hasta 1930. Richmond, tesis, *op. cit.*, p. 70.

La Blanca y Guadalupe (mayo de 1918). El expediente entonces se puso en manos de la Comisión Nacional Agraria. El topógrafo que designó ésta no estuvo de acuerdo con los resultados del deslinde anterior, e informó que el pueblo ya estaba en posesión de 858 hectáreas (de las cuales 478 eran cultivables), y tenía una población de únicamente 800 habitantes, de los cuales 100 eran jefes de familia. Por lo tanto recomendó (en mayo de 1919) que se redujera la dotación a 210 hectáreas, apoyándose en que 4 hectáreas de tierra cultivable por cada jefe de familia eran suficientes para atender sus necesidades básicas. La Comisión Nacional recibió igualmente un escrito del embajador de España en representación de doña María Trápaga, propietaria de la hacienda La Blanca, en el sentido de que la superficie de tierras cultivables de la hacienda era únicamente de 450 hectáreas y por lo tanto, una dotación de casi mil hectáreas de tierra cultivable en favor de San Lorenzo despojaría a doña María y a sus seis hijos de la totalidad de su propiedad. La Comisión Nacional Agraria replicó que esos hechos se habrían de tomar en consideración, pero que todas la propiedades ubicadas en suelo mexicano estaban sujetas a las mismas obligaciones de cumplir con la ley sin que se tomara en cuenta la nacionalidad del propietario. Finalmente, en diciembre de 1919 el presidente Carranza dio su aprobación a una dotación de 200 hectáreas, que se expropiarían por partes iguales a las haciendas La Blanca y Guadalupe, y que sus propietarios tendrían derecho a obtener una indemnización. Como resultado de este procedimiento tan engorroso, solamente 3 447 hectáreas se habían repartido en Oaxaca para principios de 1920, lo que representaba menos del 2% del total nacional.[133]

Es interesante observar que casi el 75% de las solicitudes recibidas por la Comisión Local Agraria provenían de pueblos que se concentraban en las extensas zonas de los valles centrales. Esto se explica en parte por la limitada jurisdicción de las autoridades militares en el periodo de 1916 a 1920, y en parte por la naturaleza de la tendencia de las tierras en la región en la segunda mitad del siglo XIX. La población de los valles centrales aumentó en el transcurso del siglo XIX de aproximadamente 128 mil habitantes en 1826 a 225 mil en 1879 y a 290 mil para 1910. Cualquier presión que este aumento pueda haber ejercido sobre el sistema existente de tenencia de la tierra quedó contrarrestada en una gran proporción por una subutilización general de los recursos agrícolas. La ausencia de oportunidades de mercado, ocasionada por el lento crecimiento urbano en la ciudad de Oaxaca y los deficientes medios de transporte a otros estados de la República indujeron una tendencia a crear excedentes en la producción agrícola en el interior de esas fértiles regiones en las que se conservaban bajos los precios y las utilidades. A pesar del aparente incremento en el número de haciendas en los valles centrales durante el transcurso del siglo, pruebas recientes indican que lejos de tender a invadir ejidos y fundos legales de los pueblos del valle, los hacendados se inclinaban más a deshacerse de algunas de sus propiedades por me-

[133] El total de tierras repartidas en toda la nación hasta 1920 se estima aproximadamente en 200 mil hectáreas; Richmond, ''Authoritarian Populist as National President'', en Wolfskill y Richmond (comps.) *op. cit.*, pp. 48-80; la resolución de la solicitud de San Lorenzo Cacaotepec se puede encontrar en PO, VII, núm. 5, 21/1/20.

dio de fraccionamientos y ventas, o a repartir las tierras entre sus aparceros y arrendatarios, absorbiendo así la mayor disponibilidad de mano de obra causada por un aumento en la población. Parte de las tierras fue adquirida por los especuladores pero en su mayoría parece que pasaron a ser posesión de los pueblos y de los campesinos.[134]

La división de las fincas en pequeñas propiedades y el frecuente cambio de dueño se pueden advertir en las investigaciones realizadas por la Comisión Local Agraria. En atención a la solicitud de los vecinos de Santa Catarina Quiné, en el Distrito Central, de dotación de tierras que pertenecían a las fincas contiguas, se descubrió que una parte o la totalidad de las tierras de 3 de las 4 fincas se había distribuido recientemente entre los herederos al ocurrir el fallecimiento del propietario anterior (como en el caso de la Hacienda de La Soledad), o se habían vendido como pequeñas propiedades a individuos particulares (como en el caso de la hacienda de Mantecón) o a los vecinos del pueblo cercano de La Ciénaga (como en el caso del rancho Zárate). Esto lo tomó en consideración la Comisión Nacional, al reducir la dotación original de 585 hectáreas aprobada por la comisión local en Oaxaca a 284 hectáreas.[135] Una de las haciendas afectadas por la solicitud del pueblo de Santa María Chichihualtepec, "La Pee" en el distrito de Ejutla, perdió una importante proporción de sus tierras entre 1890 y 1907.[136] Es interesante observar que la mayoría de las solicitudes (28) se presentaron originalmente con el fin de obtener la restitución de tierras de la que los pueblos afirmaban que habían sido despojados, pero que en 19 de esos 28 casos la Comisión Local Agraria rechazó las solicitudes de restitución revirtiéndolas a dotaciones, ya sea porque no se pudieron localizar los documentos que demostraban el

[134] La población de la ciudad de Oaxaca apenas se duplicó en el transcurso del siglo XIX;

1794	19 062
1826	18 118
1910	38 001

FUENTE: Cassidy, tesis, p. 62.

El número de haciendas en los valles centrales durante el siglo XIX se ha estimado como sigue:

1827	68
1857	60
1883	84
1913	88

FUENTE: Cassidy, ibid., p. 50.

Sin embargo existe cierta confusión en cuanto a lo que constituye exactamente una hacienda; Tannenbaum (1929) estimó que es un predio con más de mil hectáreas; Esteva (1913) utilizó la cifra de 500 hectáreas para hacer sus cálculos en Oaxaca. Es digno de mencionarse que la población del valle central en el siglo XIX parece que era inferior a la de las épocas precolonial y colonial. Borah y Cook (1963) la estimaba en 800 mil habitantes (precolonial) y Taylor (1972) en 350 mil (colonial).

[135] PO, I, núm. 13, 5/8/20.

[136] En 1891 la hacienda se había vendido en 15 mil pesos; y se vendió de nuevo en 1907 en solamente dos mil pesos, Cassidy, op. cit., p. 64.

despojo, o porque éste había ocurrido con anterioridad a 1856 y por tanto quedaba fuera de las disposiciones del artículo 1º. del decreto de enero de 1915. Todas las pruebas de que se dispone en la actualidad señalan el hecho de que los graves conflictos agrarios que surgieron en otras regiones de la República (particularmente en Morelos) entre los terratenientes y los campesinos, causados por la ampliación de las haciendas a expensas de los pueblos, estuvieron ausentes en el valle de Oaxaca con anterioridad a la Revolución. No obstante, los pueblos de los valles centrales reaccionaron ante la oportunidad que les sumnistraba la legislación carrancista para resarcirse de los agravios que les habían causado las fincas colindantes que en numerosos casos parecía que eran anteriores a la Reforma, tan sólo para ser víctimas de la engorrosa burocracia constitucionalista.

CONCLUSIONES
El Impacto del Carrancismo

En la actualidad sigue siendo imposible cuantificar el efecto general de 5 años de gobierno preconstitucionalista en Oaxaca. Las investigaciones padecen por la ausencia de detalles precisos y de estadísticas con respecto a los niveles de producción y a los ingresos y egresos reales del gobierno. Esa tarea no se hizo más fácil por la legislación carrancista de la época, en la que se decretó que todas las cuentas de la Tesorería de la Federación deberían ser aprobadas exclusivamente por el propio Carranza: un decreto emitido por el gobernador Jiménez Méndez en Oaxaca confirió facultades similares al Ejecutivo del estado con respecto a las cuentas.[137] Sin embargo, las estadísticas nacionales de la producción industrial y agrícola muestran una notoria declinación en el periodo.[138] Las pruebas de que se dispone en Oaxaca indican que el número de quiebras entre el reducido grupo de compañías industriales y comerciales aumentó después de 1917, particularmente de las que se dedicaban a la explotación comercial de cosechas de exportación en regiones que quedaban fuera de los valles centrales. En 1919 las compañías Antonio y Teófilo Yanjo en Tuxtepec y la Sociedad Illescas y Guira, dedicadas al cultivo de caña de azúcar en fincas ubicadas en el distrito de Cuicatlán, tuvieron que ponerse en liquidación. En el mismo año tuvo igual suerte la

---

[137] PO, IV, núm. 21, 24/5/17; y núm. 28, 12/7/17.
[138] Las cifras oficiales de la producción agrícola de 1910 a 1922 son (en kilogramos) las siguientes:

	1910	1918	1921	1922
Maíz	3 219 624 240	1 930 121 332	1 550 000 000	2·127 674 430
Arroz	31 033 637	18 214 154	7 198 000	21 147 950
Frijol	163 397 200	132 203 221	71 033 960	137 374 342
Caña	2 257 144 953	1 274 132 916		2 328 417 248
Cebada	445 396 850	385 618 006	9 929 500	88 157 070
Café	35 788 007	47 582 540		29 263 101
Garbanzo	4 131 375		373 500	714 854

FUENTE: *Mexican Year Book 1922-1924*, p. 242

167

Compañía Industrial de San Jerónimo en el Istmo de Tehuantepec, y los bienes de la Compañía Macción Corporation Limited, India Rubber de Inglaterra, en el distrito de Juquila que se extendía en una superficie de 19 500 hectáreas y estaban valuadas en 136 140 pesos se sacaron a remate por adeudos en favor de la Tesorería. De todas maneras, era posible comerciar con utilidades durante esa época. Los estados financieros que se publicaron de la Compañía Jabonera La Oaxaqueña de los años de 1918 y 1919 mostraron una utilidad de 18 226 pesos. No obstante, las cuentas demostraron igualmente que los fondos de los accionistas no estaban representados por un valor similar en los activos netos de la compañía.[139]

La opinión de la reducida comunidad extranjera que residía en Oaxaca en el periodo de 1915-1920 no era nada ambigua en su pesimismo. El cónsul inglés en funciones Norman King hizo una visita a Oaxaca en septiembre de 1919 e informó que:

El estado… se encuentra en una situación sumamente mala. El ganado ha quedado destruido en su totalidad, y difícilmente se pueden ver residencias decentes con excepción de las que se robaron los carrancistas, las cosechas se encuentran arruinadas, las casas de campo fueron incendiadas y las minas se clausuradas.

La culpa de esta triste situación se atribuía igualmente a los rebeldes y al ejército carrancista, el cual se describía como "una turba harapienta e indisciplinada". Las condiciones en general se describían como las de:

anarquía… y aunque se haya restablecido el orden, se requerirá el transcurso de muchos años antes de que se pueda llegar a algo que se aproxime siquiera a la anterior prosperidad.[140]

Edwin Lieuwen comparte esta poco caritativa opinión del efecto que causó el carrancismo en el estado:

El llamado gobierno preconstitucional de Oaxaca estaba formado por un general como gobernador, 3 coroneles y numerosos lugartenientes. Interesados principalmente en adquirir riqueza, los gobernantes militares practicaban un asesinato selectivo para adquirir propiedades y arrancar tributos. Deliberadamente permitieron la difusión del crimen y el bandidaje sin que se impusieran castigos porque la paz permitiría el establecimiento de un gobierno constitucional y, con ello que se pusiera un fin a sus fraudes y a tener que rendir cuentas de sus crímenes.[141]

Todas la pruebas parecen indicar que la realización de la "gran obra de reconstrucción" que concibió para Oaxaca José Agustín Castro en 1915 era aún

---

[139] Los estados financieros de la compañía se publicaron en PO, V, núm. 24, 31/5/18 y VI, núm. 24, 31/5/19. En 1918 la inversión de los accionistas ascendía a 181 878 pesos en tanto que los activos netos (maquinaria, existencias, propiedades, etc.) ascendían únicamente a 137 938 pesos. En 1919 este déficit se redujo a 25 714 pesos.

[140] FO, 204/532, Expediente 8, "Oaxaca 1919".

[141] Lieuwen, *op. cit.*, p. 39.

un sueño distante en 1920. No obstante, el compromiso ideológico inicial de algunos comandantes militares y burócratas en Oaxaca de implantar un programa híbrido social y económico del constitucionalismo no se puede poner en duda. Pero la demagogia y la retórica populista de 1915 y 1916 lenta pero perceptiblemente se transformó en un sombrío autoritarismo una vez que se reconoció la escala de la tarea y de la resistencia interna. El ejercicio de la autoridad dentro del estado se vio seriamente restringido en parte por el estricto control central impuesto por Carranza en todas la esferas de la actividad del gobierno y en parte por la decidida oposición de todos los niveles y clases de la sociedad oaxaqueña de provincia. La Revolución constitucionalista se había impuesto por la fuerza en Oaxaca, pero los métodos autócratas utilizados para su implantación, y el ambiente político y económico en el que ocurrían, garantizaron que para 1920 fueran muy escasos los partidarios de la causa en el interior del estado.

VII. LA SUPERVIVENCIA
DEL MOVIMIENTO DE SOBERANÍA:
RESISTENCIA MILITAR Y ALIANZA POLÍTICA, 1915-1920

YA dijimos en el capítulo anterior que la implantación forzada del constitucionalismo en Oaxaca entre 1915 y 1920 constituyó un rotundo fracaso. El establecimiento del gobierno preconstitucional con posterioridad a 1915 fue el anuncio de una época de cisma político, de depresión económica y de conflictos sociales que no se habían presenciado desde las guerras de la Reforma y de la Intervención. Esas condiciones no solamente militaban en contra de la transformación revolucionaria de la sociedad de provincia que concibieron los representantes carrancistas en Oaxaca, sino que también contribuyeron positivamente a que se diera un apoyo interno al Movimiento de la Soberanía.

En el presente capítulo me propongo hacer un examen de los factores que se encontraban tras de la supervivencia del Movimiento. Esto tendrá que implicar una investigación de la composición y estrategia de las fuerzas antagonistas: la 21a. División Constitucionalista y las Fuerzas Defensoras del Estado. Después del inicial e intenso periodo de actividad militar de 1915 y 1916, el conflicto se deterioró para convertirse en un molesto estancamiento que se acentuaba por incursiones y saqueos periódicos por ambos bandos, y se hizo cada vez más notorio que las negociaciones y alianzas realizadas por los jefes del Movimiento con las facciones políticas eran la clave del resultado final de ese difícil trance. Por lo tanto, se pone el acento en las divisiones políticas que existían entre los dirigentes del Movimiento, no sólo entre José Inés Dávila y Guillermo Meixueiro, sino entre Meixueiro y sus antiguos "lugartenientes" Ibarra y Jiménez.

LA ESTRATEGIA MILITAR CARRANCISTA

La estrategia militar de Carranza en el sureste de México después de 1914 no podía distinguirse de su contraparte política; el establecimiento de una poderosa presencia física con la cual se creara una fuerte base en la forma de administraciones regionales leales a la ideología ecléctica y a la política del constitucionalismo, y lo que es más importante, leales a la autoridad personal del Primer Jefe. En consecuencia, jóvenes revolucionarios norteños que se identificaban con la *weltanschauung* carrancista y que habían surgido de las filas del ejército constitucionalista, fueron despachados a Yucatán, Tabasco, Chiapas, Campeche y Quintana Roo para que vigilaran la imposición de gobiernos estatales proconstitucionalistas.[1] Esas "actividades cuasi coloniales" habrían de provocar una in-

---

[1] AC: Jesús Carranza a Alberto Carrera Torres 6/9/14; Carrera Torres fue enviado a Yucatán y Campeche (y pronto lo seguiría Salvador Alvarado); Agustín Castro a Chiapas; César López de Lara a Quintana Roo.

tensa y prolongada resistencia en muchas regiones del Sureste, y sobre todo, por supuesto, en Oaxaca.[2]

La principal preocupación de la estrategia de Carranza después de la caída de Huerta en el verano de 1914 era la de asegurar la ventaja estratégica sobre las facciones revolucionarias rivales que pretendían frenar sus ambiciones políticas. Para alcanzar ese propósito era de vital importancia el control militar del Istmo de Tehuantepec. La militarización del Istmo se había iniciado con la concentración de tropas federales en la región por parte de Huerta a consecuencia de la ocupación de Veracruz por los infantes de marina norteamericanos en abril de 1914. Como resultado de las sucesivas derrotas infligidas por los constitucionalistas en el norte, más y más tropas federales se habían concentrado en la región; se calcula que en agosto de 1914 unos 50 mil soldados federales habían sido acuartelados en todo el sureste, y de ocho mil a diez mil en el puerto de Salina Cruz, en Oaxaca, que era la terminal en el Pacífico del Ferrocarril Nacional de Tehuantepec.[3] La amenaza obvia después de la caída de Huerta era la posible alianza entre los comandantes militares federales desafectos y los grupos anticarrancistas (incluyendo a los villistas y a los zapatistas), que pronto se habrían de reunir en Aguascalientes para desafiar la autoridad personal de Carranza. En consecuencia, éste envió a Salina Cruz una fuerte cantidad de soldados de la Segunda División del Centro al mando de su hermano Jesús Carranza en agosto de 1914 para que vigilara el licenciamiento de las tropas federales y estableciera una base en el Istmo desde la cual se despacharan a los estados del sureste comandantes político-militares especialmente escogidos en misiones .[4]

Una de dichas misiones estaba dirigida por el general Jesús Agustín Castro, jefe de la Brigada 21, quien fue nombrado Comandante en Jefe y gobernador de Chiapas en septiembre de 1914. Castro llegó a Tuxtla Gutiérrez, la capital del estado, en el mismo mes a la cabeza de unos 1 200 hombres con dos propósitos específicos: licenciar las tropas federales al mando del ex general Lauro F. Cejudo, y asumir el control de las funciones de los poderes Ejecutivo, Legislativo y Judicial de la administración local como una base para someter a los chiapanecos a un prototipo del programa de reformas sociales y económicas que habría de implantarse sin éxito en Oaxaca entre 1916 y 1920. Las medidas adoptadas por Castro en Chiapas se ajustaban a un patrón bien conocido: la proclamación de un manifiesto político; la clausura del Congreso del estado y del Tribunal Superior de Justicia para ser reemplazados por funcionarios que hubieran demostrado su afinidad con el constitucionalismo; la promulgación de una legislación anticlerical y de decretos que proclamaban la reforma laboral, agraria, educativa y fiscal.[5] Al igual que en Oaxaca, la intrusión del carrancismo en Chiapas provocó una reacción violenta y permanente: los finqueros del café, encabezados por Tiburcio Fernández Ruiz y Alberto Pineda, movilizaron al campesinado in-

[2] Alan Knight en Brading, comp., *op. cit.*, p. 53.
[3] Wiseman a Hohler, FO, 204/444/477 20/8/14; Alicia Hernández Chávez, "La defensa de los finqueros en Chiapas 1914-1920", *Historia Mexicana* (1979), vol. 3, pp. 335-369.
[4] AC: Jesús a Venustiano Carranza 1/9/14 "en camino para Santa Lucrecia (Ferrocarril Nacional de Tehuantepec) donde presenciaré licenciamiento sobre Ferrocarril del Istmo".
[5] AC: Jesús Carranza al general Cejudo 11/9/14; J. M. Márquez, *op. cit.*, p. 144-165.

dígena de las altiplanicies de Chiapas a una rebelión que no se apaciguó sino hasta después de la muerte de Carranza, ocurrida en 1920.[6]

La rebelión de los finqueros en Chiapas, lo mismo que la rebelión en Yucatán encabezada por Mendoza, Jiménez y Ortiz Argumedo, constituyó indudablemente un fuerte golpe a la estrategia militar y política de Carranza en el Sureste.[7] El plan original consistía en que los comandantes militares fueran reemplazados por gobernadores civiles una vez que las milicias locales pudieran ser organizadas en el interior de los estados, lo cual permitiría que Jesús Carranza y la Segunda División del Centro quedaran en libertad de iniciar una campaña en unión con las fuerzas carrancistas en Oaxaca y Guerrero —Juan José Baños en Pinotepa Nacional (Oaxaca), Julián Blanco en Acapulco y Silvestre Mariscal en Guerrero— para marchar hacia Cuernavaca y unirse a Pablo González en Puebla.[8] Esos levantamientos regionales en el sur a fines de 1914, sin embargo, requirieron una constante presencia militar en el Istmo.

La estrategia de la subyugación política y militar en el Sureste, por tanto ya había sido desafiada con anterioridad a 1915. La Declaración de la Soberanía en Oaxaca no solamente persistió en esa tendencia sino que en realidad constituyó el más grave desafío organizado de esa región. Se ha afirmado erróneamente que "puesto que Oaxaca no planteaba una seria amenaza militar, Carranza dejó que disfrutara de su soberanía unos cuantos meses mientras él se ocupaba de Villa y Zapata".[9] De hecho, al día siguiente de que se proclamara la soberanía del estado (el 4 de junio), Agustín Castro recibió órdenes de marchar sobre Oaxaca y establecer su cuartel general en el Istmo de Tehuantepec en agosto fue nombrado Gobernador Preconstitucional y Comandante en Jefe del estado.[10] El sitio de Pochutla en julio de 1915 anunció la iniciación de una desastrosa campaña emprendida por una desorganizada coalición de milicias oaxaqueñas y de sus diversos aliados bajo la bandera de las Fuerzas Defensoras del Estado para contrarrestar el avance de la División 21, que culminó con la evacuación de la capital del estado en marzo de 1916. (Véase el mapa).

COMPOSICIÓN Y POTENCIA DE LAS FUERZAS DE OPOSICIÓN EN OAXACA

La División 21

Tal como lo muestra el mapa, las cifras exactas de la respectiva fuerza de los ejér-

[6] Los paralelismos entre la rebelión finquera y el Movimiento de la Soberanía son reveladores; Alicia Hernández, *op. cit.*

[7] Ramón Berzunza Pinto, "El constitucionalismo en Yucatán", *Historia Mexicana*, oct.-dic.1962, pp. 274-295. G. M. Joseph, *Revolution From Without* (1982), p. 96.

[8] AC: Venustiano a Jesús Carranza 9/9/14; AHDN, 209 ff. 154-60.

[9] Waterbury, "Non-Revolutionary Peasants", *op. cit.*, p. 433.

[10] Márquez, *op. cit.*, p. 88; la estructura de la Brigada 21 también se modificó en esa ocasión para convertirla en División, a consecuencia del inicio de un reclutamiento en Chiapas.

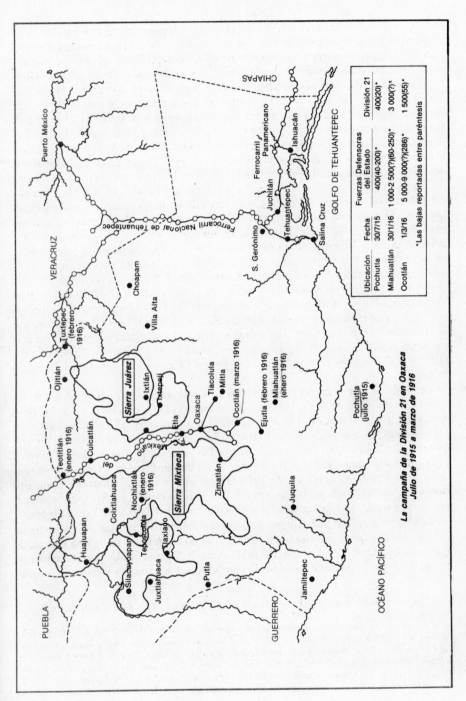

La campaña de la División 21 en Oaxaca
Julio de 1915 a marzo de 1916

Ubicación	Fecha	Fuerzas Defensoras del Estado	División 21
Pochutla	30/7/15	400(40-200)*	400(20)*
Miahuatlán	30/1/16	1 000-2 500(?)(60-250)*	3 000(?)*
Ocotlán	1/3/16	5 000-9 000(?)(286)	1 500(55)*

*Las bajas reportadas entre paréntesis

GOLFO DE TEHUANTEPEC

CHIAPAS

VERACRUZ

Ferrocarril Nacional de Tehuantepec

Ferrocarril Panamericano

Ishuacán

Juchitán

S. Gerónimo

Tehuantepec

Salina Cruz

Puerto México

Choapam

Tuxtepec (febrero 1916)

Villa Alta

Ojitlán

Sierra Juárez

Ixtlán

Ixtepeji

Tlacolula

Mitla

Oaxaca

Ocotlán (marzo 1916)

Ejutla (febrero 1916)

Miahuatlán (enero 1916)

Etla

Teotitlán (enero 1916)

Cuicatlán

Ferrocarril Mexicano del Sur

Zimatlán

Juquila

Pochutla (julio 1915)

Coixtlahuaca

Nochixtlán (enero 1916)

Sierra Mixteca

Huajuapan

Silacayoapan

Teposcolula

Tlaxiaco

Juxtlahuaca

Putla

Jamiltepec

PUEBLA

GUERRERO

OCÉANO PACÍFICO

173

citos que contendían son difíciles de obtener.[11] La tendencia a sobrestimar el número de las fuerzas enemigas y, particularmente, de las bajas enemigas se encuentra siempre presente y es lo que se podía esperar, dado el valor de propaganda de los relatos deliberadamente deformados y exagerados. De cualquier manera, resulta que durante la campaña inicial y decisiva para capturar la ciudad de Oaxaca después de julio de 1915 y durante los 3 primeros meses de 1916, las fuerzas constitucionalistas que se habían incorporado a la División 21 eran con frecuencia menos numerosas que las Fuerzas Defensoras del Estado y de sus aliados. J. M. Márquez, secretario particular y biógrafo de Agustín Castro, quien hizo una reseña de la carrera revolucionaria de la División 21 desde la creación del inicial 21o. Cuerpo Rural de la Federación en Durango en la época de Madero, hasta que se le elevó a la categoría de brigada y finalmente a la de División del Ejército del Sureste, indica que el número de soldados constitucionalistas que había en Oaxaca con anterioridad a la Declaración de la Soberanía era aproximadamente de 2 400. De éstos por lo menos 1 300 eran oaxaqueños: 500 pertenecían a la brigada "Plan de Guadalupe", al mando de Juan José Baños, en la región de Jamiltepec y Pinotepa Nacional, en la costa del Pacífico, y 800 a la brigada "Benito Juárez", al mando de Adolfo Palma en la región de Tuxtepec, en los límites con Veracruz.[12] Estos dos jefes habían disfrutado de un grado considerable de independencia y autonomía en dichas regiones, que estuvieron bajo su control hasta que sus fuerzas fueron "incorporadas" oficialmente a la División 21 durante 1915. Las restantes tropas constitucionalistas de Oaxaca en junio de 1915 eran el regimiento de Ochoa (400), la brigada Usumacinta (100) y 600 hombres al mando de Luis Felipe Domínguez, jefe de armas en el Istmo.

Después de que se tomó la decisión política de aplastar el Movimiento de la Soberanía en junio de 1915, esas tropas recibieron el refuerzo de la 1a. y 2a. Brigadas de la 21 División (al mando de Juan Jiménez Méndez y Macario Hernández), quienes llegaron a Oaxaca (Salina Cruz) después de julio provenientes de Chiapas. La 3a. brigada de la División 21 permaneció en Chiapas para combatir a la rebelión de los finqueros. Se informó que la fuerza combinada de la División 21 a principios de 1916 era de siete a diez mil hombres, con un campo de operaciones que se extendía de Chiapas a Oaxaca, incluyendo la mitad sur de Veracruz, que geográficamente forma parte del Istmo de Tehuantepec.[13]

El objetivo militar más importante de los constitucionalistas en Oaxaca, la captura de la capital del estado, se alcanzó como consecuencia de una campaña que tuvo mucho éxito en marzo de 1916. Agustín Castro estaba particularmente impaciente por consolidar ese triunfo (por el que Carranza lo habría de recom-

[11] Las principales fuentes de esta sección son AHDN y Márquez *El 21: hombres de la Revolución, op. cit.*, pp. 85-127.

[12] La carrera revolucionaria de Palma se había iniciado en octubre de 1912 con una insurrección en Ojitlán y Tuxtepec junto con Manuel Alvarado (quien posteriormente se unió a Zapata, y combatió con las Fuerzas Defensoras del Estado de Oaxaca en 1915). AHDN, 207, ff. 1017-31; Baños fue jefe del Partido Maderista en Pinotepa Nacional en mayo de 1911, ARD, VI: 71, 74; en cuanto a sus relaciones con el gobierno de Oaxaca en 1914 y principios de 1915 véase el capítulo IV.

[13] *El constitucionalista*, Puebla, enero de 1916 (reproducido en PO II: 10 9/3/16); Márquez, p. 98.

pensar elevándolo en mayo al grado de general de División) y procedió a reorganizar las tropas que tenía a su disposición. La División 21 quedó dividida en 5 brigadas, cada una con tres regimientos o batallones; Jiménez Méndez y Hernández conservaron el mando de las brigadas 1a. y 2a, con responsabilidad en las operaciones en los valles centrales y en la protección del Ferrocarril Mexicano del Sur (de Puebla a Oaxaca); la 3a. brigada, al mando de Blas Corral, permanecería en Chiapas; la 4a. brigada, al mando de Salvador González Torres, quedaría estacionada en el Istmo con la responsabilidad de proteger el Ferrocarril Nacional de Tehuantepec (de Salina Cruz a Puerto México); y la brigada Benito Juárez quedó incorporada como la 5a. brigada de la División para guarnecer el distrito de Tuxtepec (la posición y ubicación de la brigada ''Plan de Guadalupe'' no se modificó). Durante 1916 esos comandantes constitucionalistas emprendieron una campaña concertada tanto en la Mixteca como en la Sierra de Juárez a fin de aplastar la resistencia que quedaba; las columnas expedicionarias de las guarniciones de Oaxaca, Etla y Cuicatlán persiguieron a los rebeldes a través de la Sierra y lograron ocupar temporalmente los centros de resistencia, Tlaxiaco en la Mixteca e Ixtlán en la Sierra de Juárez, a fines de 1916 pero sin que esas regiones quedaran pacificadas totalmente. En realidad esas expediciones, que siempre iban acompañadas de pillajes, saqueos y destrucción de propiedades, eran con frecuencia contraproducentes, por cuanto provocaban una fuerte hostilidad entre las comunidades serranas.[14]

Con posterioridad a 1916 esas incursiones fueron menos frecuentes. La actividad militar carrancista durante 1917 y 1918 se concentró en la Mixteca, y culminó con la ocupación de Tlaxiaco en julio de 1918, que en lo sucesivo quedó bajo el control constitucionalista. Además de esa exitosa campaña, la estrategia militar en general parecía que había pasado de la ofensiva a la defensiva. Eso fue en parte resultado no sólo de la tenacidad de la resistencia, particularmente en la Sierra de Juárez, sino también del agotamiento de los recursos que estaban a la disposición de los jefes militares. El gobernador Juan Jiménez Méndez (quien substituyó a Agustín Castro en abril de 1917) comunicó a Carranza en abril de 1918 las dificultades que tenía para llevar a cabo las operaciones militares por la escasez tanto de pertrechos y dinero para pagar a los soldados como de los soldados mismos. En consecuencia, pidió que se le suministrara un total de 419 903 pesos (y unos 200 mil cartuchos) para mantener a las tropas existentes y dos mil pesos más para un representante de la División 21 que procediera a reclutar hombres en San Luis Potosí, e inmediatos refuerzos para proseguir y consolidar las ganancias territoriales realizadas a expensas de las fuerzas rebeldes.[15] No se ha encontrado la respuesta pero es difícil que haya sido favorable. Aunque las erogaciones militares siguieron en aumento con posterioridad a 1916

[14] Ibarra describe su aflicción y la de sus compañeros serranos cuando la destrucción de propiedades en Ixtlán, p. 177. Leovigildo Vázquez Cruz describe la destrucción de Tlaxiaco en términos emotivos como ''el más cruel saqueo de los cometidos sistemáticamente por los soldados del señor Carranza... la ciudad de Tlaxiaco, antes neutral y pacífica, por este hecho se inclinó por completo a la causa de la soberanía'', p. 115.

[15] AHDN, 213, ff. 26-8, 39-40, abril de 1918.

(127 millones de pesos, o sea el 72% del presupuesto federal total, en 1917), el régimen tenía otras preocupaciones más urgentes que la resistencia que oponían el Movimiento de la Soberanía y sus aliados en Oaxaca. En un informe se afirmaba que en junio de 1917 por lo menos 25 grupos diferentes en toda la República se habían declarado en rebeldía en contra del régimen, desde Chihuahua hasta Chiapas, con una fuerza estimada de 35 mil hombres (más otros 150 mil en reserva).[16] La distribución por regiones del ejército constitucionalista en 1918 refleja el relativo abandono en que se tenía al Sureste. De un total que se calculaba en 184 mil hombres, solamente el 12% se asignó a la protección de los estados de Chiapas, Yucatán, Tabasco, Campeche, Quintana Roo, Veracruz y Oaxaca.[17]

En el interior de Oaxaca, una combinación de factores contribuyeron al progresivo debilitamiento de las fuerzas carrancistas, que para 1919 apenas si tenían alguna semejanza con una poderosa maquinaria militar. Se informó que el jefe de operaciones de Oaxaca, el general Gustavo Elizondo, tenía en septiembre de 1919 menos de 600 hombres a su disposición para la defensa de la capital del estado, y que la única razón de que las fuerzas serranas no hubieran ocupado la ciudad era que los jefes del Movimiento de la Soberanía estaban ansiosos de no perjudicar el resultado de las negociaciones de paz.[18] En 1919 los comandantes de las principales guarniciones (Tlaxiaco, Teotitlán, Tlacolula, Ejutla y Etla) presentaron repetidas peticiones de ayuda a fin de poderse enfrentar a los crecientes ataques de las fuerzas rebeldes, que en algunos casos eran muy superiores en número a los carrancistas.[19] La serie de derrotas y retiradas que sufrieron durante los primeros meses de 1919 tuvieron un efecto perjudicial en la moral de las filas carrancistas y provocaron un aumento en el número de los que preferían desertar, fenómeno recurrente en toda la época de gobierno militar.[20] La moral, sin embargo, nunca había sido muy elevada. La hostilidad (silenciosa o abierta) de la población local era clara para todos los que prestaban servicios en la burocracia o en el ejército en Oaxaca. Una buena parte de la hostilidad era el resultado de la situación en que se encontraban en el interior de Oaxaca, de invasores no deseados, rapaces y extraños. Los jefes militares de la localidad eran incapaces de reclutar oaxaqueños nativos en las filas del ejército constitucionalista (y de ahí tal vez la misión de reclutamiento a San Luis Potosí), y eran

[16] El informe recibido por la Oficina de Negocios Extranjeros en Londres está incluido en FO, 371/1961/125503; una estimación de los presupuestos militares de 1914 a 1920 consta en Lieuwen, *op. cit.*, Apéndice A.

[17] Informe existente en los archivos del Departamento de Estado de los Estados Unidos, citado por Richmond, tesis, *op. cit.*, p. 186; el cálculo del número total de las fuerzas constitucionalistas varía considerablemente: el citado informe de FO calcula que en 1917 el total de las fuerzas carrancistas era de sólo 60 mil hombres (con lo que está de acuerdo Lieuwen); Richmond (sin mencionar sus fuentes) sugiere que 160 mil hombres en 1918 sería un total más razonable.

[18] FO, 204/532 Expediente 8 "Oaxaca 1919".

[19] En los expedientes de los archivos de la Defensa Nacional de fines de 1918 y de 1919 por primera vez se incluyen partes de derrotas y retiradas de las fuerzas carrancistas acuarteladas en Oaxaca; para el sitio de Ejutla por los rebeldes en mayo de 1919, véase 214, f. 11, y Nochixtlán ff. 24-8.

[20] AHDN, 214, f. 99; los desertores del regimiento "Ochoa" acuartelado en Tehuantepec aterrorizaron a los poblados del distrito de Pochutla en enero de 1916, 211 f. 115.

muy pocos los oaxaqueños que combatían al lado del invasor (con excepción de los que militaban en las filas de las brigadas "Benito Juárez" (en Tuxtepec) y "Plan de Guadalupe" (en Jamiltepec). No es muy clara la composición exacta de las fuerzas heterogéneas que constituían la División 21, aunque parece que en su mayoría eran norteños (el núcleo sólido de laguneros de Durango que formó el 21 Cuerpo Rural original en 1911 se completó con quienes se agregaron a la brigada 21 en sus diversas campañas en Coahuila, Tamaulipas y Nuevo León durante 1913), salvo una brigada que se reclutó en el Estado de México (la brigada "Leales de Tlalnepantla") y otra en Chiapas (la brigada "Orden y Moralidad").[21] De todas maneras, la ausencia de oaxaqueños en el ejército carrancista y en la burocracia fue explotada por los jefes del Movimiento de la Soberanía, especialmente en la Mixteca, en donde Dávila instó a los habitantes para que se defendieran ellos mismos contra el "robo y el asesinato" que cometían esos depredadores extraños.[22]

Aún más importante como fuente de resentimiento fue la dura realidad del gobierno militar. En las regiones que estaban bajo el control carrancista, las autoridades militares disfrutaban de un control absoluto y lograron enemistarse incluso con aquellos oaxaqueños que simpatizaban con la causa constitucionalista. Un corresponsal anónimo de Ejutla se lamentaba de que

a cualquier persona de quien se sospecha estar en connivencia con los rebeldes se le pasa por las armas sin misericordia . . . las autoridades militares han informado que si la población (Ejutla) es de nuevo asaltada (por los rebeldes), pasarán por las armas a cualquier civil y prenderán fuego a la ciudad como castigo por encabezar la revuelta.[23]

Las autoridades militares y los conscriptos carrancistas formaban una casta privilegiada en el interior del régimen. Se hizo todo intento para proteger a las tropas de las frecuentes devaluaciones del papel moneda en circulación por medio de una legislación que garantizaba que se les seguirían pagando sus haberes en efectivo y no en bonos del gobierno.[24] A pesar de esos privilegios, o quizá a causa de ellos, el robo, el vandalismo y el soborno (que aparentemente comprendían un lucrativo comercio de armas y municiones con los rebeldes) eran algo común y corriente y quedaban generalmente sin castigo.[25] Si bien los pagos ordinarios (y otras ganancias con frecuencia ilícitas) eran esenciales para mantener la lealtad en las filas de los soldados constitucionalistas, igualmente destacaron una importante diferencia con las fuerzas opositoras. Las estructuras institucionalizadas de los pagos, el reclutamiento, el entrenamiento

---

[21] Márquez, *op. cit.*, pp. 1-84; los jefes de la "21" eran todos norteños: Agustín Castro era de Coahuila, y Jiménez Méndez de Durango.

[22] AHDN, 213, f. 116, Inés Dávila a Francisco Gallangos Baños 16/12/18.

[23] AHDN, 213, ff. 78-9, Anónimo a Carranza 27/9/18.

[24] Decreto publicado en PO, IV: 10, 8/3/17; exención que se amplió por decreto 3/13/19 (PO, IV: 17, 24/4/19); la escala de los haberes iba de 0.50 centavos diarios para los soldados rasos a 10 pesos diarios para los generales (Richmond).

[25] En cuanto al comercio de armas, véase AHDN, 211, f. 106.

y la disciplina en el ejército constitucionalista se encontraban en marcado contraste con la estructura informal de las Fuerzas Defensoras del Estado. Ciertamente en las etapas iniciales del periodo de la ocupación militar la disciplina se imponía estrictamente y a los reclutas se les podía licenciar con base en la incompetencia.[26] La negativa a permitir el alistamiento de los federales desafectos en el ejército y el examen de los reclutas contribuyó igualmente a un mayor grado de cohesión ideológica. Pero las pruebas que suministra Oaxaca hacen pensar que para 1920 el profesionalismo en el ejército constitucionalista casi había desaparecido. La poco numerosa comunidad extranjera de Oaxaca tenía la opinión de que las ya reducidas fuerzas carrancistas acuarteladas en Oaxaca no eran otra cosa que un grupo de individuos harapientos e indisciplinados, cuya connivencia con los rebeldes y su participación en una gran diversidad de crímenes hacía que fuera imposible distinguirlos de sus adversarios.[27]

Igualmente parece que había desaparecido el idealismo y el radicalismo político de determinados comandantes militares. El ''Manifiesto al pueblo oaxaqueño'' de Agustín Castro y su anterior ''Manifiesto al pueblo de Chiapas'' fueron claros ejemplos de retórica revolucionaria que prometía arrolladores cambios sociales y que comparaba la llegada del constitucionalismo con la alborada de un nuevo día. Durante la campaña para tomar la ciudad de Oaxaca, Macario Hernández, comandante de la 2a. brigada de la División 21, dio instrucciones al presidente municipal de Miahuatlán de no organizar ningún festejo o celebración pública a consecuencia de la reciente victoria sobre las Fuerzas Defensoras del Estado, porque ''luchamos para la causa constitucionalista, y nunca hemos esperado recompensa alguna, porque al emprender la lucha solamente hemos creído cumplir con nuestro deber''.[28] Durante la campaña militar en la Sierra de Juárez en octubre de 1916, el comandante de las fuerzas expedicionarias, Juan Jiménez Méndez, lanzó un manifiesto a los habitantes de la Sierra en el que declaraba que el propósito de la Revolución era garantizar la paz, la seguridad y la tranquilidad de la región, y que ''no desea exterminar, sino engrandecer la verdadera raza mexicana, la raza indígena''.[29] Los entusiastas jefes militares implementaron de manera independiente tanto el espíritu como la letra de la justicia revolucionaria, el establecimiento de escuelas, el cierre de las iglesias y la repartición de las tierras.[30] Después de 1917, no obstante, las autoridades militares no lanzaron más proclamas revolucionarias; la persuasión fue reemplazada por la coacción, el radicalismo espontáneo por la burocracia y el idealismo por la frustración y el cinismo.[31] Para 1920 las autoridades militares de Oaxaca es-

[26] AHDN, 211; un soldado podía ser licenciado ''por inútil al servicio'' ff. 101-6; o fusilado por deserción f. 43.

[27] FO, 204/532; no existen antecedentes en los archivos de la Defensa Nacional de 1918, 1919 o 1920 de acciones disciplinarias que se tomaran contra las tropas constitucionalistas.

[28] AHDN, f. 111, 14/1/16.

[29] El texto íntegro del Manifiesto a la Sierra de Juárez se reproduce en Márquez, pp. 120-121.

[30] PO, II: 2, 13/1/16; 23, 9/6/16; acerca de las actitudes revolucionarias de Juan José Baños en Pinotepa Nacional después de agosto de 1914, véase AHDN, 210, ff. 247-50.

[31] AHDN, 213, ff. 42-8 Jiménez Méndez a Carranza es una enérgica acusación de las molestias que sufría la administración constitucionalista.

taban en completo desorden y las agotadas tropas constitucionalistas demostraban que eran incapaces de dominar el resurgimiento de la resistencia militar. La difundida oposición tanto de los oficiales como de los soldados del ejército constitucionalista (que para entonces se le llamaba Ejército Nacional) bajo las órdenes de Carranza quedó demostrada por las defecciones hacia la revuelta obregonista de Agua Prieta en 1920.[32] (El general Luis Mireles, comandante en Jefe de la ciudad de Oaxaca en 1916, y comandante de la brigada "Leales de Tlalnepantla", encabezó en Oaxaca la rebelión de Agua Prieta y firmó con Ibarra el Pacto de San Agustín Yatarení en mayo de 1920). Puesto que el ejército era la columna vertebral del régimen de Carranza, su defección dio fin a su poder político. En Oaxaca, la defección de la guarnición militar fue un reconocimiento del fracaso de la estrategia militar y política carrancista en el interior del estado.

LAS FUERZAS DEFENSORAS DEL ESTADO

Se dio el título colectivo de Fuerzas Defensoras del Estado a una amplia coalición de voluntarios civiles y reclutas campesinos que formaban la milicia del estado en noviembre de 1914. Esa condición le fue conferida por la Legislatura del estado de Oaxaca después del abortado golpe dirigido por Luis Jiménez Figueroa, y fue aprobada por el Primer Jefe Carranza. La principal función de la milicia fue la de mantener la seguridad pública, proteger las instituciones del estado y, con posterioridad a junio de 1915, proteger la soberanía del estado contra las violaciones de la constitución y la invasión del carrancismo.[33] A pesar de la estructura cuasi profesional concebida en 1915, las Fuerzas Defensoras del Estado eran en realidad un conjunto desigual de unidades que tenían como base los pueblos que se reunieron en 1915 con el propósito de impedir el avance de la División 21, que recibía la ayuda de grupos no oaxaqueños (y pro-zapatistas) de Puebla y Guerrero. Tras la caída la ciudad de Oaxaca en marzo de 1916, la coalición quedó irrevocablemente dividida: solamente se hizo un intento (en agosto de 1916) de revivir la alianza bajo la jefatura de Félix Díaz, en un propuesto ataque sobre la capital, que concluyó en un desastre. En lo sucesivo, las Fuerzas Defensoras quedaron militar, geográfica y políticamente divididas entre la Mixteca y la Sierra de Juárez, con Tlaxiaco e Ixtlán como los respectivos centros de actividad rebelde en esas regiones. Después de 1917 el sector serrano de las fuerzas rebeldes (conocido como la División de la Sierra de Juárez) surgió como la fuerza combativa más flexible y coherente así como la de mayor éxito, que ponía en práctica tácticas de guerrilla que impidieron la invasión de la patria chica. Fueron los jefes serranos quienes suscribieron el tratado de pacificación en 1920.

En Oaxaca existen precedentes claramente establecidos en el siglo XIX no solamente para la creación de milicias del estado que defendieran su soberanía sino para que surgieran los serranos como los elementos más militantes y belicosos

---

[32] Lieuwen, *op. cit.*, pp. 48-55.

[33] PO, **XXXV**:10 3/2/15; mensaje del gobernador Inés Dávila a la Legislatura de Oaxaca, *op. cit.*, pp. 68-71 16/9/15.

dentro de esas milicias. Me propongo, por lo tanto, examinar el antecedente de la creación de una milicia del estado y su resurgimiento durante la Revolución, para después trazar su transición de milicia a ejército rebelde.

La primera milicia civil bajo el control político del gobernador que se organizó en Oaxaca fue la rama local de la Guardia Nacional, que creó el gobernador Benito Juárez en noviembre de 1855 como reacción ante el cuartelazo que dió la guarnición de Oaxaca en protesta ante la ley redactada por Juárez que restringía los privilegios legales del ejército.[34] La sabiduría de esta medida quedó demostrada en enero de 1858, cuando la Guardia Nacional oaxaqueña, que incluía un gran número de voluntarios serranos, contribuyó a la defensa de la soberanía del estado (y de la hegemonía de los liberales) contra la invasión de un ejército conservador al mando de José María Cobos.[35] Durante las Guerras de la Reforma, la Guardia Nacional de Oaxaca siguió prestando su apoyo a la defensa de la causa liberal, tanto dentro del estado como fuera de sus límites territoriales. Como resultado de la guerra civil, las erogaciones de la defensa (financiadas por medio de préstamos forzosos y ''contribuciones extraordinarias'' que se arrancaron a los propietarios y comerciantes de la comunidad) aumentaron de manera espectacular para apoyar a tres batallones (uno de los cuales fue el batallón de Juárez, formado exclusivamente por serranos) que combatieron para arrancar el control del estado a la ocupación conservadora en 1859 y 1860. Los voluntarios oaxaqueños fueron movilizados de nuevo durante la guerra de la intervención francesa; en 1862 la 3a. división del Ejército de Oriente de Zaragoza estaba formada principalmente por oaxaqueños, y después de mayo de 1863 Oaxaca llegó a ser el cuartel general del reconstituido Ejército de Oriente, entonces al mando de Porfirio Díaz.

La militarización de Oaxaca en esas dos décadas habría de tener profundas consecuencias, no solamente para la historia del estado sino para la historia de la nación. Dos importantes rebeliones brotaron en Oaxaca durante la década de 1870 que constituyeron un reto para quienes ocupaban la silla presidencial. En 1871 el gobernador Félix Díaz separó al estado de la Federación y se adhirió a una rebelión militar encabezada por su hermano Porfirio y por otros militares desafectos en toda la República contra la ''tiranía'' del gobierno de Juárez: de manera significativa, los hermanos Díaz fueron incapaces de movilizar un apoyo generalizado en el interior de Oaxaca, y regiones clave como las del Istmo de Tehuantepec y la Sierra de Juárez no solamente se rehusaron a unirse a la rebelión sino que contribuyeron a que ésta fuera suprimida.[36] Cinco años después,

[34] Berry (1981), *op. cit.*, p. 27.

[35] Esta fue la batalla en la que el Capitán Porfirio Díaz inició su carrera militar: la composición de la Guardia Nacional no es muy clara (Berry, *ibid.*, p. 45); el apoyo serrano a la campaña se indica por la participación de Miguel Castro y Marcos Pérez, ambos serranos, abogados, futuros gobernadores del estado e íntimos amigos y asociados políticos del más famoso de todos los serranos liberales, Benito Juárez.

[36] La antipatía de la Sierra de Juárez y del Istmo hacia Félix Díaz se explica como una consecuencia de la brutalidad en esas regiones de las expediciones militares que se enviaron para sofocar las manifestaciones locales contra la autoridad del gobernador en Juchitán (1870) y en Villa Juárez (Ixtlán) (1871). Cosío Villegas, *Historia moderna de México: La República restaurada: Vida política interior*, pp. 645-649, 660-664.

Porfirio Díaz alcanzó mayor éxito al movilizar un apoyo más amplio desde el interior de su estado natal para organizar una rebelión contra el gobierno de Lerdo de Tejada. Reconoció que Oaxaca era "la mina única para sacar la fuerza necesaria a su triunfo"; unos 2 000 serranos y 1 600 mixtecos (de la brigada "Libres de Oaxaca") constituían el núcleo de su fuerza militar en el interior de Oaxaca, base desde la cual le fue posible lanzar con éxito su candidatura para la presidencia.[37]

Después del triunfo de la rebelión de Tuxtepec (que fue precedido en Oaxaca por el derrocamiento del gobernador José Esperón) ninguna rebelión local o campaña política pudo lograr el mismo grado de participación popular en Oaxaca hasta la rebelión serrana de 1914, si bien la "pax porfiriana" quizá no fue siempre tan pacífica como se ha pretendido.[38] De cualquier manera, ninguna de las rebeliones locales que estallaron en ese periodo constituyeron una amenaza para el orden constitucional en el interior del estado y fueron fácilmente sofocadas por las fuerzas de seguridad que mantenía el estado durante el porfiriato: en los distritos políticos se organizaron la Guardia Nacional, la Gendarmería y las fuerzas rurales de policía. Las fuerzas de seguridad del estado fueron suplementadas por guarniciones de tropas federales acuarteladas en la ciudad de Oaxaca (8a. zona militar) y en San Jerónimo, en el Istmo (9a. zona militar), y por un destacamento de rurales federales (Policía Rural del Centro).[39]

La combinación de las fuerzas de seguridad federales y estatales fue suficiente para reprimir los levantamientos rurales espontáneos en el estado durante la revolución maderista de 1911. Aunque era necesario incrementar los gastos en la seguridad pública (para la creación de fuerzas rurales de policía en Jamiltepec, Yautepec, Tlacolula, Huajuapam, Putla y Tlaxiaco), el gobernador interino Heliodoro Díaz Quintas rechazó, por considerarlo innecesario, una proposición de reorganizar y ampliar la Guardia Nacional en el interior del estado (a un costo que se proyectaba en 150 mil pesos).[40] El recrudecimiento de los levantamientos rurales en 1912 incitó a la administración del gobernador Bolaños Cacho a incrementar las erogaciones destinadas a la seguridad interior. Con el apoyo fi-

[37] Cosío Villegas, *ibid.*, p. 895; Pérez García, *op. cit.*, menciona los detalles de la participación serrana en la rebelión de Tuxtepec, II, pp. 65-91.

[38] En 1889 surgieron motines en Tlaxiaco a consecuencia del retiro de la circulación de las monedas de plata y su substitución por papel moneda, emitido por las casas comerciales de la localidad. (Esteva, *op. cit.*, p. 196); en 1896 estalló una rebelión en la Sierra de Juárez contra la aplicación de un impuesto sobre la venta de artículos de primera necesidad (Pérez García, p. 89); en junio de 1910 los "indios de la montaña" se sublevaron contra el jefe político de Tlaxiaco (Esteva, pp. 407-409); ocasionalmente los disturbios requerían la creación de compañías adicionales de rurales: en 1905 se crearon dos compañías para que se hicieran cargo de las controversias locales en Huajuapan, Ejutla, Pochutla y Ocotlán (Cassidy, tesis, p. 261).

[39] Debe hacerse una distinción entre los rurales federales y los estatales: la Policía Rural del Centro era una fuerza policiaca paramilitar bajo la jurisdicción federal de la Secretaría de Gobernación, hasta que fue transferida por Huerta en 1913 a la jurisdicción de la Secretaría de Guerra y Marina; los rurales federales contribuyeron a las operaciones contra la insurgencia en Oaxaca en 1911. (AHDN, expediente 211). En cuanto a la creación de los rurales véase Vanderwood "The Genesis of the Rurales", *Hispanic American Historical Review*, vol. 50, mayo 1970, pp. 323-344.

[40] Heliodoro Díaz Quintas, *Mensaje a la XXVI Legislatura del Estado*, 16/9/11, p. 20.

nanciero y la aprobación del gobierno de Madero, los jefes políticos de los distritos fueron autorizados para organizar fuerzas locales, cuyas jurisdicciones podrían llegar más allá de los límites de los distritos políticos si era necesario; se concedió a los oficiales de la Gendarmería del estado un aumento de sueldo del 50% y se reglamentó el proyecto de reorganización y reclutamiento de una brigada de la Guardia Nacional.[41] Las erogaciones aumentaron todavía más en el transcurso de 1913, a lo que contribuyó un subsidio mensual de 20 mil pesos para "gastos de guerra" de la administración de Huerta: en septiembre de 1913 las fuerzas de seguridad del estado sumaban más de dos mil hombres.[42]

Los préstamos forzosos y el aumento en los impuestos sobre la propiedad y el comercio implantados por Bolaños Cacho en un intento de sostener las erogaciones en la seguridad pública fueron un factor importante en la génesis de la rebelión serrana de 1914.[43] Por lo tanto, la administración de Francisco Canseco, que reemplazó a la de Bolaños Cacho, hizo toda clase de intentos para reducir el presupuesto de la defensa. La fábrica de municiones establecida por la administración anterior en Zimatlán fue clausurada y se licenció al batallón de infantería "Guardianes de Oaxaca", que se había formado con las filas de la gendarmería de la capital del estado. El cargo de jefes militares que se había concedido a los jefes políticos fue revocado y su jurisdicción quedó restringida al distrito político para el cual habían sido designados.[44] No obstante, después del intento de golpe de Jiménez Figueroa en noviembre de 1914, los dirigentes políticos del estado reconocieron su vulnerabilidad y la necesidad de mantener una milicia permanente para defender el territorio y las instituciones (así como la soberanía) del estado contra la estrategia política y militar de Carranza en el sureste, iniciada por la ominosa agrupación de las tropas constitucionalistas en el Istmo de Tehuantepec después de agosto de 1914 y que se hizo explícita por el golpe que intentó Figueroa en noviembre. Por lo tanto, las Fuerzas Defensoras del Estado nacieron oficialmente en noviembre de 1914, incorporando a las fuerzas serranas que habían participado en la rebelión serrana de 1914 y que constituían la más poderosa fuerza militar en el estado. Guillermo Meixueiro, jefe político y el caudillo de la Sierra de Juárez, comandante en jefe del ejército serrano, fue designado general brigadier y se le confió la unificación, la organización y el reclutamiento de una fuerza coordinada, entrenada y bien equipada para combatir en todo el estado.[45]

La organización de una milicia del estado en Oaxaca estaba lejos de ser una operación clandestina. Carranza dió su aprobación y en enero de 1915 el gober-

[41] Miguel Bolaños Cacho, *Mensaje a la XXVI Legislatura del Estado*, 16/9/12, p. 12.

[42] Miguel Bolaños Cacho, *Mensaje a la XXVII Legislatura del Estado*, 16/9/13, p. 10; acerca del muy considerable incremento en las erogaciones militares para la defensa bajo Huerta véase Meyer, "The Militarisation of Mexico 1913-14", *The Americas*, vol. 27, 1971, pp. 293-306.

[43] Los sueldos de los empleados del gobierno se redujeron en un 25%, y se rebajaron los gastos destinados a la educación y a la administración de justicia a fin de incrementar las erogaciones destinadas a la seguridad interna; véase el Plan de Ixtlán, Apéndice I.

[44] Francisco Canseco, *Mensaje a la XXVII Legislatura del Estado*, 16/9/14, pp. 16-18.

[45] PO, XXXV:37, 8/5/15 incluye un informe sobre los debates de 16/12/14 efectuados en el Congreso del Estado.

nador José Inés Dávila le pidió tres mil rifles, 12 ametralladoras y las municiones que se requieren "para las fuerzas que organizamos".[46] Entre enero y septiembre de 1915, las erogaciones en el ramo de guerra ascendieron a un total de 1 308 992 pesos (con 65 585 pesos más para destinarse al establecimiento de una fábrica de municiones y maestranza en la capital del estado, que para fines del año estaba produciendo "municiones . . . para todos los tipos de armas").[47]

Sería erróneo, no obstante, dar la impresión de que la milicia reclutada durante los primeros meses de 1915 era una unidad totalmente equipada o adiestrada profesionalmente. Aunque es difícil obtener cifras exactas, de un total estimado de nueve mil hombres, menos de la mitad tenían armas en su poder.[48] A pesar de haberse introducido una estructura de pagos estandarizada, el reclutamiento seguía siendo algo que se hacía al azar. Algunos voluntarios eran incorporados oficialmente a las Fuerzas Defensoras, pero eran muy numerosos los que conservaban el título de "guardias cívicas", para ser movilizados solamente en caso necesario. Un batallón podía estar formado por sólo 21 soldados (y 7 oficiales).[49] Inés Dávila y Meixueiro estaban bien conscientes de que las capacidades militares de las Fuerzas Defensoras del Estado no se podrían comparar con la fuerza de carrancistas que inevitablemente llegaría una vez que se hubiera proclamado la soberanía, y en consecuencia estaban preparados para hacer concesiones políticas (el reconocimiento del Plan de Ayala) a cambio de un acuerdo que les prometiera la ayuda militar del Ejército Libertador de Zapata.[50]

Los temores de Dávila y Meixueiro estaban bien fundados. A pesar de la ayuda zapatista (de Higinio Aguilar, Rafael Cal y Mayor y Manuel Alvarado), y a pesar de una aparente superioridad numérica, la campaña de 1915-1916 fue un completo desastre. La superioridad logística en general de la División 21 quedó ampliamente demostrada desde principios de 1916 en Miahuatlán y Ocotlán (véase el mapa). Para el mes de marzo las fuerzas carrancistas habían ocupado los valles centrales en los alrededores de la capital del estado, y se tomó la decisión de evacuar Oaxaca y dirigirse hacia las montañas. La división geográfica en los dos centros de actividad rebelde pronto se reflejó en el cisma militar y lue-

[46] AHDN, 210 f. 36, Inés Dávila a Carranza, 2/I/15.

[47] José Inés Dávila, *Mensaje a la XXVIII Legislatura del Estado*, 16/9/15, p. 58.

[48] AHDN, 211, ff. 45-6; Alfonso Taracena, en sus *Apuntes históricos para la historia de Oaxaca* (1921), estima que las Fuerzas Defensoras tenían de seis a ocho mil hombres; en la convención militar carrancista efectuada en la ciudad de México en octubre de 1914, el gobernador Canseco afirmó que representaba una fuerza de nueve mil hombres. Márquez, *op. cit.*, p. 130.

[49] La creación en diciembre de 1915 del batallón serrano de Nochixtlán, la 1a. Compañía de las Fuerzas Defensoras del Estado, AGEO, Expediente marcado "correspondencia con y del Tesorero General del Estado 1916"; los haberes de un soldado raso en las FDE (Fuerzas Defensoras del Estado) eran la mitad de los de un soldado constitucionalista, 0.25 centavos diarios; una interesante característica de la estructura interna de la FDE fue la elección de los oficiales por medio de la aprobación colectiva de los voluntarios, práctica que desde hacía mucho tiempo se había establecido en las milicias que tenían su base en los pueblos en la Sierra de Juárez (véase Ibarra, *Memorias, op. cit.*).

[50] *Fondo Zapata*; pacto suscrito entre Meixueiro y Aguilar, 4/6/15; Meixueiro también pidió armas y pertrechos a Zapata; Meixueiro a Zapata, 18/11/15.

183

go en el político.[51] De todas maneras, los esfuerzos combinados (aunque en su mayoría no relacionados ni coordinados entre sí) de las desiguales y diferentes partidas rebeldes, se encargaron de que para 1920 sólo los valles centrales, la parte norte de la Mixteca (la Mixteca Alta) y el Istmo de Tehuantepec estuvieran bajo el control efectivo de las autoridades militares carrancistas.

LA RESISTENCIA EN LA SIERRA DE JUÁREZ

Ya se ha examinado la hegemonía de los caudillos de la Sierra de Juárez en la historia política de Oaxaca durante la segunda mitad del siglo XIX. La manifestación externa de ese poder político fue su aptitud para movilizar un considerable apoyo, basado principalmente en lazos familiares, de parentesco o comerciales, dentro de su sierra natal, ya fuera en defensa de los intereses serranos dentro de la política del estado (1871) o para participar en más amplias campañas nacionales (1862/1876). Sin embargo, las pruebas de que se dispone sugieren que en las vísperas de la Revolución, el grado limitado de movilidad social y económica generado por el desarrollo económico de la región durante el porfiriato había empezado a socavar, aunque no a destruir, el tipo de patrocinio político que ejercían en la sierra dos generaciones de las familias Hernández y Meixueiro. Fue sintomático de los débiles eslabones de la anterior cadena política, el rechazo de una invitación hecha por Meixueiro y Hernández de apuntalar la dictadura de Díaz que se desmoronaba en 1910, a lo que siguió una demostración de apoyo de la administración de Benito Juárez Maza por medio de la organización del Batallón de la Sierra en 1911. No obstante, los acontecimientos de 1912 a 1915 forjaron una alianza entre dos generaciones de jefes serranos (representadas por Meixueiro e Ibarra) ante un enemigo común: el carrancismo. Esa alianza, respaldada por las removilizadas milicias serranas, había restablecido el control político del estado después del triunfo de la rebelión serrana de 1914. La moral en esas milicias era alta, y con una buena razón: los serranos de Ixtlán y sus aliados habían demostrado que eran invencibles, en primer lugar contra sus más cercanos (y más encarnizados) enemigos, los ixtepejanos, en 1912; en segundo, contra un gobernador del estado (Bolaños Cacho) que había desafiado la hegemonía serrana, en 1914; y en tercero, contra un intento de socavar la soberanía del estado, con la encubierta aprobación de Carranza (el golpe de Jiménez Figueroa), también en 1914. Las milicias habían obtenido las alabanzas de los políticos del estado y sus jefes habían sido condecorados por el Congreso del Estado "en repre-

[51] Es indicativa de la hostilidad profundamente arraigada entre las sierras de Juárez y de la Mixteca que cada rama de las FDE culpaba a la otra del desastre de Tlacolula en agosto de 1916 (Vázquez Cruz, p. 104; Ibarra, p. 147); las comunicaciones y vigilancia deficientes parece que impidieron la destrucción de la vía del Ferrocarril Oaxaca-Tlacolula, lo cual hubiera impedido la llegada de los refuerzos carrancistas enviados por la capital del estado: el grupo encargado de hacer detonar los explosivos aparentemente estaba dedicado a tomar su desayuno cuando pasó el tren militar; una versión que exonera a *Félix Díaz* y arroja la culpa sobre Meixueiro y Pedro Castillo del fracaso del plan, consta en Liceaga, *Félix Díaz*, pp. 383-385.

sentación del pueblo oaxaqueño".[52] Dentro de las filas de las Fuerzas Defensoras del Estado, los serranos constituían una aristocracia indiscutible.

Las milicias serranas quedaron formalmente incorporadas a la División de la Sierra de Juárez (que a su vez se incorporó a las Fuerzas Defensoras del Estado) en mayo de 1915. La División quedó formada por tres batallones. A pesar de que usaba una nomenclatura militar, la estructura de las fuerzas serranas reflejó la organización social y política de las comunidades serranas. La decisión de que se movilizaran (y de ninguna manera todos los pueblos serranos llegaron a esa decisión) la tomaron los jefes de comunidad de los pueblos, quienes igualmente "eligieron" al hombre que habría de conducir al combate a los jóvenes del pueblo.[53] Esas milicias autónomas que tenían como base un pueblo se agruparon entonces con otros pueblos con los que ya estaban asociados por medio del comercio (y en consecuencia muy frecuentemente por medio de lazos de parentesco), o por medio de vínculos sociales y culturales (como en el caso de la 3a. brigada de la División, que estaba formada exclusivamente por pueblos chinantecos encabezados por el "general" Pedro Castillo de Quiotepec).[54]. La 2a. brigada (al mando del "general" Isaac Ibarra) estaba constituida por voluntarios de los pueblos de Lachatao, Amatlán y Yavesía (cada uno suministró un batallón). La 1a. brigada incluía a voluntarios de la cabecera del distrito, Ixtlán, al mando del "general" Onofre Jiménez, y de sus asociados comerciales de Atepec, Jaltianguis, Guelatao y Chicomezúchil.[55]

Son evasivas las estadísticas precisas de la fuerza y distribución de las diversas milicias incorporadas a la División de la Sierra de Juárez. Las fuentes disponibles o no son confiables o son reticentes, y quizá la investigación resulte superflua por la naturaleza del conflicto, especialmente después de marzo de 1916: cuando la Sierra se encontraba bajo la amenaza de una invasión carrancista, las milicias se podían movilizar fácil y efectivamente (en abril de 1916, en octubre de 1916 y en marzo de 1920), pero durante los periodos intermedios las manifestaciones de la militarización casi desaparecieron, y los reclutas campesinos regresaron a sus pueblos y a sus milpas. La naturaleza de la resistencia estaba determinada también por la topografía de la región. Las montañas y los valles de la Sierra estaban idealmente adecuados para la guerra de guerrillas, y hacían que la penetración carrancista fuera no solamente peligrosa sino prácticamente imposible. La decisión de reorganizar los diversos grupos que constituían la Divi-

[52] PO; XXXV: 57, 17/7/15.
[53] Ésta era muy semejante a la estructura del ejército zapatista en Morelos; Womak, *op. cit.*, pp. 313-314.
[54] Las asociaciones mercantiles entre comerciantes de diferentes pueblos se confirmaban (y siguen siéndolo) por medio de matrimonios; Kate Young, *Factors Affecting Migration, op. cit.*, p. 224.
[55] Acerca de los detalles de las campañas y realizaciones de la 2a. brigada véase Ibarra, *Memorias*, pp. 204-210; Pérez García, *La Sierra de Juárez*, incluye breves historias de todas las principales comunidades de la Sierra, II, pp. 153-339; una 4a. brigada se creó en 1916 con voluntarios de los pueblos de Zaachila y Yalalag en el distrito de Villa Alta (la sierra oriental) para defender a la región de la invasión carrancista de junio del mismo año; sin embargo, la alianza entre Yalalag y Zaachila no siempre fue armoniosa, y durante el curso del conflicto, en palabras de J. de la Fuente, "La anterior y fuerte amistad . . . vino a convertirse en hostilidad permanente", *Yalalag: una villa zapoteca serrana*, vol. 1, Serie Científica, Museo Nacional de Antropología, México (1949), p. 23.

sión de la Sierra de Juárez en unidades de guerrillas se tomó en octubre de 1916, durante la segunda invasión carrancista a la región (que siguió a la defección de los exvillistas José Isabel Robles y Canuto Reyes y de unos mil norteños de la brigada "Integridad Nacional" al Movimiento de la Soberanía), porque "consideramos que sólo con esa medida podríamos vencer la superioridad de nuestro enemigo".[56] La adopción de esas tácticas permitió a los serranos acosar y emboscar a las columnas expedicionarias carrancistas que se habían despachado a la región, sin que nunca libraran un combate abierto: su efectividad queda quizá mejor demostrada por el hecho de que las guarniciones constitucionalistas de la Sierra de Juárez no emprendieron ninguna campaña entre enero de 1917 y marzo de 1920.

La resistencia de los serranos era, por tanto, decidida, aunque los combates fueran esporádicos y en raras ocasiones sanguinarios. (véase el cuadro 7). La inferioridad logística[57] parece que fue contrarrestada por el conocimiento íntimo

CUADRO 7. *Bajas de las que se informó durante la lucha por la sobernía de Oaxaca 1915-1920*

Distrito	Bajas de los constitucionalistas	Bajas de los soberanistas
Etla	8	180
Ejutla	—	23
Jamiltepec	14	52
Juquila	11	13
Miahuatlán	—	190
Nochixtlán	18	204
Ojitlán/Tuxtepec	5	76
Pochutla	11	22
Putla	2	7
Juchitán	4	—
Teotitlán	4	—
Tlacolula	2	30
Tehuantepec	28	5
Tuxtepec	5	60
Villa Alta	3	7
Totales	*110*	*809*

FUENTE: AHDN, *Expedientes 210-215, 1915-1920 (XI/481 5)*

[56] Ibarra, *op. cit.*, p. 159.

[57] La impresión general que se obtiene de los testigos presenciales y de los relatos de los contemporáneos es de caos, confusión y una casi total falta de comunicación y de coordinación; la falta de comunicación fue particularmente notoria durante la decisiva campaña de 1915-1916 en el combate de Miahuatlán, cuando, a pesar de que existía un plan preconcebido de ataque, los cabecillas individuales decidieron por sí solos el momento más oportuno para avanzar (Ibarra p. 122.)

del terreno, aunque las milicias serranas no parece que hayan encontrado dificultad alguna para obtener equipo y avituallamiento de la capital del estado y aun de más lejos. La mina más importante del estado, La Natividad, en Ixtlán, estuvo en producción durante toda esa época, y el mineral extraído lo canjeaban los jefes serranos por medio de agentes tanto de la ciudad de Oaxaca como en la de México, quienes les suministraban armas, explosivos y el equipo técnico necesario para establecer una fábrica de municiones en el mismo campo minero.[58]

Si bien la resistencia ante el invasor era decidida y casi siempre alcanzaba el éxito, no era ubicua en toda la Sierra de Juárez. Encarnizadas rivalidades y pleitos entre las comunidades serranas, muchos de los cuales comenzaron antes de la independencia, —el más obvio fue el interminable pleito entre Ixtepeji e Ixtlán por cuestiones de territorio y de categoría, que hizo explosión en 1912—, brotaron de nuevo durante esa época, cuando algunos pueblos ayudaron a los carrancistas por medio de traiciones contra sus enemigos de Ixtlán. Por ejemplo durante la primera invasión carrancista de abril de 1916, los habitantes de San Pablo Yaganiza, en la mitad oriental de la sierra (distrito de Villa Alta), parecían dar la bienvenida a los combatientes de la sierra occidental (de Ixtlán) y prometieron cooperar en la defensa de la región. La alianza quedó sellada mediante la tradicional entrega de barricas de mezcal tan sólo para que los serranos de Ixtlán descubrieran que el propósito del festejo era distraer su atención (y embriagarlos) para luego traicionarlos con los carrancistas que se aproximaban.[59] Otras comunidades intentaron mantenerse alejadas del conflicto, recurriendo en algunos casos a organizar manifestaciones públicas de apoyo tanto en favor de los soberanistas como de los carrancistas.[60] En otros casos las lealtades se dividían entre los barrios de una misma comunidad y sus habitantes dedicaron los años de la Revolución a reñir entre sí.[61]

Durante toda la época de la Revolución la Sierra de Juárez continuó siendo el centro del conflicto. Como consecuencia, los años de trastornos y violencia cobraron un tributo de vidas muy considerable en la región. El historiador de la Sierra de Juárez, Rosendo Pérez García, calcula que el número total de víctimas en 22 municipios de la Sierra, como resultado directo de las peleas entre 1912

[58] Ibarra, pp. 216-218; no obstante, numerosos serranos aún carecían de armas de fuego; y muchas de las armas que utilizaban eran las mismas que sirvieron a las milicias serranas durante las Guerras de la Intervención y de Tuxtepec (Pérez García, II, pp. 101-104).

[59] Ibarra, pp. 139-141; el intercambio de aguardiente era también una aceptada manifestación de buena fe y de alianza en la Mixteca: el presidente municipal de Cabecera Nueva (Distrito de Putla) obsequió un garrafón de aguardiente al cabecilla del lugar como confirmación del apoyo de la comunidad a la causa de la Soberanía (AHDN: el Suplemento del expediente 214 es un legajo con 130 documentos relacionados con las actividades del ''mayor'' Víctor Santos, de la División Mixteca, entre septiembre y diciembre de 1919 en el distrito de Jamiltepec y en sus alrededores, f. 79, 10/11/19).

[60] Ibarra transcribe dos documentos firmados por los jefes de la comunidad del campamento minero de San Antonio, distrito de Ixtlán, en los que profesan fidelidad tanto al soberanismo como al constitucionalismo, pp. 189-192.

[61] Las rivalidades entre los barrios del pueblo de Jaltianguis (Distrito de Ixtlán) tuvieron como resultado la muerte de 29 vecinos entre 1910 y 1925 (Pérez García, *op. cit.*, p. 210); Jaltianguis en 1910 tenía una población de 851 habitantes (Censo de 1910).

y 1925 fue de 871. Otras pérdidas demográficas fueron consecuencia del aumento en la emigración de la Sierra causada por el cierre de las minas y por la interrupción del comercio. El pueblo y campamento minero de La Natividad perdió cuatro quintas partes de su población entre 1916 y 1920. Algunas comunidades se dispersaron completamente, para no volver nunca (como en el caso del Mineral de San Antonio, o del pueblo de Xía, que perdió la base de su subsistencia con el cierre de la fábrica textil en 1916). Muy pocas comunidades, en todo caso, han vuelto a tener la población y la prosperidad de que disfrutaron con anterioridad a la Revolución.[62]

LA RESISTENCIA EN LA MIXTECA 1916-1920

A pesar del restablecimiento de la hegemonía serrana en la política de Oaxaca durante la década posterior a 1910, es importante no subestimar la contribución de la Mixteca a la causa de la soberanía. Después de la evacuación de la ciudad de Oaxaca en marzo de 1916, Tlaxiaco, que entonces era el asiento del gobierno del estado soberano, presidido por José Inés Dávila, llegó a ser el objetivo militar más importante de las fuerzas constitucionalistas en Oaxaca. Durante 1917 y 1918 las operaciones militares se concentraron en la Mixteca Alta (en donde Nochixtlán sufría los ataques con mayor frecuencia), hasta la evacuación de Tlaxiaco en julio de 1918, después de lo cual los supervivientes de las fuerzas soberanistas se fraccionaron en pequeñas bandas al mando de una multitud de cabecillas que lograron evadir la persecución de los carrancistas hasta que les llegaron las noticias del tratado de paz en diciembre de 1919.[63]

La resistencia de la Mixteca después de marzo de 1916 se organizó sobre las mismas bases de la formación original de las Fuerzas Defensoras del Estado en la región. El general Mario Ferrer estaba al mando de la División de la Montaña, que quedó dividida en 3 brigadas: la primera, con base en Itundujia, estaba constituida por reclutas de los pueblos de los alrededores (San Andrés Cabecera Nueva, Nopalera, Yucuiti, etc.), al mando del "general" Carlos Oceguera; la segunda, con base en San Miguel el Grande, estaba al mando del "general" Rafael Pérez; y la tercera, que incluía a voluntarios de Chalcatongo, Tataltepec, Yosonda, Ixcatlán, Yolotepec y muchos más, tenía como jefe al "general" Ignacio

[62] Esta es la tesis que defiende Kate Young en *The Social Setting of Migration*. Las cifras demográficas de la Sierra de Juárez sugieren que la época de mayor prosperidad en la región corresponde al porfiriato; por ejemplo, el siguiente cuadro da a conocer la población registrada del pueblo de Guelatao (lugar de nacimiento de Juárez, en el Distrio de Ixtlán):

1858	100
1883	382
1910	354 (el censo de 1910 consigna 327)
1926	205
1946	237

FUENTE: Pérez García, 1956, vol. II, p. 200.

[63] La principal fuente acerca de la resistencia en la Mixteca es Leovigildo Vázquez Cruz, *La soberanía de Oaxaca en la Revolución (1959)*.

Ruiz. La División Mixteca, cuyo cuartel general se encontraba en el propio Tlaxiaco, estaba al mando del general Alberto Córdova.[64] Una vez más, al igual que en el caso de la División de la Sierra de Juárez, la estructura cuasi militar de las fuerzas en la Mixteca no oculta el hecho de que las "brigadas" que así se formaron eran poco más que débiles alianzas entre milicias con base en un pueblo, que se habían unido en defensa propia y que actuaban exclusivamente bajo las órdenes de cabecillas locales cuyas afiliaciones políticas con diversas facciones revolucionarias demostraban una volatilidad característica de la época. (Ignacio "Nacho" Ruiz, de Chacaltongo, por ejemplo, había sido maderista y zapatista antes de convertirse en soberanista.)[65]

Las milicias organizadas en la Mixteca tenían también problemas logísticos semejantes a los de sus aliados soberanistas en la Sierra de Juárez. Aunque parte del arsenal que existía en la capital había sido trasladado a Tlaxiaco durante la evacuación, la artillería se había quedado en Oaxaca. Los voluntarios carecían de adiestramiento, de disciplina ("fue imposible contener a toda la indiada"), de armas de fuego (en su mayoría estaban armados con garrochas o lanzas de cacería), y de alimentos (particularmente durante las hambrunas de 1915 y 1916).[66] Igualmente, la inexperiencia de los mixtecos contrastaba mucho con el papel que desempeñaron las fuerzas serranas en el periodo de 1911 a 1915. Además de un mayor grado de organización y experiencia militar, su estrecha identificación tanto con la patria chica como con la causa de la Soberanía, que es notoria en la Sierra de Juárez, no parece que se haya destacado en la Mixteca. Leovigildo Vázquez Cruz, subteniente de la División Mixteca, al hacer una detallada crónica de sus experiencias en el Movimiento de la Soberanía, suministra un cierto número de ejemplos de cobardía en el campo de batalla y de ejecuciones de "espías" o "desertores". Se crearon destructivas rivalidades y celos no sólo entre los cabecillas locales sino entre comunidades enteras. Una antigua disputa entre el pueblo de Itunyoso y los de Yucunicoco y Teposlantongo, en el distrito de Tlaxiaco (cuya génesis es desconocida), hizo erupción en abril de 1914 y había dejado un total de 63 bajas tan sólo en Itunyoso, para noviembre de 1919-[67] Después de 1917 el "gobernador" Dávila encontró que le era cada vez

[64] Vázquez Cruz, *ibid.*, pp. 173-175.

[65] *Ibid.*, p. 149; las fuerzas soberanistas en la costa del Pacífico estaban organizadas en una incierta confederación conocida como la División del Pacífico, que si bien dependía nominalmente del cuartel general de Tlaxiaco, parece haber gozado de un considerable grado de autonomía y libertad de acción bajo el mando de Fidel Baños, quien tenía un enconado pleito personal por el control de la región costera con su tío Juan José Baños (jefe de la brigada Plan de Guadalupe, carrancista) hasta que murió Fidel como resultado de una herida infectada en agosto de 1918. La génesis de ese pleito familiar no es clara: Vázquez Cruz menciona únicamente las hazañas heroicas de "este guerrillero de fama" y hace una descripción detallada de su fallecimiento, pp. 400-402; Liceaga asegura que las fuerzas soberanistas en la Mixteca disponían de un total de tres mil hombres, de quienes dice que estaban "perfectamente armados", p. 383.

[66] Vázquez Cruz, pp. 128-134; el ganado y demás animales fueron vendidos fuera de la región para pagar las armas y los pertrechos indispensables, AHDN, 214 (Suplemento), f. 85.

[67] AHDN, 214 (Supl.), f. 73, 95 7/11/19 y 25/11/19; Vázquez Cruz atribuye la animosidad entre Yocondo y Nunún, Mixtepec y Tlaxiaco, y entre Jaltepetongo y Tecomatlán a "viejas dificultades de límites", p. 135-141; la renuencia de algunos pueblos de la Mixteca a participar se refleja en la

más difícil imponer su autoridad. Tuvo choques con Córdova respecto de la necesidad de imponer una disciplina estricta en las tropas, y se hizo progresivamente más impopular entre los habitantes de la región por la imposición de contribuciones forzosas para sostener los esfuerzos de la guerra. Para principios de 1918 era gobernador tan sólo de nombre: la mayoría de los burócratas y empleados de la administración soberana que lo había seguido a Tlaxiaco en marzo de 1916 había buscado refugio en la ciudad de México.[68] Esos reveses, no obstante, no parece que hayan debilitado su resolución. En enero de 1918 lanzó un desafiante manifiesto desde "la heroica ciudad de Tlaxiaco" al pueblo oaxaqueño en el que rechazaba con firmeza la idea de entrar en componendas o negociaciones con el régimen de Carranza:

Es, pues, inconcebible y sería el más grande de los absurdos que el gobierno legítimo que represento entregara al libertinaje carrancista el heroico estado de Oaxaca: sería arrojar por el suelo sus tradiciones y prestigio: sería destruir el pedestal sobre el que se levanta altiva la majestuosa (sic) figura de Oaxaca Libre y Soberana.[69]

Aún después de la evacuación de Tlaxiaco en julio de 1918, Dávila continuó exhortando a los pueblos de la Mixteca y de la costa para que se levantaran contra los "innumerables crímenes del carrancismo", recordándoles las valerosas proezas de la gente de Silacayoapan, Miahuatlán y Tlaxiaco contra los ejércitos realistas e imperialistas en el siglo anterior. Ahora había algo más que un indicio de desesperación en lo que decía:

Si después de tantos atropellos y robos cometidos por los carrancistas, y después de tan enormes y graves contribuciones . . . los pueblos toleran semejantes atentados, con muchísima razón merecerán el denigrante título de traidores y quedarán sujetos a todas las consecuencias, pues no dilatará ya mucho tiempo y entonces quedarán avergonzados de no haber cumplido con sus deberes, no ya por patriotismo, sino siquiera de conveniencia para defender sus propios intereses.[70]

Cinco meses después Dávila fue capturado y ejecutado por las tropas carrancistas cerca del pueblo de Ixtayutla, en el distrito de Jamiltepec, acompañado solamente por su secretario particular y por dos leales compañeros de armas.[71] La resistencia persistió en la Mixteca hasta que se hizo la paz y el "triunfo"

respuesta de Santa Lucía Monteverde, del distrito de Putla, a la invitación a cooperar en un propuesto ataque de los soberanistas del lugar sobre el pueblo de Itundujia: el presidente municipal contestó que sería imposible ayudar inmediatamente porque sus rifles estaban sucios y preguntó si estaría bien que lo hicieran "el próximo lunes". AHDN, 214 (Supl) f. 75.

[68] AHDN, 213 ff, 49-56 presenta una lista de simpatizantes soberanistas (funcionarios del gobierno local, profesionistas, periodistas etc.) y de militantes soberanistas (160 en total) que habían salido del estado.

[69] AHDN, 213 f. 115 Manifiesto al Pueblo Oaxaqueño, Tlaxiaco, 20/1/18.

[70] AHDN, 213 f. 116 Dávila a todos los jefes militares del Movimiento de la Soberanía, diciembre de 1918.

[71] AHDN, 214, Jiménez Méndez a Pablo González 6/6/19; Vázquez Cruz, pp. 515-523; Liceaga, p. 560; Dávila posteriormente se convirtió en algo así como un héroe del folklore en la Mixteca; Vázquez Cruz reproduce un corrido que se cantó en su honor (p. 572-575).

del Movimiento de la Soberanía quedó confirmado en mayo de 1920, y hasta llegó a disfrutar de un cambio de fortuna durante 1919 que correspondió a (y fue en gran parte el resultado de) la desintegración de la autoridad carrancista en el transcurso del año. Se mencionó la existencia de bandas rebeldes en Achiutla, Yodocendo, Teposcolula (Antonio Montero y Juan Carrera); en Tlaxiaco (Jesús Sánchez); en Chacaltongo (Nacho Ruiz); e Ixcatlán (Rafael Pérez). Aunque diversos cabecillas de la Mixteca asistieron a las negociaciones de paz celebradas por los representantes de Pablo González y de Guillermo Meixueiro que tuvieron como resultado el tratado de Coatequitas en diciembre de 1919, era evidente que la influencia de la Mixteca en los destinos del Movimiento de Soberanía había fenecido junto con Dávila. Pero aun desde antes de 1919, era notorio que el destino final del Movimiento de la Soberanía habría de depender de un acomodo con las fuerzas políticas que habían desencadenado la revolución de Madero y los subsecuentes años de guerra civil y que habían predominado en el escenario político desde 1914. Las divisiones internas en la coalición nacional que habían salido victoriosas de la guerra civil se hicieron manifiestas en la ruptura entre Carranza y Obregón a medida que se aproximaban las elecciones presidenciales de 1920. La rebelión de Agua Prieta, encabezada por Obregón, dio la oportunidad a todos los grupos disidentes de la República para negociar con y rendirse ante el gobierno central sin perder su prestigio ni su legitimidad revolucionaria. A fines de 1919 la Mixteca ya era incapaz de negociar un convenio semejante: la región estaba dividida y desmoralizada por los acontecimientos de 1915-1919, y no había surgido ningún cabecilla local que retara o reemplazara a Dávila.[72] En la Sierra de Juárez, sin embargo, una nueva generación de jefes como Ibarra y Jiménez había surgido en el transcurso de una década de Revolución para desafiar la autoridad de la élite política anterior (y proporfirista), que incluía a antiguos caudillos serranos como Meixueiro. Esa nueva generación de serranos fue capaz, en 1920, de negociar un convenio ostensiblemente favorable con el régimen de Obregón, que dio fin al Movimiento de la Soberanía.

SUPERVIVENCIA POLÍTICA

Fuera de Oaxaca el Movimiento de la Soberanía tuvo muy pocos aliados políticos. La mayoría de los simpatizantes carrancistas compartía las opiniones del gobernador militar, Juan Jiménez Méndez, quien acostumbraba describir a los soberanistas como "burgueses reaccionarios".[73] Los historiadores de provincia de Oaxaca se han unido posteriormente al coro nacional de difamación y han tenido

---

[72] El único posible contendiente y rival de Ibarra en la Mixteca era el "general" Albino Cerrillo, quien lanzó un manifiesto en agosto de 1919 en el que pretendía haber recibido de Dávila antes de su muerte el nombramiento de general en jefe de las Fuerzas Defensoras de Oaxaca. AHDN, 214 (Supl.) f. 20; según Vázquez Cruz, la autoridad de Cerrillo (según parece fue nombrado gobernador por Félix Díaz) no era reconocida ni siquiera en el interior de la Mixteca, pp. 543-546.

[73] Jiménez Méndez a Carranza, AHDN, 213, ff. 42-48 17/4/18.

la tendencia de coincidir con la opinión de Jorge Tamayo de que el Movimiento de la Soberanía era "un típico movimiento reaccionario".[74]

Como resultado de la asociación de Félix Díaz con los dirigentes originales del Movimiento, Dávila y Meixueiro, con frecuencia se le ha aplicado el marbete de "felicista".[75] No obstante, las pruebas de que se dispone sugieren que los vínculos entre Díaz y el Movimiento de la Soberanía eran más tenues de lo que anteriormente se suponía. Esta hipótesis ha sido apoyada por Peter Henderson, en una biografía de Félix Díaz recientemente publicada, pero por consideraciones erróneas. Después de la resonante derrota del sobrino del exdictador en las elecciones presidenciales de octubre de 1913, Díaz se vio obligado a pensar de nuevo su estrategia política en su búsqueda de poder personal. Según Henderson:

> Díaz vaciló para capitalizar sus conexiones políticas con Oaxaca porque rápidamente advirtió que los oaxaqueños preferían la paz, la autonomía local y un gobierno en pro de Carranza en vez de uno abiertamente hostil hacia el Primer Jefe . . . No tuvo visión para darse cuenta de que el carrancismo había suplantado a muchas de las lealtades tradicionales en el estado.[76]

Un análisis como ése deja de apreciar la profundidad de la hostilidad que demostró Oaxaca ante la invasión del carrancismo después de 1915, hostilidad que se exacerbó con la experiencia del gobierno militar en el estado y que atrajo el apoyo de todos los niveles de la sociedad de provincia hacia las aspiraciones de los soberanistas. Igualmente deja de tomar en consideración la división de las lealtades políticas dentro de los jefes del Movimiento, lo que es vital para comprender la evolución de las fortunas políticas entre 1915 y 1920. *Prima facie* son determinantes las pruebas de las simpatías felicistas de los dirigentes del Movimiento, particularmente en el caso de José Inés Dávila, gobernador del estado y autor de la Declaración de la Soberanía. Tanto Dávila como Meixueiro eran por muchos conceptos representantes clásicos de la élite porfirista que había tenido bajo su control la política de Oaxaca desde la época de la Reforma. Los dos obtuvieron el título de abogado, los dos estaban dedicados al comercio, habían hecho inversiones en propiedades urbanas y rurales y habían resultado electos a la Legislatura del estado (como diputados por Tlaxiaco e Ixtlán, respectivamente).[77] Durante la fase inicial de la Revolución, sus afiliaciones políticas eran inequívocas e idénticas. Ambos apoyaron las ambiciones de Félix Díaz, primero en las elecciones para la gubernatura de Oaxaca en 1911, y posteriormente en la campaña para las elecciones presidenciales de 1913. El obvio fracaso de Díaz cuando trató de seguir los pasos de su tío incitó a Meixueiro, aunque no a Dávila, a re-

[74] Tamayo, p. 6.
[75] José C. Valadés, *Historia general de la Revolución Mexicana*, p. 270, quien pretende que "Meixueiro y Dávila, comprendiendo que no podían ser caudillos ni héroes nacionales, empezaron a procurar entregar sus mandos al general Félix Díaz, con lo cual se originó que lo oaxaqueño se convirtiera en faccional", citado por Ramírez, p. 198.
[76] Henderson (1981), *op. cit*, pp. 114-116.
[77] Además de ser propietario de bienes urbanos en Oaxaca, Meixueiro era dueño de bienes rurales en Ixtlán y Yautepec, y Dávila en Tlaxiaco.

considerar las ventajas políticas de una estrecha asociación con Díaz (particularmente en vista del encarcelamiento de Meixueiro por Huerta). Al tanto del popular descontento de su natal Sierra de Juárez por los problemas económicos y las cargas impuestas por la administración de Bolaños Cacho, Meixueiro aprovechó la oportunidad para restablecer su base de poder en la sierra. En 1914 aceptó la invitación de una nueva generación de jefes serranos (en la que se encontraban tanto Ibarra como Onofre Jiménez) de encabezar una rebelión serrana que habría de restablecer la hegemonía de la Sierra de Juárez en la política del estado y a Meixueiro como indiscutible caudillo serrano.

Todas las pruebas sugieren que Meixueiro (junto con otros jefes serranos) tenía todas las intenciones de apoyar el régimen nacional de Venustiano Carranza después de la caída de Huerta en el verano de 1914. Se negó a apoyar el manifiesto, lanzado por los ex generales del ejército federal Almazán y Aguilar en Puebla, que proclamó a Félix Díaz como presidente de la República. Pero a medida que se deterioraban progresivamente las relaciones entre Carranza y el gobierno del estado después del intento de golpe de Figueroa en noviembre de 1914, Meixueiro procuró aliar la causa de la soberanía del estado de Oaxaca con la ola nacional del anticarrancismo que se manifestó en la Convención de Aguascalientes. Sus aliados naturales en Oaxaca en 1915 eran los bien atrincherados miembros de la aristocracia porfirista, que aún tenían la mayoría en la legislatura del estado, y cuyo portavoz, Dávila, fue designado gobernador interino en diciembre de 1915. Pero Meixueiro también tuvo el cuidado de concertar una alianza con un amplio espectro de anticarrancistas: con Zapata, en junio de 1915 y posteriormente con el ex villista José Isabel Robles en octubre de 1916. La defección de Robles al Movimiento de la Soberanía, aparentemente después de realizar negociaciones secretas con Meixueiro, tuvo potencialmente un considerable valor tanto militar como de propaganda para los rebeldes de Oaxaca, ya que el exprofesor de escuela había desempeñado un importante papel en las campañas villistas en el Norte. Desafortunadamente para los soberanistas, la alianza quedó interrumpida al ser ejecutado Robles en febrero de 1917.[78] Díaz siguió siendo útil para todos los anticarrancistas (y por lo tanto para los jefes serranos) porque continuó siendo el foco de la oposición nacional e internacional hacia Carranza: como general en el campo de batalla parecía ser un aliado más negativo que positivo, como lo demostró el fracaso del ataque sobre la ciudad de Oaxaca en agosto de 1916.

Díaz indudablemente disfrutaba del apoyo popular en todo Oaxaca, pero su popularidad era más palpable en la Mixteca. El regocijo popular con que se recibió su llegada a Tlaxiaco en junio de 1916 contrastó notoriamente con la indiferencia que demostraron los serranos en Ixtlán en el siguiente mes y es una indicación de las profundas divisiones que existían en los dos sectores del Movimiento de la Soberanía después de la evacuación de la capital. El fracaso del ataque con-

---

[78] Véase el Apéndice IV; Robles había sido enviado a Oaxaca por Carranza para cooperar en la campaña de Castro contra los soberanistas: un artículo en *El Reformador* de octubre de 1916 afirmó que su defección se debió a la ambición, al cohecho y a un "instinto natural de robo y engaño"; Márquez, *op. cit.*, pp. 112-114.

junto sobre Oaxaca en agosto de 1916 determinó que la brecha entre la Mixteca y la Sierra de Juárez se hiciera insalvable: ningún nuevo intento se realizó para coordinar las operaciones militares, y la cooperación política encontró serios obstáculos como resultado de la decidida adhesión de Dávila al felicismo y de su subsecuente negativa a pensar siquiera en negociar con el régimen de Carranza.

Por lo tanto, la distinción fundamental entre las direcciones de las dos ramas del Movimiento de la Soberanía se podrá entender mejor, no en términos de diferencias o divisiones ideológicas sino en términos de su disposición a buscar amplias alianzas políticas con las diversas facciones políticas nacionales. Un examen de los manifiestos políticos relacionados con el Movimiento suministra una clara indicación de su base ideológica: la reacción contra las violaciones a la Constitución de 1857. El Plan de la Sierra de julio de 1914 hacía referencia específicamente a las violaciones a la propia Constitución del estado cometidas por el gobernador Miguel Bolaños Cacho; y la misma Declaración de Soberanía así como el Plan de Ixtlán de octubre de 1916 se interesaban fundamentalmente por la violación de Carranza a la Constitución liberal de 1857 y por la restauración del orden constitucional y de la legalidad. Ninguna de dichas proclamas incluía un programa positivo de reformas sociales, políticas o económicas. Hasta el Plan de Ixtlán de 1916, el más innovador de los manifiestos, tenía como su principal objetivo político el restablecimiento del *statu quo* constitucional prerrevolucionario, a pesar del reconocimiento de que las revoluciones son ''necesidades sociales''. La verdadera naturaleza del manifiesto, no obstante, radica en la evocación del ''principio universal ... de la conservación''.[79]

A pesar de la ausencia general de innovación ideológica de las dos ramas del Movimiento, con posterioridad a 1917 se creó una clara distinción entre los jefes serranos y los de la Mixteca en cuanto a la conveniencia de entrar en negociaciones con el régimen de Carranza. Aún después de una serie de reveses militares como resultado de la campaña constitucionalista en la Mixteca, que se había concentrado en Nochixtlán y en sus alrededores durante 1917, Dávila seguía mostrándose obstinado en su resolución de que las negociaciones serían fútiles:

> El gobierno legítimo del estado libre y soberano de Oaxaca no está dispuesto a celebrar arreglo o transacción alguna con el carrancismo, ni menos a solicitar ni aceptar un indulto o una rendición que arrojaría sobre nuestro heroico estado una mancha imborrable.[80]

La decidida lealtad de Dávila hacia Félix Díaz queda de manifiesto en su correspondencia hasta el momento de su asesinato en mayo de 1919. En sus cartas y circulares dirigidas a los comandantes militares de la División Mixteca, de la

[79] El propósito del documento es obviamente colocar a la rebelión serrana y a todo el Movimiento de Soberanía, firmemente dentro del campo anticarrancista, evitando así cualquier compromiso ideológico que pudiera estorbar la creación de una amplia alianza. La parte más interesante del Plan de Ixtlán es el llamamiento que hace para llegar a una auténtica solución federal del problema de la reconstrucción política de la nación (obrar de la periferia al centro), lo cual contrasta con el localismo del manifiesto anterior.

[80] Manifiesto al Pueblo Oaxaqueño, *op. cit.*

División de la Montaña y de la División del Pacífico le agradaba citar párrafos enteros del Plan de Tierra Colorada de Díaz. En todos los asuntos relacionados con la ideología y la política Dávila adoptó como mentor a Díaz. Dijo al jefe político soberanista de Jamiltepec Ernesto Valencia, menos de una semana antes de ser asesinado, con respecto a la negativa de algunos agricultores arrendatarios de pagar renta a las autoridades municipales, que:

la solución del problema agrario no consiste en despojar a los unos para repartir arbitrariamente entre los otros, porque entonces la Revolución no terminará, y los despojados de hoy serían los revolucionarios de mañana, como dice el general Félix Díaz en su manifiesto.[81]

Se dirigió al propio Díaz, en enero de 1919, y le dijo que, no obstante la evacuación de Tlaxiaco y la forzosa retirada hacia la costa del Pacífico, "la victoria pronto será nuestra (siempre que se nos envíen refuerzos)" y que:

tanto este gobierno legítimo como los elementos que dependen directamente de mí, que son la mayoría del estado, hemos estado y estaremos siempre al lado de usted, cualquiera que sea la suerte que nos toque.[82]

No obstante, había quedado bien aclarado que para 1919 ni la "mayoría del estado" y ni siquiera la mayoría de los jefes militares asociados al Movimiento de la Soberanía apoyaban las ambiciones políticas de Díaz. La iniciativa política se había trasladado a la Sierra de Juárez, y no, como se pudiera suponer, a Meixueiro, sino a manos de una nueva generación de jefes serranos como Ibarra y Jiménez, cuyos antecedentes, educación y afiliaciones políticas eran sustancialmente distintos de los de los dirigentes originales del Movimiento. En particular, la carrera revolucionaria de Ibarra entre 1910 y 1920 es un argumento en favor de su inclusión como representante de la provincia de la naciente burguesía nacional que habría de constituir la aristocracia política en la época de los "caudillos revolucionarios" después de 1920. Fue esta nueva generación de jefes serranos la que particularmente resintió la acusación que con frecuencia se lanzaba al Movimiento de la Soberanía de que era reaccionario o felicista. En una carta de lo más reveladora que dirigieron a Carranza en abril de 1917, Ibarra y Jiménez trataron de aclarar sus metas políticas y la distancia que separaba a la Sierra de Juárez del felicismo. Le explicaron a Carranza que los ideales que inspiraron a la Sierra para tomar las armas en 1914, eran los mismos que tuvo el propio Carranza en contra de Huerta (la violación de la Constitución); que la Sierra se había rehusado a prestar su apoyo al intento de "dos personalidades que en otro tiempo habían figurado en el régimen que se desplomaba" (refiriéndose a Meixueiro y a su primo Fidencio Hernández) de levantar un ejército serrano para defender la dictadura de Díaz a punto de caer, y que, por lo contrario, habían respaldado activamente a Benito Juárez Maza para la

<hr/>

[81] AHDN, 214 (Supl.) ff. 3-5, 25/5/19; sobre el texto del Plan de Tierra Colorada, véase Henderson (1981), Apéndice C,, pp. 157-165,

[82] Carta a Díaz reproducida por Liceaga, *op. cit.*, pp. 522-527.

gubernatura de Oaxaca en 1911 "contra la oposición felicista que sembró la división más odiosa en los pueblos del estado"; y que el principal objetivo de la sierra era el regreso al orden constitucional "para que el pueblo empiece a saborear los frutos de la Revolución". Concluían diciendo:

> Se nos llama reaccionarios, porque a nuestra bandera se han amparado algunos caídos que no encontraban cabida en otros grupos revolucionarios, y se ignora que estos personajes sólo han encontrado el afecto y la mano del paisanaje que los recibe en la sierra, pero nunca el apoyo para levantar una bandera personalista: y también se ignora que las ideas verdaderamente reaccionarias no encuentran eco en la Sierra de Juárez, porque ellas son antagónicas con el credo político de los pueblos serranos.[83]

El recién descubierto espíritu de conciliación y fraternidad con el constitucionalismo fue inspirado sin duda no solamente por una convicción ideológica sino por una apreciación de la *realpolitik* contemporánea. Los triunfos militares de Carranza a través de toda la República en 1916 habían reducido a sus principales rivales a la condición de cabecillas de rebeliones regionales, en tanto que su reconocimiento diplomático y la promulgación de la Constitución en febrero de 1917 habían acrecentado su reputación nacional e internacional. El estancamiento militar que se había creado entre las fuerzas serranas y las tropas constitucionalistas de Oaxaca con posterioridad al fusilamiento de Robles y la retirada de la segunda invasión de la Sierra de Juárez en diciembre de 1916, contribuyeron igualmente al deseo de concertar una negociación, puesto que parecía imposible encontrar una inmediata solución militar. Además, prominentes hacendados del valle central y propietarios de minas de la Sierra, preocupados por la prolongada dislocación del intercambio y del comercio en el interior del estado, ejercían presión sobre el gobernador militar Jesús Agustín Castro para que iniciara negociaciones con los rebeldes.

Como resultado de lo anterior, en marzo de 1917 un grupo de "oaxaqueños dignos y honorables" (que incluía a destacados políticos de la localidad, a Heliodoro Díaz Quintas, ex maderista y gobernador interino de Oaxaca en 1911, y a Manuel de Esesarte, que fue diputado del estado en 1910; a hacendados como Nicanor Cruz y Juan Baigts y a mineros como Luis Mendoza y Genaro Belmar) se dirigieron a Meixueiro, Ibarra y Jiménez, pidiéndoles que señalaran el momento y el lugar adecuados para discutir las condiciones para la pacificación del estado.[84] Los serranos insistieron en poner las siguientes condiciones: que las elecciones de gobernador se celebraran inmediatamente en el estado, de conformidad con la Constitución Política de Oaxaca (de 1857), y que ninguno de los jefes serranos se presentara como candidato; que las fuerzas incorporadas a las Fuerzas Defensoras del Estado conservaran sus armas, su mando y su esfera de acción, pero que todos los voluntarios civiles volvieran a la vida que llevaban antes; que los prisioneros políticos fueran puestos en libertad y que se les devolvieran las propiedades confiscadas; y que se designara una Comisión de Paz, que

[83] AHDN, 212 ff. 61-2 8/4/17.
[84] AHDN, 212 ff. 49-50, 513.
[85] AHDN, 212 ff. 73-4.

se integraría por representantes tanto de la Sierra de Juárez como del gobierno de Carranza, para negociar una conciliación con José Inés Dávila en la Mixteca. Era posible predecir la respuesta de Carranza: sólo él decidiría la fecha de las elecciones de gobernador, "cuando las circunstancias del estado lo permitan", y que éstas se efectuarían de conformidad con la Constitución de 1917; no se concertaría armisticio alguno sino mediante una rendición incondicional; y puesto que el gobierno no reconocía a Dávila como gobernador de Oaxaca, no se enviarían representantes a la Mixteca.[85]

Como consecuencia de esta última condición, los jefes serranos se encargaron de nombrar una comisión para que negociara con Dávila y otros jefes en la Mixteca, presidida por Onésimo González, secretario particular de Meixueiro. Sin embargo, la intransigencia de Dávila frustró toda esperanza de negociar un convenio en el que las dos ramas del Movimiento de la Soberanía pudieran estar representadas, y González regresó a la Sierra de Juárez en enero de 1918 con las manos vacías. Las negociaciones permanecieron en suspenso durante todo el año de 1918, hasta que unos representantes de Pablo González, jefe carrancista de las operaciones militares en Morelos, Guerrero, Puebla y Oaxaca, se acercaron a Meixueiro con un renovado ofrecimiento de paz. Los detalles de esas negociaciones son confusos: de todas maneras, el deseo de Meixueiro de rendirse quedó de manifiesto en el texto del convenio firmado en el pueblo de Coatequitas el 22 de diciembre de 1919.[86] De conformidad con los términos del tratado, las hostilidades se interrumpieron inmediatamente, y Meixueiro estuvo de acuerdo en licenciar a sus tropas tan pronto como las elecciones (señaladas para abril de 1920) se hubieran efectuado, para que quedara decidida la gubernatura y la composición de la Legislatura del estado, de conformidad con la Constitución de 1917.[87]

La buena disposición de Meixueiro de aceptar condiciones que eran equivalentes a una rendición incondicional se explica mejor como un intento casi desesperado de recuperar algo de la autoridad política que había perdido en el verano de 1919, cuando fue despojado del mando de la División de la Sierra de Juárez en una junta de jefes serranos efectuada en Ixtlán. Esa decisión, a la que siguió

---

[86] Los intermediarios implicados en esas negociaciones fueron Onésimo González y su amigo y colega el abogado oaxaqueño José Luis Almogábar, quien en 1918 fue secretario particular de Pablo González (Ibarra, p. 213); en la edición de las memorias de Pablo González se describe la situación de Oaxaca en 1919 como sigue: "En el estado de Oaxaca la situación era diferente; las partidas rebeldes, bastante fuertes, habían asumido una actitud netamente política sin cometer actos de bandidaje y latrocinio, que son comunes en otras regiones. El sentimiento público de la región controlada por las fuerzas nacionales era, en general, hostil al gobierno, debido a cierta falta de tacto de los funcionarios. Este cuartel general desde luego dictó unas medidas tendentes a tranquilizar la opinión pública, haciendo que todas las clases sociales disfrutaran de amplias garantías; en poco tiempo se consiguió una reacción favorable al gobierno legítimo en la opinión, no solamente entre el ambiente pacífico sino aun entre los levantados en armas. Aprovechando los buenos oficios de algunas personas, los jefes rebeldes se pusieron en contacto con mi cuartel general, manifestando deseos de rendirse; desde luego quedó pactada una especie de armisticio." Pablo González, *El centinela fiel del constitucionalismo*, VIII A, pp. 440-441; sobre la sugestión de que Carranza ofreció 250 mil pesos a Meixueiro para que se rindiera, véase Tamayo, p. 61.

[87] El texto íntegro aparece en PO, VII: 11, 11/3/20.

una formal declaración de que el anterior caudillo serrano era una *persona non grata* en Ixtlán, señaló la culminación de un conflicto interno destructivo que se había iniciado después de 1918 entre Ibarra y su antiguo benefactor.[88] En ese año Meixueiro se había acercado a cierto número de cabecillas de la Sierra que estaban afiliados a la Segunda Brigada de Ibarra para sugerir que la afiliación se trasladara directamente al cuartel general de Ixtlán, al mando personal de don Guillermo. En los primeros meses de 1919 Meixueiro había hecho serias reprimendas a los jefes militares por su insubordinación, pero su más grave error de cálculo consistió en excluir a otros jefes serranos de las negociaciones de paz celebradas en Villa Alta con posterioridad a julio de 1919. A partir de noviembre de 1919 Meixueiro quedó en realidad exiliado de la Sierra de Juárez, y trasladó su centro de operaciones a Miahuatlán, en donde restableció sus contactos con su viejo compañero de armas, Enrique Brena, quien desde 1915 había implantado un cacicazgo personal en la zona de Ejutla. Fue en el distrito de Ejutla en donde Meixueiro y Brena suscribieron el tratado de Coatequitas, en apariencia en nombre de la totalidad de las Fuerzas Defensoras del Estado, pero en realidad en su propio nombre y en el de cierto número de jefes independientes de la Mixteca.[89]

La publicación del convenio de Coatequitas provocó una inmediata reacción por parte de Ibarra y de la mayoría de los jefes serranos. El 5 de febrero de 1920 se lanzó el Manifiesto de la Sierra de Juárez, en el que se reiteraba la causa de la Soberanía y la Constitución de 1857, incorporándose en esa ocasión la promesa nominalmente radical de "luchar por los intereses del pueblo".[90] Ante la más reciente rebelión serrana, el jefe de las operaciones carrancistas, Gustavo Elizondo, ordenó que una columna expedicionaria atacara a los serranos, en un episodio al que Ibarra llama la tercera invasión carrancista de la sierra. En realidad, era fácil presentar resistencia a ese reducido contingente de tropas, especialmente porque los comandantes militares que tenían a su cargo la expedición ya habían decidido adherirse a la rebelión obregonista de la guarnición de Oaxaca, al mando del general Luis Mireles. Ibarra aceptó la invitación de Mireles de discutir las condiciones para la pacificación de las fuerzas serranas, consciente de que Meixueiro igualmente procuraba congraciarse con los obregonistas en Oaxaca. Las reuniones se efectuaron en el pueblo de San Agustín Yatarení, en las afueras de la capital del estado, y se firmó el tratado el 3 de mayo de 1920.[91]

Los términos del tratado de Yatarení eran en apariencia sumamente favorables a Ibarra y a los serranos. En la frase clave se afirmaba:

...los señores representantes de la causa Obregonista manifestaron que reconocen de-

<hr />

[88] Meixueiro fue el responsable de que Ibarra saliera de la cárcel en 1912, así como de su designación como jefe político de Ixtlán en 1913 (Ibarra, pp. 54-74).

[89] AHDN, 214 (Supl.) ff. 105, 110; el general Carlos Oseguera, comandante de la Brigada de la original División de la Montaña (Mixteca), fue invitado por Meixueiro para que asistiera a la firma del tratado bajo la impresión (errónea) de que las dos condiciones principales para la rendición serían la expulsión del estado de las fuerzas carrancistas y el reconocimiento de la Constitución de 1857.

[90] El texto íntegro del Manifiesto se puede encontrar en Ibarra, pp. 243-257.

[91] Ibarra, pp. 257-265.

bidamente la bandera que ha sostenido hasta hoy la Sierra de Juárez, y en tal virtud están dispuestos a permitir que las fuerzas de la misma Sierra controlen la política del estado y puedan lograr sus ideas libertarias, quedando de acuerdo respecto de la ocupación de la capital del estado, que será entregada desde luego a las expresadas fuerzas serranas.[92]

Al día siguiente Ibarra desfiló con sus tropas serranas en una marcha triunfal por toda la ciudad, en donde les dio la bienvenida una multitud de simpatizadores. Según Ibarra, los serranos se quedaron abrumados por ''las demostraciones de júbilo con que nos recibió el pueblo oaxaqueño, quien a esa hora ya se había materialmente volcado en las calles para vernos pasar''.[93]

El éxito político de la causa de la soberanía pareció confirmarse por la designación de Jesús Acevedo como gobernador provisional, cuya primera declaración fue proclamar que el estado de Oaxaca ''se regirá por la Constitución Política de los Estados Unidos Mexicanos, promulgada el 5 de febrero de 1857''.[94] No obstante, como resultado de la presión ejercida por Obregón sobre Ibarra en una junta celebrada en la ciudad de México, menos de tres semanas después Acevedo expidió un decreto en el que reconocía la Constitución de 1917.[95] Esa repentina voltereta y aparente traición a los principios constitucionales del Movimiento de la Soberanía adoptados por Ibarra y Acevedo fue sintomática de los prospectos a largo plazo tanto del Movimiento de la Soberanía como de sus defensores. Aun cuando Ibarra y Jiménez pueden quizá quedar incluidos en la nueva generación de caudillos revolucionarios que simpatizaban con los amplios objetivos sociales y económicos de la Revolución triunfante, y aunque como tales habrían de disfrutar del patrocinio político de Obregón en la siguiente década (ambos llegarían a ser gobernadores de Oaxaca en 1924 y 1925, respectivamente), quedó cada vez más claro que la recuperación de la autonomía local y regional representada por la restaurada hegemonía del caudillismo serrano en Oaxaca estaba condenada finalmente a chocar con las formas de centralización política concebidas y reglamentadas por los futuros presidentes de México, particularmente con posterioridad a 1934. No puede haber duda de que el principio constitucional de la soberanía del estado, como expresión política del federalismo liberal consagrado en la Constitución de 1857, compartía el destino general del liberalismo y se perdió ante las fuerzas centrípetas del estado posrevolucionario.

[92] PO, I: 3, 27/5/20.
[93] Ibarra, p. 272.
[94] PO, I: 1 13/5/20.
[95] PO, I: 3, 27/5/20; Ibarra en forma solapada dice que tuvo que preguntar a Obregón cuál era la Constitución que estaba en vigor. *Memorias*, p. 281.

EPÍLOGO

El destino del movimiento de la soberanía

Lo que me interesa en esta sección es recalcar que la supervivencia del Movimiento de la Soberanía entre 1915 y 1920 no fue un sinónimo de victoria. Por lo tanto, me propongo explorar el destino político de los dos fenómenos principales que se manifiestan en la reacción de la provincia hacia la Revolución en Oaxaca: el destino del federalismo y el destino del caudillismo. Tengo también la intención de presentar un breve resumen del desarrollo social y económico de Oaxaca, y específicamente de la Sierra de Juárez, a partir de 1920, que ilustre el contexto en el que evolucionaron los conflictos políticos.

El desarrollo político de México a partir de la Revolución se puede describir de la manera más sucinta como un proceso de institucionalización y de centralización.[1] Los elementos claves en ese proceso han sido la creación del partido oficial del estado y la consolidación del papel del Presidente como dirigente del partido y como jefe del Poder Ejecutivo del gobierno. El primer hecho sobresaliente vino en 1929 con la creación del Partido Nacional Revolucionario (PNR). La estructura del partido fue un reflejo del compromiso hacia el federalismo incorporado en la Constitución de 1917, e igualmente de las realidades políticas de la época revolucionaria: el colapso de la autoridad política central y el resurgimiento de la autonomía regional. Consecuentemente, la organización interna del PNR estaba basada en comités regionales a nivel de estado, de distrito electoral y de municipio, cada uno de los cuales disfrutaba de un alto grado de autonomía, particularmente en cuanto a las elecciones internas. La función del Comité Ejecutivo Nacional era la de actuar como un organismo coordinador nacional.[2]

Sin embargo, durante la década de 1930 ocurrieron cambios decisivos en su estructura. Fueron suprimidos los comités regionales en favor de una estructura jerárquica de las convenciones del partido a nivel local y nacional. La disolución del PNR en 1937 y la fundación del PRM (Partido de la Revolución Mexicana) en 1938 constituyó una nueva etapa en el proceso de centralización política. Los principales grupos de presión: los sectores campesino, obrero, popular y militar, quedaron integrados en una estructura corporativa en la que el Comité Ejecutivo Nacional reforzó su papel de árbitro entre los intereses conflictivos de esos sectores y del organismo coordinador en el nombramiento y selección de los representantes. El proceso de centralismo ejecutivo y de institucionalización quedó com-

---

[1] Peter Calvert, "The Institutionalisation of the Mexican Revolution", en *Journal of Inter-American Studies and World Affairs*, vol. 14, 1969, pp. 503-517.

[2] José Gamas Torruco, *El federalismo mexicano* (1975), pp. 152-166.

pletado por medio de la fundación del PRI (Partido Revolucionario Institucional) en 1946.[3]

A pesar de la pretensión de que este proceso de centralización política ha dado origen a un tipo de "federalismo orgánico", es evidente que las tendencias centrípetas en la organización y estructura del partido han socavado progresivamente la autonomía regional que floreció en diversas formas en toda la República entre 1910 y 1930.[4] Fueron enormes las dificultades para el establecimiento de la autoridad política central durante el periodo de la guerra civil y hasta 1920. Después de 1920 la creación de una estructura central del partido se vio entorpecida por el mantenimiento de bases regionales de poder mediante una difundida movilización de grupos de campesinos y trabajadores por una gran diversidad de gobernadores radicales de los estados: Emilio Portes Gil en Tamaulipas, Francisco Múgica en Michoacán, Felipe Carrillo Puerto en Yucatán, Adalberto Tejeda en Veracruz, Tomás Garrido Canabal en Tabasco e Ignacio Mendoza en Tlaxcala.[5] En numerosos casos esas bases de poder regionales desarrollaron y organizaron partidos políticos: el Partido Socialista Fronterizo en Tamaulipas, el Partido Socialista del Sureste en Yucatán, el Partido Radical Socialista en Tabasco y el Partido Socialista de las Izquierdas en Veracruz. Esa fue la era del cuadillismo revolucionario.[6]

A causa de la debilidad institucional de la presidencia durante la era del caudillismo revolucionario, tanto Obregón como Calles se sintieron obligados a confiar y aun a fomentar alianzas con ese heterogéneo grupo de caudillos regionales. Los términos de ese arreglo informal permitieron a los dirigentes regionales ejercer el poder político en sus respectivos dominios, a cambio de promesas de lealtad hacia el gobierno. El plan resultó sumamente efectivo para neutralizar a la oposición que desafiaba al régimen en los años de 1920: las insurrecciones del

[3] Gamas Torruco, *ibid.*, p. 161; el sector campesino incorporado al PRI está representado por la CNC (Confederación Nacional Campesina), el laboral por la CTM (Confederación de Trabajadores de México) y el de las organizaciones populares (incluyendo a los burócratas y empleados del gobierno) por la CNOP (Confederación Nacional de Organizaciones Populares); el sector militar se separó de la organización del partido después de 1940. Roger D. Hansen, *The Politics of Mexican Development* (1974), pp. 102-131. Hansen cuestiona la interpretación del papel del Ejecutivo como árbitro entre los intereses de los sectores, y aduce que los sectores campesino y laboral no han resultado beneficiados por el "milagro" económico registrado en México desde 1940. Llega a la conclusión de que el partido ha sido elaborado por la élite revolucionaria que gobierna como un instrumento para generar el apoyo político en favor del régimen.

[4] Gamas Torruco define el "federalismo orgánico" como "aquel en el cual el gobierno federal está dotado de amplísimos poderes que le dan preeminencia real sobe los estados. Corresponde a aquél llevar adelante la mayor parte de las obras públicas y los servicios, acumula la mayor parte de los recursos financieros y desempeña un liderazgo público muy acusado", p. 147.

[5] Heather Fowler Salamini, "Revolutionary Caudillos in the 1920's: Francisco Múgica y Adalberto Tejeda", en Brading, comp., *op. cit.*, pp. 169-193, y también *Agrarian Radicalism in Veracruz* (1978); Gilbert Joseph, "Caciquismo and the Revolution: Carrillo Puerto in Yucatán" en Brading, comp., pp. 193-222; Alan Kirshner; *Tomás Garrido Canabal y el movimiento de los Camisas Rojas* (1976); Ramón Buve "State Governors and Peasant Mobilization in Tlaxcala" en Brading, comp., pp. 222-245.

[6] Anatoli Shulgovsky, *op. cit.*, pp. 37-68.

ejército en 1923 y 1929 y la rebelión cristera.[7] Así fue como el caudillo revolucionario dominó la política de la era posrevolucionaria inmediata, hasta la incorporación de las maquinarias políticas regionales en un partido nacional bajo el control presidencial que ocurrió después de 1934 bajo Lázaro Cárdenas y el reorganizado Partido de la Revolución Mexicana.[8]

El patrón nacional se reflejó en Oaxaca. Obregón tuvo el cuidado de cultivar el apoyo de la nueva generación de caudillos serranos en Oaxaca que había surgido en el transcurso de la Revolución para asumir el control político de los destinos del estado: Isaac Ibarra y Onofre Jiménez. La intervención de Ibarra y Jiménez después de 1920 resultó decisiva para asegurar la lealtad oaxaqueña al presidente. En primer lugar, en 1921 cuando una insurrección popular en la Sierra de Juárez contra los impuestos establecidos por el gobernador Manuel García Vigil amenazaba con derrocar a la administración recientemente elegida, y en segundo, cuando el propio García Vigil se adhirió a la rebelión de Huerta en 1923, tanto Ibarra como Jiménez lanzaron un manifiesto revolucionario desde Ixtlán y encabezaron a las fuerzas serranas en un ataque sobre la capital del estado, lo cual señaló la derrota de la rebelión en el mismo.[9]

Los serranos que habían participado en la supresión del huertismo en Oaxaca fueron entonces recompensados por Obregón. Las familias de los que habían muerto en acción recibieron pensiones militares y a cierto número de oficiales jóvenes de las milicias serranas se les concedieron lugares en el Colegio Militar. Ibarra fue designado gobernador por los 9 meses restantes del periodo de cuatro años de la gubernatura que se había iniciado en diciembre de 1920, y Jiménez recibió el respaldo presidencial como candidato oficial del Partido Liberal Constitucionalista en las elecciones de gobernador de 1915. Jiménez ganó las elecciones e Ibarra fue ratificado en su grado de general de División. Los dos utilizaron sus periodos en el cargo para impulsar sus intereses comerciales: Jiménez para consolidar su compañía mercantil en Ixtlán e Ibarra para ampliar sus intereses en la minería y en la explotación de bosques de pinos en la Sierra de Juárez.[10]

Sin embargo, el control de los serranos sobre la política del estado pareció llegar a un repentino fin en 1925. Mientras se encontraba de visita en la ciudad de México, en noviembre de 1925, Jiménez fue depuesto por una conspiración de opositores políticos locales, encabezada por el diputado federal Jenaro V. Vázquez y con el apoyo del comandante de la guarnición federal de la ciudad de Oaxaca, el general Agustín Mustieles. Aparentemente con la connivencia del

[7] Detalles sobre la rebelión de Huerta constan en J. F. Dulles, *Yesterday in Mexico* (1961), pp. 218-264, y de la rebelión de Escobar, pp. 436-443; Jean Meyer *The Cristero Rebellion* (1976); la proclividad de Obregón para transigir se examina en David Bailey, "Obregón: Mexico's Accommodating President", en Wolfskill y Richmond, comps., *op. cit.*, pp. 82-99.

[8] Albert L. Michaels, "The Crisis of Cardenismo", *Journal of Latin American Studies* 2:1 1970, pp. 51-79.

[9] Ibarra, *Memorias*, pp. 308-323; un relato detallado de la rebelión de Huerta en Oaxaca se puede encontrar en Basilio Rojas, *Manuel García Vigil: Un gran rebelde, op. cit.*, pp. 549-645; García Vigil agradeció específicamente a Ibarra su ayuda para pacificar los disturbios de 1921, *Mensaje a la XXVIII Legislatura del estado* 1921, p. 25.

[10] Ibarra, *ibid.*, pp. 335-346; Iturribarría afirma que las elecciones para la gubernatura las ganó el rival de Jiménez, José Vasconcelos, y que Jiménez se impuso por la fuerza (p. 421).

presidente Calles, los diputados del estado quedaron detenidos en el Palacio de Gobierno y sólo se les dejó en libertad cuando estuvieron de acuerdo en denunciar a Jiménez y poner a Vázquez en su lugar. Se evitó la posibilidad de una reacción violenta en la Sierra de Juárez a este curso de los acontecimientos como resultado de un "convenio" que se negoció entre los representantes serranos y el nuevo gobernador.[11]

Si el control directo de los serranos sobre la gubernatura de Oaxaca empezó a ceder después de 1925, la hegemonía de los caudillos en la propia Sierra de Juárez continuó por lo menos durante una década más. Para 1940, no obstante, una serie de conflictos políticos y económicos había transformado la sociedad serrana y minado la base sobre la cual el caudillismo y el caciquismo habían florecido en la región desde los años de 1870. Irónicamente, fue la nueva generación de caudillos como Ibarra la principal responsable de la aplicación práctica de políticas que no solamente reestructuraron las relaciones sociales dentro del pueblo, sino que destruyeron la autonomía política y la autosuficiencia económica en la región.[12]

Los programas del gobierno central implantados en la Sierra (y en todo México) durante esa época fueron el establecimiento de comités locales del partido central del Estado (el PNR); la federalización de las escuelas municipales y la ampliación de un control fiscal centralizado. El propósito político era subvertir la autoridad de los caciques y caudillos regionales, por medio del establecimiento del puesto político dentro de la organización del partido como el asiento del poder político.[13] El propósito social era educar, secularizar y "modernizar" la vida en las comunidades serranas, así como socavar las tradicionales deferencias hacia el cura, los jefes de comunidad y el cacique.[14] El propósito económico era liberar los excedentes de la producción (y el trabajo) del control de los jefes de comunidad y de la Iglesia por medio de la abolición de las instituciones del tequio y de la mayordomía, y generar la demanda de los consumidores para el desarrollo de un mercado nacional que dejara satisfechas las demandas del capitalismo interno.[15]

A juzgar por las pruebas que se conocen, la intervención del gobierno central tuvo adversas consecuencias sociales, económicas y políticas para la Sierra de Juárez. La integración política en el mecanismo del partido del PRI se desarrolló simultáneamente con la integración económica en el mercado nacional e internacional. Sin embargo, la expansión de la explotación comercial del café a conse-

[11] Iturribarría, *op. cit.*, pp. 422-423; Ibarra (p. 323) reproduce un documento escrito por Jiménez como Director del Consejo Directivo de la Sierra de Juárez en febrero de 1924, en el que ciertos "políticos ambiciosos" fueron criticados por hacer uso del nombre de la sierra para alentar sus ambiciones personales; eso era una obvia referencia a Ibarra, y una indicación de que los antiguos aliados eran ahora encarnizados rivales políticos; esto podría explicar la negativa de Ibarra de apoyar a Jiménez en los sucesos de noviembre de 1925.

[12] Kate Young, *The Social Setting of Migration, op. cit.*, pp. 240-270.

[13] Antonio Ugalde, "Contemporary Mexico: from Hacienda to PRI, Political Leadership in a Zapotec Village", en Kern y Dolkart, *op. cit.*, pp. 119-135.

[14] Young, *op. cit.*: la modernización se define como "urbanización, industrialización, secularización, educación y exposición a los medios de comunicación", Hansen, *op. cit.*, p. 98.

[15] Young, p. 267.

cuenca de la recuperación de los precios mundiales de las mercancías en los años de 1930 transformó la economía local y precipitó la emigración en gran escala. Como resultado, quedó fragmentada la compleja infraestructura social y política del parentesco y del patrocinio, que era un requisito previo del desarrollo y de la conservación del caudillismo serrano anterior a la Revolución.

Si bien la Sierra de Juárez ha quedado efectivamente excluida de las políticas de desarrollo e inversión estatales y federales, y es en la actualidad "una de las regiones más retrasadas de Oaxaca",[16] casi lo mismo se podría decir con respecto a Oaxaca en el contexto de México. El análisis cuantitativo de James Wilkie de las erogaciones federales y de los cambios sociales a partir de 1910 ha revelado los problemas a los que se enfrenta un estado en la penuria como Oaxaca, en contraste con las ventajas de que disfruta un estado próspero como Baja California. Entre 1959 y 1963, Oaxaca, con el 5% de la población nacional y con el 7.8% de lo que Wilkie llama "las características de la pobreza", calculadas con base en las estadísticas relacionadas con el analfabetismo, la urbanización, la salubridad, la alimentación, el vestido y la asimilación cultural, recibió una inversión tres veces menor en relación con la de Baja California, que tenía el 1.5% de la población y el 0.8% de las "características de la pobreza".[17]

En cada una de las categorías del "índice de pobreza" de Wilkie, Oaxaca ha tenido una calificación alta. El porcentaje de analfabetismo en Oaxaca en 1910 era el tercero más elevado en la República después de sus vecinos Chiapas y Guerrero: el 88.8%, en comparación con el 90.2% en Guerrero y el 89.2% en Chiapas, con un promedio nacional de 76.9%. Para 1960 la cifra en Oaxaca se había reducido a 59.1%, que de todas maneras era la segunda más elevada en la República, comparada con el promedio nacional de 37.8%. De acuerdo con la estimación de Wilkie de la asimilación cultural y de la integración social, calculadas con base en el porcentaje de la población que únicamente habla un idioma indígena, Oaxaca consistentemente ha registrado la cifra más elevada: 48.8% en 1910 y 20.4% en 1960 (comparada con el promedio nacional de 13.0% y 3.8%, respectivamente). El proceso de urbanización entre 1910 y 1960, calculado sobre el número de comunidades con una población inferior a 2 500 habitantes, no parece que haya afectado a Oaxaca, en tanto que el promedio nacional declinó de 71.3% (1910) a 49.3% (1960).[18]

Las perspectivas de un desarrollo económico y de industrialización en Oaxaca 40 años después de que concluyeron las hostilidades en 1924 aún parecían poco alentadoras. Un informe presentado por el Comité Regional para la Promoción Industrial y la Productividad (en colaboración con el Centro Industrial para la Productividad en la ciudad de México) para los valles centrales de Oaxaca llegó en 1964 a la conclusión de que:

[16] *Ibid.*, p. 266; los únicos beneficiarios han sido aquellos (incluyendo a Ibarra) que impulsaron la reforestación de la región.

[17] James W. Wilkie, *The Mexican Revolution: Federal Expenditure and Social Change Since 1910* (1967), pp. 248-249.

[18] *Ibid.*, pp. 204-245.

En esta región no ha sido ni será posible el desarrollo económico mientras no se cambie la estructura económica del sector de población que depende para su subsistencia de las actividades agropecuarias y que constituye la inmensa mayoría de los habitantes de la zona.[19]

Numerosas estadísticas se han publicado a fin de ilustrar el continuo pauperismo de Oaxaca, que indica que el estado no se ha beneficiado por la transformación social y económica de México en la era posrevolucionaria.[20] Los investigadores sociales han cuantificado el abandono del gobierno federal en términos de "un desequilibrio interregional", en el cual las erogaciones *per capita* en los habitantes del Distrito Federal son 19 veces mayores que la cantidad destinada a un oaxaqueño promedio.[21] Los que han sobrevivido en Oaxaca a la década de la Revolución entre 1910 y 1920 han llegado a la conclusión de que el estado ha recibido el castigo por haber dado su apoyo al Movimiento de la Soberanía.[22] Dado el proceso de centralización política y económica que se ha realizado en México a partir de la Revolución, los defensores de la autonomía regional dentro de un marco de desarrollo nacional equilibrado estaban condenados a ser oídos como voces en el desierto de la provincia.

[19] *Desarrollo económico de los valles centrales de Oaxaca*, CRPPIE (CIP), informe (1964).

[20] René Bustamante, "Situación actual de los indígenas de Oaxaca", en una colección de ensayos publicada por Ediciones Nueva Sociología llamada *Oaxaca: una lucha reciente 1960-78* (1978), pp. 11-27.

[21] Ricardo Carrillo Arronte, *Ensayo analítico metodológico de planeación interregional en México* (1973), p. 384.

[22] Jorge Tamayo, *Oaxaca en el siglo xx* (1956); ésta es una opinión que comparten muchos de los que recuerdan el periodo de 1910-1920 y puede explicar la renuencia notable en Oaxaca para discutir los acontecimientos de la época revolucionaria.

CONCLUSIONES

La presente investigación constituye una clara aportación a la actual tendencia del regionalismo en la historiografía de la Revolución Mexicana. En forma colectiva, las perspectivas regionales han demostrado que la génesis y la exégesis de la Revolución en México no fueron universales ni homogéneas, sino más bien un reflejo de la disparidad en el desarrollo regional en México durante el siglo XIX, y en particular durante el porfiriato. El caso de Oaxaca pone de relieve gráficamente esa disparidad. De la limitada evolución de los sistemas de tenencia de la tierra y de producción agrícola en Oaxaca con anterioridad a la Revolución, resulta evidente que los conflictos entre las haciendas y los pueblos que estimularon el zapatismo en el cercano estado de Morelos estaban en su mayor parte, si no es que totalmente, ausentes. Existían tensiones agrarias en todo el estado, sobre todo entre pueblos rivales por muy antiguas disputas territoriales, pero fueron insuficientes para generar un sostenido movimiento agrario. De la misma manera, a causa del limitado grado de industrialización o comercialización de la agricultura en el estado, el Porfiriato no había presenciado el desarrollo de una burguesía urbana o rural que intentara tener acceso al poder político que le negó la dictadura, y que en el transcurso de la Revolución se transformara en una estrategia política concebida para secularizar, modernizar y regenerar a la nación, como ocurrió, por ejemplo, en los estados fronterizos del Norte, Sonora y Coahuila.

En contraste, Oaxaca parecía ser un santuario provincial de la paz porfiriana. Una reducida oligarquía de provincia había sido la promotora y la beneficiaria de la limitada expansión de la economía local orientada hacia la exportación durante las últimas décadas del siglo XIX, y que con ello había reforzado su identificación con la dictadura de Díaz. La élite política que predominó en la Legislatura del estado en 1910 estaba totalmente integrada en las filas de la oligarquía local, y el debate político y la disensión estaban confinados a la dicotomía entre moderados y radicales en el liberalismo del siglo XIX. Como resultado, no surgió ningún desafío político importante para el régimen de Díaz en el estado natal del dictador.

En suma, ningún personaje revolucionario importante con la estatura de Madero, Carranza, Villa, Zapata u Obregón surgió en Oaxaca en ese periodo para conducir los destinos políticos de la Nación. En este sentido, los acontecimientos políticos de Oaxaca se produjeron como una reacción ante el catalizador de la crisis política nacional. La estructura para el análisis de los conflictos políticos, tanto dentro de Oaxaca como entre Oaxaca y la Revolución, lo suministra el Movimiento de la Soberanía, que unió la oposición política y popular al régimen de Venustiano Carranza, de todos los sectores de la sociedad de provincia, y que logró impedir que se implantara el constitucionalismo en el estado con anterioridad a 1920.

La primera parte examina los antecedentes inmediatos de la decisión de la Legislatura del estado de reasumir la soberanía constitucional del mismo en junio de 1915. Se afirma que la Declaración de Soberanía fue la manifestación que tuvo en Oaxaca un proceso político que se inició en todo México por el derrumbe de la dictadura de Díaz en 1911, la desintegración de la autoridad política central que estimuló las fuerzas centrífugas de la autonomía regional y provincial. La pérdida de la autoridad central en el interior de Oaxaca quedó muy claramente demostrada por el triunfo de la rebelión serrana en julio de 1914 que echó abajo a la administración del gobernador Miguel Bolaños Cacho. La remoción de Bolaños Cacho, la suspensión de la Constitución en diciembre de 1914, y las crecientes tensiones entre el gobierno del estado y el régimen de Carranza unieron a los caciques y a los caudillos de la Sierra de Juárez y al resto de la aristocracia porfirista en defensa de los principios federalistas de la soberanía del estado.

En la segunda parte se argumenta que los antecedentes del Movimiento de la Soberanía se pueden trazar hasta llegar a precedentes claramente establecidos del siglo XIX: la firme defensa de los principios federalistas por la élite liberal, y el influyente papel de los caudillos liberales de las familias Meixueiro y Hernández en la política del estado con posterioridad a 1870. Sin embargo, también se aduce que el resurgimiento del caudillismo serrano durante la Revolución era diferente de su predecesor en un aspecto decisivo: el brote de una nueva generación de caudillos, de hombres como Isaac Ibarra, cuyos antecedentes eran sustancialmente distintos de los de la anterior élite liberal, y cuyas aspiraciones y visión política los vincularon con la familia revolucionaria nacional en la época de los caudillos revolucionarios. La ascendencia de Ibarra en el Movimiento de la Soberanía después de 1919 significó, por tanto, que la alianza con Obregón en 1920 no sólo era conveniente, sino lógica. Ibarra no era un antirrevolucionario, a diferencia de los líderes iniciales del Movimiento, Dávila y Meixueiro, pero sostenía un punto de vista no centralista de la Revolución, que compartían grupos heterogéneos en toda la República que se oponían al carrancismo, incluyendo a los seguidores de Pancho Villa, Emiliano Zapata, Saturnino Cedillo y otros muchos regionales.

En el interior de Oaxaca, el apoyo popular en favor del Movimiento por todos los sectores de la sociedad provincial se generó por la experiencia del gobierno preconstitucional en el estado entre 1915 y 1920, que indujo un periodo de severa depresión económica y de autoritarismo burocrático que contribuyó al cisma político entre el carrancismo y el soberanismo. Las pruebas provenientes de Oaxaca ciertamente arrojan una perspectiva diferente sobre la imagen de los constitucionalistas como visionarios progresistas que liberaron a México de las fuerzas de la reacción. El auténtico entusiasmo revolucionario de las autoridades militares de Oaxaca en 1915 y 1916 rápidamente cedió ante la frustración y el cinismo una vez que se advirtió la magnitud de la tarea y de la resistencia interna.

La supervivencia del Movimiento de la Soberanía sugiere que con anterioridad a 1920 la Revolución había fracasado en su intento de penetrar en el núcleo de la sociedad oaxaqueña de provincia. Es notorio, no obstante, que el efecto de la Revolución en Oaxaca fue profundo y conspicuo, a pesar de la fuerza de la resistencia interna. Al trastornar el equilibrio político provincial, la serie de crisis políticas nacionales que se inició en 1911 actuó como un catalizador para que surgiera una nueva generación de dirigentes políticos en el interior del estado, que había manipulado con éxito y adaptado la estructura del caudillismo. Después de 1920, los nuevos amos de la política habrían de participar activa e irónicamente en la implantación de las políticas federales concebidas para alterar el equilibrio de poder entre cada estado y el gobierno central y para evitar que surgiera de nuevo el caudillismo en la Sierra de Juárez, o sea los axiomas sobre los cuales se había fundado el Movimiento de la Soberanía.

APÉNDICE I: PLAN DE LA SIERRA*

Oaxaqueños:

En los anales de la historia de nuestro estado, ilustre y glorioso, hay una página negra que señala la administración actual y que nosotros debemos arrancar si no queremos que nuestros postreros nos recuerden para maldecirnos.

Jamás se habían cometido en Oaxaca tantos abusos como los consumados por el nepotismo bolañista.

Los asesinatos de los hermanos Tejeda; del licenciado Puga y Colmenares; del profesor Faustino Olivera, y de otros más; las arbitrarias aprehensiones llevadas a cabo contra todos los que no aceptan la complicidad del gobernador; las diarias distracciones de fuertes sumas de la Tesorería del estado, para usos particulares; las continuas exacciones que se cometen pretextando la anormal situación del país; el aumento inmoderado de contribuciones; la imposición de préstamos forzosos; la supresión innecesaria de servicios públicos de fundamental importancia, como la justicia y la instrucción; y otros muchos hechos que sería prolijo enumerar y que están en la conciencia pública, prueban que el licenciado Miguel Bolaños Cacho y su camarilla, autores de esas tropelías, ejecutores de esos excesos, carecen de honradez, que son funestos para el estado y que constituyen una carga pesada e ignominiosa, imposible de soportar por más tiempo.

¿Qué ha hecho el licenciado Bolaños Cacho de las reservas que recibió al encargarse del gobierno? ¿Qué con los fondos del empréstito de 300 mil pesos contratados con el Banco Oriental? ¿Qué con el producto de las exorbitantes contribuciones votadas? ¿Qué de los descuentos a los empleados? ¿Qué con el producto del subsidio de guerra y de los préstamos forzosos? Comprar haciendas, edificar palacios, corromper a los servidores del estado que lo rodean, y armar la mano asesina que ha sacrificado y continúa sacrificando a los que no han aplaudido el impúdico tráfico que se hace en ese bazar que se llama gobierno de Oaxaca.

¿Y cuál es el pretexto del licenciado Bolaños Cacho para tantas exacciones? La guerra extranjera que se dice inminente. Hay mucha exageración en este peligro, y precisamente para el desgraciado caso de que la guerra extranjera llegara a desatarse, los pueblos y los individuos, para defenderse, necesitarán los recursos de los que tan inicuamente se les está despojando ahora, y necesitarán también, para la buena organización de la defensa general, contar con un gobierno honorable, acreedor a la confianza y a cuyo lado se agrupara y se moviera el estado como un solo hombre.

Pero hay más todavía, el licenciado Miguel Bolaños Cacho rompió sus títulos de legalidad como gobernador del estado al hacer, por medio de presión, que se expidiera el decreto de 17 de diciembre de 1913, que con violación flagrante de

* FUENTE: Liceaga, *Félix Díaz*, pp. 342-344.

nuestra Constitución Política, prorrogara su periodo gubernativo por dos años más, defraudando la voluntad popular, que sólo lo eligió para el periodo que debía terminar el 30 de noviembre próximo.

Ante esta situación difícil y vergonzosa para el estado, que amenaza prolongarse por no sabemos cuánto tiempo más, con motivo de la prórroga del periodo mencionado, la Sierra de Juárez no puede permanecer indiferente y dejar que por falta de su noble esfuerzo sigan pensando sobre el estado las calamidades que hoy lo afligen.

Por eso se levanta en defensa de sus hermanos y en defensa propia, y proclama el siguiente plan, que sostendrá con las armas en la mano:

I. Se derogan los artículos primero y segundo transitorios del 17 de diciembre de 1913, que con violación expresa de la Constitución amplió el periodo gubernamental en curso hasta el 30 de noviembre de 1916 y, en consecuencia, dicho periodo concluirá el 30 de noviembre del presente.

II. Se desconoce como gobernador del estado al licenciado Miguel Bolaños Cacho, quien será sustituido desde luego por un gobernador interino que durará en su encargo hasta la conclusión del actual periodo y que inmediatamente convocará al pueblo para la elección de gobernador constitucional.

III. Se deroga la Ley de Patente, quedando en vigor las disposiciones de la Ley de Hacienda; en el concepto de que los impuestos sobre ventas y capital moral se causarán sobre las mismas cantidades que servían de base para el pago al expedirse la Ley de Patente.

IV. Se deroga el decreto de 10 de enero del presente año, que duplicó los impuestos del estado con el carácter de subsidio de guerra.

V. Se deroga en todas sus partes el decreto de 28 de abril último, que suprimió diversos servicios de la administración pública, debiendo regir en lo sucesivo el presupuesto de egresos vigente, en cuanto no se oponga a los preceptos de la Constitución del Estado. Por tanto, queda sin efecto el descuento del 25% sobre sueldos y honorarios de los funcionarios y empleados públicos, y se restablece la instrucción pública; los Juzgados de Primera Instancia suprimidos en los Distritos que el mismo decreto expresa; las oficinas de pesas y medidas; la red meteorológica del estado; y todos los demás servicios que suprimió el referido decreto.

VI. Los funcionarios y empleados de los diversos servicios suprimidos por el decreto de 28 de abril mencionado, tienen derecho para volver a ocupar sus respectivos puestos, a cuyo efecto gozarán, para presentarse, de un término de quince días, contados desde que tome posesión el gobierno interino. Transcurrido dicho término se procederá a cubrir las vacantes con arreglo a las disposiciones legales.

VII. Queda sin efecto el acuerdo del Ejecutivo de 7 de mayo del corriente año, que impone a los propietarios un préstamo forzoso. Las cantidades entregadas por este motivo serán devueltas a los interesados.

VIII. Todos los bienes que posea el licenciado Miguel Bolaños Cacho, por sí o por interpósita persona, quedarán afectos a las responsabilidades que puedan resultarle en la averiguación respectiva, por el manejo de caudales públicos.

IX.   Ninguno de los que suscriben este manifiesto figurará como candidato para gobernador interino o para gobernador constitucional, pues todos ellos proceden por interés general del estado y no movidos por ambiciones personales.

Valientes oaxaqueños:

¡Uníos a nosotros para sostener el presente plan, salvador de nuestras instituciones, de nuestro decoro y de nuestros intereses!

¡Viva Oaxaca!

Ixtlán de Juárez, 10 de julio de 1914.

Licenciado Guillermo Meixueiro; Coronel Onofre Jiménez; Coronel Isaac M. Ibarra: Coronel Pedro Castillo.

APÉNDICE II: LA DECLARACIÓN DE LA SOBERANÍA*

Secretaría del Gobierno del Estado Libre y Soberano de Oaxaca; Sección de Gobernación.

El C. Gobernador del Estado, en acuerdo de hoy, se ha servido dirigirme el decreto que sigue:

José Inés Dávila, Gobernador Interino Constitucional del Estado Libre y Soberano de Oaxaca, a sus habitantes, sabed:

Que por la Secretaría del H. Congreso del mismo se me ha dirigido el siguiente

Decreto Número 14

El Congreso del Estado Libre y Soberano de Oaxaca, teniendo en cuenta que: la República entera y aun las demás naciones del mundo civilizado saben que desde que se inició la Revolución de 1910 el estado de Oaxaca se ha mantenido en paz, sin tomar participación en la lucha armada que ha enrojecido el suelo de la patria con sangre de sus hijos, que debiera reservarse para ponerla al servicio de la Defensa Nacional en el caso de invasión extranjera. Y esta actitud correcta del estado, que no ha podido ser cambiada a pesar de los compromisos personales de alguno de sus gobernantes, es la que ha determinado de una manera clara y bien definida la política actual basada en el principio de que para tener derecho de que se le respete y considere, es indispensable respetar y guardar consideraciones a los demás. Por eso los gobiernos o los jefes revolucionarios que han ocupado la capital de la República, han visto al estado de Oaxaca con la Ley por escudo, el orden por lema y el respeto a las instituciones como norma de conducta, fruto del arraigado espíritu de verdadera democracia que anima al pueblo oaxaqueño.

En esta época de crisis nacional en que no sólo han peligrado los principios fundamentales de nuestra Carta Magna, sino que osadamente se ha puesto la mano sobre ellos, pretendiendo modificarlos sin la consulta previa del pueblo mexicano, legítimamente representado; en que unas veces invocando sacrílegamente los principios de nuestra Constitución, y en todas las veces venerándolos siempre se pretenden implantar libertades para un pueblo heroico que las ha sabido gozar en otros tiempos legalmente garantizadas y se le arroja al más ignominioso despotismo con la implantación del llamado periodo preconstitucional, durante el cual la voluntad de un solo hombre, sin las limitaciones de la ley, pretende llevar a cabo reformas políticas que debieran hacerse con los procedimientos serenos y pacíficos que determina nuestra Carta Fundamental, y aun

* Fuente: *Periódico Oficial del Gobierno Libre y Soberano de Oaxaca* tomo XXV, núm. 43, 5/6/15.

reformas sociales que no son fruto de una ley, porque las costumbres y la índole de los pueblos no se modifican con disposiciones legislativas, sino con medidas lentas y bien meditadas que dirijan y orienten por el sendero del progreso y del perfeccionamiento social la evolución natural de los mismos pueblos; durante esta crisis cuyas fases sería largo enumerar y cuyos acontecimientos han dejado pálidos los relatos de las más sangrientas páginas de nuestra historia, el estado de Oaxaca ha conservado el funcionamiento normal de las instituciones y su gobierno ha procurado realizar, dentro de esa normalidad, sin convulsiones, ni precipitación, todas las reformas benéficas para el pueblo, demostrando a los demás estados que cualquiera reforma puede llevarse a cabo sin derramamiento de sangre y dentro de las bases que para ella tiene fijadas nuestras leyes.

Pero no ha sido suficiente aquella actitud ejemplar del pueblo oaxaqueño, ni esta política prudente de su gobierno para detener la sed insaciable de destrucción, de odios y venganzas de los malos hijos de México que se han constituido en enemigos del pueblo que laboran por su ruina y que traidoramente lo exponen a la pérdida de su nacionalidad, provocando que en nombre de la humanidad se pretenda hacer cesar por una potencia extraña esta matanza de hermanos; sino que se pretende sacar a nuestro querido estado de su funcionamiento normal, se pretende arrojarlo al caos en que se han perdido para muchas de las demás entidades federativas los preceptos supremos de nuestra Constitución política, que como único baluarte, como sagrada herencia de los inmaculados Constituyentes del 57 y que como perseguidos han venido esos preceptos supremos huyendo de la ingratitud que los asfixia, a buscar en la cuna del Gran Reformador Benito Juárez, que los guarda con veneración, un asilo seguro en que habrán de encontrar el espíritu de su ardiente defensor en la Guerra de Tres Años primero y en la de Intervención después, animando a los valientes hijos de Oaxaca para luchar por la conservación y por el imperio de la Carta Fundamental de la República. Y ese espíritu que alienta al pueblo oaxaqueño, le impone el ineludible deber de defender aquellos preceptos supremos y de hacer un esfuerzo para evitar que se le arroje al caos y al más desenfrenado absolutismo con la implantación del periodo preconstitucional, que recientemente se ha invocado para intentar justificar un ataque a la dignidad y soberanía del estado, haciendo cesar una autoridad militar a la primera autoridad de uno de nuestros distritos y pretendiendo una fuerza armada apoderarse de otro distrito con el pretexto de poner en vigor desde luego una reforma hecha a nuestra Acta Fundamental, sin los requisitos que ella establece para sus enmiendas, y a pesar de que, como ya se ha dicho, se han realizado y están realizando todas las reformas benéficas con sujeción estricta a los mandatos de nuestra Constitución Política y demás leyes relativas. Pero no pretende dentro del orden y la Ley, sino que quiere la implantación violenta, inmediata de las reformas hechas a la Constitución, sin el asentimiento del pueblo mexicano, como expresa claramente el telegrama que fue recogido anoche de la caja en que se habían extraído algunos aparatos de la Oficina Telegráfica, en el cual se contesta la reclamación que hizo el gobernador en nombre de la soberanía del estado, contra los procedimientos de algunos jefes militares y en la que se dice que estos no pueden menos que ir poniendo en práctica y hacer efectivas las disposiciones del gobierno revolucionario, lo cual significa la aprobación que el Primer Jefe del ejército llamado constitucionalista da a la intromisión de aquellos jefes en los asuntos interiores de nuestro estado, pretendiendo implantar en esta tierra clásica de libertad procedimientos del más ignominioso despotismo, como son los que se han puesto en práctica en otras entidades hermanas, contra todas las clases sociales, contra todo lo que sea trabajo, contra todo lo que sea capital, contra todo lo que signifique respeto al derecho ajeno, en una palabra, contra todas las bases del orden social; esos procedimientos son conocidos de todos para permitir que llegaran a implantarse en el heroico y patriota estado de Oaxaca, que siempre ha tomado participación activa en los grandes problemas nacionales, defendiendo la Carta Magna del golpe de Estado de Comonfort, hasta sacarla ilesa no solamente de la Guerra de los Tres Años, sino complementándola con las sabias Leyes de Reforma, verdaderos cimientos de la paz nacional; que más tarde la sostuvo y fue bandera de triunfo en la Guerra de Intervención, restaurando la República, y que por último dio a ésta más de treinta años de paz, durante los cuales se conquistó nuestra hoy adolorida patria, un lugar distinguido en el concierto de los pueblos cultos. Y cuando estos antecedentes se presentan en nuestra memoria, no podemos, no debemos, sin faltar a la gratitud, sin hacernos dignos del justo reproche de nuestros héroes, olvidar su ejemplo y dejar que se pierdan para siempre sus esfuerzos para legarnos una herencia de civismo sin límites, de patriotismo sin mancha, de abnegación sin asomo de egoísmo.

Ya que hemos podido conservar el funcionamiento normal de nuestras instituciones, que hemos realizado y vamos realizando, a pesar de los graves trastornos nacionales, las reformas a que nos llama la natural evolución de los pueblos, para que al terminar la guerra fratricida, se presenta al estado de Oaxaca ya reorganizado, sin necesidad de convulsiones, tenemos derecho a exigir que nos dejen evolucionar dentro de la ley, a fin de que en medio de las negruras que oscurecen el antes límpido cielo de la República y en medio de las tristezas que arrancan lágrimas de amargura y agonía a nuestra adolorida patria, aparezca como punto blanco, como un punto luminoso, como refugio de todas las garantías, como símbolo del orden, el heroico estado de Oaxaca con la fe inquebrantable que fortaleció al inmortal Juárez para sostener los supremos principios de nuestra Constitución, los cuales hemos conservado como privilegiada vestal guardar el fuego sagrado que no lejano día alumbrará con su luz inextinguible a todas las entidades de la República al reestablecerse el orden constitucional.

En virtud de lo expuesto, aceptando la iniciativa del Ejecutivo que manifiesta haber oído el parecer de los honorables miembros del Poder Judicial y de los jefes militares, consultando la opinión de juiciosos y prudentes personalidades de esta capital y conociendo por los informes recibidos de las primeras autoridades de los distritos el sentir general de los pueblos del estado, la honorable Legislatura de Oaxaca

DECRETA

Artículo 1. Entretanto se restablece en la República el orden constitucional, el Estado Libre y Soberano de Oaxaca reasume su soberanía.

Artículo 2. El estado se gobernará observando la Constitución del 5 de febrero de 1857 con sus adiciones y reformas, legalmente hechas mediante las tramitaciones que la misma establece; las Leyes de Reforma, su Constitución Política y demás leyes particulares.

Artículo 3. Las oficinas, puertos, y demás servicios que conforme a las leyes generales deberán depender del Gobierno Federal, y los ferrocarriles que el llamado gobierno constitucionalista se ha incautado dentro del territorio oaxaqueño quedarán sujetos al gobierno del estado, entretanto se restablecen los Poderes de la Unión conforme a los preceptos constitucionales.

Artículo 4. Los fondos existentes y los que en lo sucesivo se recauden en las oficinas y dependencias de que trata el artículo 2, se concentrarán en la Tesorería General del Estado que llevará una cuenta especial que se denominará "Servicios Federales"; a ella se aplicarán los ingresos que aquéllas produzcan y con cargo a las mismas se cubrirán los sueldos y demás gastos que demande la conservación, desarrollo y mejoramiento de los expresados servicios.

Artículo 5. De conformidad con la fracción XVI del artículo 48 de la Constitución Política del Estado, se conceden al Ejecutivo las facultades que sean necesarias para hacer frente a la situación, debiendo dar cuenta oportunamente del uso que hiciere de esta autorización.

Este decreto será publicado por bando solemne.

APÉNDICE III: CRONOLOGÍA DEL MOVIMIENTO DE LA SOBERANÍA, 1915-1920 , what about 1910-1915?

3 de junio de 1915:

La Declaración de la Soberanía. La reasunción de la soberanía constitucional del estado de Oaxaca dentro de la Federación por la XXVIII Legislatura del estado "entretanto se restablece en la República el orden constitucional".

4 de junio de 1915:

Pacto de ayuda mutua firmado entre Higinio Aguilar, jefe de la División de Oriente del Ejército Libertador (zapatista), y el licenciado Guillermo Meixueiro, general en jefe de las Fuerzas Defensoras del Estado de Oaxaca, en Teotitlán del Camino, Oaxaca.

4 de junio de 1915:

El general Jesús Agustín Castro, gobernador preconstitucional y comandante militar del estado de Chiapas, recibe órdenes del Primer Jefe Venustiano Carranza, de marchar hacia Oaxaca y establecer su cuartel general en el Istmo de Tehuantepec.

20-30 de junio de 1915:

Ataque combinado de las Fuerzas Defensoras del Estado sobre la guarnición constitucionalista en Pochutla.

17 de agosto de 1915:

Nombramiento del general Jesús Agustín Castro como gobernador preconstitucional y comandante militar de Oaxaca. Designación de Salina Cruz como la capital del estado.

Enero-marzo de 1916:

Campaña de la División Constitucionalista "21" para recapturar Oaxaca: Miahuatlán (30 de enero), Ejutla (23 de febrero), Ocotlán (1º. de marzo).

3 de marzo de 1916:

Evacuación de la ciudad de Oaxaca por las fuerzas y administración soberanistas. La capital del Estado Libre y Soberano de Oaxaca se traslada a Tlaxiaco (Sierra Mixteca), bajo la gubernatura de José Inés Dávila. Las Fuerzas Defensoras del Estado se dividen. El general Alberto Córdova es designado comandante general de la División Mixteca y de la División del Pacífico, con cuartel general en Tlaxiaco. Ixtlán (Sierra de Juárez) se establece como el cuartel general de la División de la Sierra de Juárez, al mando del general Guillermo Meixueiro.

Abril-junio de 1916:

Primera invasión carrancista de la Sierra de Juárez.

13 de julio de 1916:

La capital del gobierno pre-constitucional del estado (carrancista) se traslada a la ciudad de Oaxaca.

Junio de 1916:

Llegada del general Félix Díaz a Tlaxiaco. Incorporación de las Fuerzas Defensoras del estado al Ejército Reorganizador Nacional. Planes de un avance combinado sobre la ciudad de Oaxaca desde las sierras Mixteca y de Juárez, con el apoyo de tropas del general Juan Andreu Almazán, derrotadas en Yucucundo (10 de junio) y Tlacolula (6 de agosto).

7 de agosto de 1916:

Declaración de la ley marcial en la ciudad de Oaxaca.

12-17 de agosto de 1916:

Ocupación y saqueo de Tlaxiaco por las tropas carrancistas.

22 de agosto de 1916:

Llegada a Oaxaca de los generales ex villistas José Isabel Robles y Canuto Reyes para reforzar la guarnición constitucionalista.

11 de octubre de 1916:

Defección de Robles y Reyes al Movimiento de la Soberanía, proclamación del revolucionario Plan de Ixtlán (Apéndice IV), y organización del Ejército Restaurador de la República.

Octubre-diciembre de 1916:

Segunda invasión carrancista de la Sierra de Juárez. Ocupación y saqueo de

218

Ixtlán (2 de noviembre). Muerte del general serrano Pedro Castillo, jefe de la 3a. brigada de la División de la Sierra de Juárez (21 Dic.)

8 de febrero de 1917:

Fusilamiento del general Córdoba. Canuto Reyes sale de Oaxaca.

15 de febrero de 1917:

Rendición del general Mario Ferrer (División Mixteca).

17 de febrero de 1917:

Ejecución del general José Isabel Robles en la ciudad de Oxaca.

Marzo de 1917:

Primeros intentos de negociar la rendición de los rebeldes soberanistas con la mediación de destacados civiles oaxaqueños. Los serranos de la Sierra de Juárez dispuestos para negociar, pero José Inés Dávila se muestra intransigente.

31 de marzo de 1917:

Carranza designa al general Juan Jiménez Méndez gobernador y comandante militar de Oaxaca. Las operaciones militares carrancistas se concentran en Nochixtlán y en sus alrededores (Mixteca) y Jamiltepec (costa del Pacífico) durante todo 1917.

20 de enero de 1918:

Desafiante manifiesto "Al pueblo oaxaqueño" de José Inés Dávila en Tlaxiaco reiterando la causa de la soberanía y rechazando la Constitución de 1917 y las propuestas negociaciones con el régimen de Carranza.

11 de agosto de 1918:

Muerte del general Fidel Baños, jefe de la 1a. Brigada del Pacífico.

22 de julio de 1918:

Evacuación de Tlaxiaco, las fuerzas soberanistas en la Mixteca se retiran hacia el Pacífico (Ixcatlán-Itundujia-Jamiltepec.) El general Mariano Romero, comandante de la División del Pacífico, se rinde.

31 de mayo de 1919:

Asesinato del gobernador soberanista José Inés Dávila en Ixtayutla, distrito de Jamiltepec.

9 de julio de 1919:

Francisco Eustacio Vázquez es designado gobernador provisional de Oaxaca.

26 de julio de 1919:

Reorganización de la División de la Sierra de Juárez. Se nombra a Isaac M. Ibarra general de División por los jefes serranos y Guillermo Meixueiro es despojado de su autoridad.

22 de diciembre de 1919:

Tratado de Coatequitas, firmado por el general Pablo González, jefe de las operaciones militares en el Sur de la República, y por Guillermo Meixueiro, jefe nominal de las Fuerzas Defensoras del Estado, para que cesen las hostilidades.

5 de febrero de 1920:

Publicación del Manifiesto de la Sierra de Juárez por jefes serranos que quedaban, en el que se rechazan los términos del Tratado de Coatequitas. Los jefes y cabecillas de la Mixteca divididos en cuanto a la aceptación.

Marzo-mayo de 1920:

Tercera invasión carrancista de la Sierra de Juárez

3 de mayo de 1920:

Tratado de San Agustín Yatarení, firmado por Isaac Ibarra, jefe de las Fuerzas Serranas, y el general Luis T. Mireles, Jefe del Movimiento Revolucionario obregonista en el estado.

4 de mayo de 1920:

Las tropas serranas ocupan la ciudad de Oaxaca y el gobernador provisional Jesús Acevedo proclama la Constitución de 1857.

25 de mayo de 1920:

Reconocimiento por el gobernador Acevedo de la Constitución de 1917.

26 de julio de 1920:

Muerte de Guillermo Meixueiro.

15 de diciembre de 1920:

El general Manuel García Vigil electo gobernador constitucional de Oaxaca.

APÉNDICE IV: PLAN DE IXTLÁN

A la nación

Las revoluciones son necesidades sociales, crisis que estallan cuando los gobiernos han cerrado las vías legales al progreso de los pueblos: luchan por principios de mejoramiento social, y en su bandera inscriben siempre los grandes anhelos de esos pueblos. Si esto no fuera así, si una revolución no llevara desde su origen una gran promesa de redención social, estaría muerta en su cuna y si los hechos no se encargaran después de confirmar el cumplimiento de esta promesa, la Revolución estaría también condenada irremisiblemente a morir porque las inexorables leyes de la naturaleza, que lo mismo se impone a los individuos que a los pueblos, establecen como principio universal el de la conservación y los pueblos como los individuos no cambian el curso normal de su vida, no rompen con la regularidad de su existencia, ni se aventuran a los grandes riesgos, sino en presencia de una mejora próxima, ante la perspectiva de un bienestar mayor o frente a un porvenir que augure un perfeccionamiento en el orden moral, un progreso en el orden material. Por eso, repetimos, las revoluciones que han sido la explosión de verdaderos ideales o las que después los han abandonado, no pueden prosperar y los movimientos armados nunca serán suficientes para ello, porque ya se ha dicho, los pueblos, como los individuos, reaccionan en el sentido de su conservación, y la conservación exige el mejoramiento.

Estos precedentes sencillos y claros explican por qué el Carrancismo y las fuerzas que lo sostienen llamadas Constitucionalistas, no han podido después de dos años, ni podrán jamás, establecer y consolidar la paz en la República. Surgió el movimiento carrancista el 26 de marzo de 1913, de acuerdo con el Plan de Guadalupe, sobre las bases de desconocer por usurpador al general Victoriano Huerta como presidente de la República, y de desconocer por complicidad en esa usurpación a los Poderes Legislativo y Judicial de la Federación, que habían reconocido al mismo Gobierno de la Unión. Todo el plan descansa por tanto en el respeto que merecen las Leyes Constitucionales consignadas en nuestra carta fundamental y en el deber que todos los mexicanos tenemos de sostener esas leyes, aun por la fuerza, cuando la razón ya no se hace oír.

Carranza, pues, al levantarse en armas, proclamó el Imperio de la Constitución y ofreció a la República la defensa de sus principios violados. Fue realmente una gran promesa. Costó a nuestros antepasados tanto y tan grandes sacrificios el Código del 57; se nos ha repetido tanto que ese Código es la génesis de nuestra educación política y será más tarde el cimiento definitivo de nuestra condición de hombres libres y nos hemos convencido tan íntimamente de estas verdades, y todos los mexicanos que hemos perdido la fe en la reconstrucción de la patria, nos sentimos profundamente conmovidos y amenazados cuando peligran los preceptos de aquel Código, a la vez que nos consideramos suficientemente fuertes para defenderlos, para conservarlos incólumes. A esto se debió que Venustiano. Carranza, hombre sin antecedentes notables, encontrara partidarios en la República y que su llamamiento tuviera eco en el pecho de muchos mexicanos.

Despues de año y medio de lucha Carranza llegó a México, y con el nombre de Primer Jefe del Ejército Constitucionalista asumió la presidencia provisional de la República. Carranza cambió entonces radicalmente rompiendo los títulos que lo habían llevado al triunfo. Sus ambiciones de hombre vulgar y su educación democrática y los malos consejos de sus favoritos, que eran muchos y sin moralidad, lo hicieron olvidar todas, absolutamente todas sus promesas y por una sangrienta ironía del destino el autor del Plan de Guadalupe, el que había desconocido al general Huerta y a los demás poderes federales, en nombre de la Constitución, declaró al encargarse del Poder Ejecutivo abolida esa misma Constitución, y todas las demás leyes que de ella se derivan, pues decretó que el gobierno funcionaría dentro de un periodo constitucional, es decir fuera del orden constitucional, fuera de toda ley. De este modo el carrancismo arrojó a la República a la anarquía y al despotismo absoluto; desaparecieron todos los derechos y todas las garantías; nadie sabe dónde comienza y dónde acaba su propiedad, ni sabe tampoco por cuánto tiempo podrá disponer de su libertad ni de su vida. La Constitución y todas las demás leyes se substituyeron desde esa época por la voluntad de Carranza y de sus favoritos, estableciéndose de esa manera un gobierno enteramente personalista, una oligarquía odiosa e imposible de tolerar. Muertos los ideales, sobrevino la desorganización fatalmente. Villa, a pesar de su rudeza, comprendió que Carranza y los suyos lanzaban a un caos a la República, y pidió la separación de aquél, y Zapata, que hasta entonces se había manifestado conforme en términos generales con la "Revolución del Norte", exigió también que Carranza abandonara el poder como un medio de acabar con el personalismo y asegurar la paz. El estado de Oaxaca, este heroico y glorioso estado, que se había mantenido sereno en medio de la revuelta sin perder su normalidad y que por sus antecedentes y su importancia figuraba también como uno de los factores que debía resolver los destinos nacionales, este estado, amante de la paz y de la ley se mantuvo alejado del carrancismo, reclamando siempre de esa facción el respeto para su soberania y las consideraciones que merecían el pueblo oaxaqueño y su gobierno.

El carrancismo había adelantado mucho en la mala senda para resolverse a desandarla. Sus jefes habían saboreado ya las satisfacciones del mando y disfrutado el producto de sus robos y consideraron naturalmente sus jurados enemigos, no sólo a quienes los combatían, sino a los que por moralidad o por vergüenza les rehusaron su apoyo en la obra de destrucción y de infamia que habían emprendido. Fue al principio una guerra más sangrienta y más cruel que las precedentes: se rompieron las hostilidades con Villa primero, con Zapata después, y con muchos otros jefes posteriormente y se invadió al fin este estado de Oaxaca, último refugio de las libertades y último baluarte de nuestras instituciones. Nada importó que los poderes constitucionales del estado comprobaran que en su territorio reinaba el orden y que los intereses y las vidas estaban garantizados, que los servicios públicos estaban atendidos eficazmente, que los pueblos gozaban de sus derechos, y que su gobierno había implantado los progresos que demandaban la ciencia y las exigencias del medio. Nada importó esto, repetimos: el carrancismo necesitaba más botín de guerra y el estado de Oaxaca fue invadido. El carrancismo ha demostrado estar dispuesto a todo, absolutamente a todo para continuar apoderándose de los últimos despojos que aún quedan sobre el cuerpo ensangrentado de la patria. Lo ha provado ya esa nefasta facción, dando lugar con sus procedimientos a que el extranjero nos invada, y continuando la guerra fraticida, en vez de arrepentirse y enmendar sus errores para conservar la integridad y el decoro nacionales. Pero hay más todavía. La felonía carrancista ha sobrepasado los límites de lo imaginable, invitando a los buenos mexicanos, a los patriotas de corazón que, no queriendo arrojar más fuego a la hoguera nacional, se habían retirado a la vida privada, ha invitado a esos dignos hijos, decimos, combatir la intervención y después de que se han aprestado para ello, sorprendiéndoles en su buena fe de hombres honrados, los han empujado a la vorágine de la contienda civil.

Comprometida nuestra integridad nacional y arrojada la República a la anarquía y al despotismo más desenfrenados que registra nuestra historia, creemos de imperiosa necesidad ejercitar una vez más nuestra buena fe; hacer un patriótico llamamiento a los buenos mexicanos y un supremo esfuerzo para reorganizar sus energías y encauzarlas en pro de la reconstrucción, de la verdadera reconstrucción nacional. Los actuales momentos son definitivos y debemos aprovecharlos; la salvación de la patria lo demanda. El problema es arduo y difícil, porque ante todo se impone extirpar al caudillaje, y como una condición indispensable para acabar con los gobiernos personalistas, para impedir que los destinos nacionales queden en un momento en manos de uno o dos individuos, en vez de estar en las de la propia nación o en las de sus representantes; para esto no hay más que un camino: obrar de la periferia al centro, es decir, provocar y llevar a cabo la reorganización de la mayor parte de los estados de la República, para que éstos realicen la de la República misma. Será este un procedimiento análogo al que siguieron los estados de la Unión en el año de 1778 y que nos pondrá definitivamente a cubierto de la absorción que en nuestra vida política y en toda época han ejercido los poderes federales contra los poderes de los estados, que nos colocará en las únicas condiciones que permitan la reconstrucción de la nacionalidad y la salvación de nuestro territorio.

Al estado de Oaxaca le cabe la honra y la satisfacción de dar el ejemplo a los demás, sus hermanos. Sus poderes constitucionales, que no han dejado de funcionar hasta ahora, a pesar de todas las dificultades con que ha tropezado, se restablecerán bien pronto en su capital y nuestros esfuerzos tenderán a darles sin pérdida de tiempo el completo dominio de todo el territorio del mismo estado.

En los demás estados de la República en donde hay también hombres de buena voluntad luchando contra el carrancismo, debe seguirse este ejemplo. Los jefes militares que en ellos operen de acuerdo con este manifiesto contarán para ese efecto con nuestra ayuda; en el concepto de que tan luego como cada estado esté fuera de la acción del carrancismo, dichos jefes militares designarán un gobernador provisional que convoque inmediatamente al pueblo para elecciones del Poder Legislativo.

Reorganizado este poder, se convocará sin pérdida de tiempo para elecciones de los otros poderes Ejecutivo y Judicial.

Cuando la mayoría de los estados se haya reorganizado en los términos que antes se indica, de acuerdo con la Constitución de la República y demás leyes generales, su Constitución particular y leyes relativas, se reunirán los representantes de estos estados para nombrar un presidente provisional, cuya misión principal será la de convocar inmediatamente a la República a elecciones del Poder Legislativo. Establecido éste, convocará a la República para elecciones de los otros poderes de la Federación.

MEXICANOS

La patria exige de nosotros un nuevo sacrificio; respondamos con resolución y amor a su llamamiento y tremolando el lábaro santo de nuestra Constitución, luchemos hasta conseguir que su benefactora sombra nos ampare a todos.

PLAN

Primero: Se restablece en la República el imperio de la Constitución Federal del 5 de febrero de 1857, con sus adiciones y reformas, legalmente hechas mediante las tramitaciones que la misma establece; las Leyes de Reforma y las demás que de ella se derivan.

Segundo: Se desconoce al ciudadano Venustiano Carranza, primer jefe del llamado Ejército Constitucionalista, y a todas las autoridades impuestas por él. Tanto el ciudadano Carranza como los demás que bajo su llamado gobierno hayan tenido carácter de autoridades, serán juzgados con arreglo a las leyes por usurpación de funciones y los otros delitos que hubieren cometido.

Tercero: Todos los estados que se adhieran al presente plan y en los que hayan desaparecido los poderes constitucionales harán todo esfuerzo para sustraerse desde luego a la acción del carrancismo y a medida que lo consigan, se reorganizarán de acuerdo con la Constitución General de la República, su Constitución particular y leyes relativas. Para ayudar a esta pronta reorganización, los jefes militares anticarrancistas que operen en el estado se reunirán en junta a la mayor brevedad posible y nombrarán un gobernador provisional, escogiendo precisamente para ese cargo un ciudadano nativo del mismo estado, y que por su honorabilidad y firmeza de ideas preste garantías a la causa. El gobernador provisional convocará sin pérdida de tiempo a elecciones extraordinarias de diputados a fin de restablecer el Poder Legislativo local. Restablecido este poder y para constituirse sobre base legítima también el Poder Ejecutivo local, el propio Congreso, como primer acto, nombrará un gobernador interino, pudiendo recaer el nombramiento en la persona designada como gobernador provisional. Nombrado gobernador interino se convocará desde luego a elecciones extraordinarias de gobernador definitivo o constitucional, así como a elecciones del Poder Judicial.

Cuarto: Todos los estados que se adhieran al presente plan, formarán, sin necesidad de ulteriores convenciones, una liga ofensiva y defensiva contra el carrancismo, mantendrán constante comunicación entre ellos y sus gobernadores y jefes militares procederán de acuerdo en las operaciones generales.

Quinto: Las fuerzas que se organicen para el sostenimiento de este plan serán denominadas "Ejército Restaurador de la República".

Sexto: Tan pronto como la mayoría de los estados se haya reorganizado dentro del orden constitucional, el gobierno de cada uno de esos estados nombrará un representante que ocurra a una junta o convención para la que oportunamente se señalarán lugar y fecha. En esa junta o convención, los representantes de la mayoría de los estados, se pondrán de acuerdo para nombrar, y nombrarán cuando menos por mayoría de votos, un presidente provisional de la República, que no sea jefe militar con mando de fuerzas; este presidente provisional será reconocido y sostenido por todos los estados reorganizados, tomará desde luego posesión de su encargo y convocará inmediatamente a elecciones de diputados al Congreso de la Unión. Restablecido el Poder Legislativo Federal, como primer acto nombrará un presidente interino de la República, pudiendo recaer el nombramiento en el presidente provisional. Nombrado el presidente interino, se convocará desde luego a elecciones de presidente definitivo o constitucional, así como a elecciones del Poder Judicial de la Federación.

Séptimo: Los cargos de Presidente de la República y Gobernadores de algunos de los estados no podrán recaer en jefes militares con mando de fuerza. Los mismos jefes podrán ser electos o nombrados para desempeñar dichos cargos después de haber pasado un año de su separación del servicio militar.

Octavo: El Presidente de la República y los gobernadores de los estados, provisionales, interinos o definitivos, cuidarán que desde el primer momento en que funcionen, todos los actos suyos, así como los de las demás autoridades de su jurisdicción, se sujeten estrictamente a los preceptos de la Constitución de 1857, que se declara vigente, haciendo que desde luego se restituyan a sus dueños los bienes confiscados por el carrancismo o cualquier otra facción, y procurando que en adelante los nacionales y extranjeros gocen en su persona e intereses de todas las garantías que la misma Constitución otorga. Las propias autoridades cuidarán también empeñosamente: la inmediata repatriación de los mexicanos alejados hoy del país por persecuciones políticas y por la absoluta falta de garantías, quedando sujetos a las leyes los que hubieren cometido delitos del orden común.

Noveno: Se declaran nulas y sin valor alguno, las emisiones de papel moneda que lanzó el llamado Gobierno Constitucional presidido por el ciudadano Venustiano Carranza.

Se invita a todos los estados, a todos los jefes militares, a todos los mexicanos de buena voluntad, sin distinción de partidos políticos, a que, olvidando odios y divisiones pasadas, se adhieran al presente Plan, lo secunden con eficacia y cooperen con todos sus elementos a la pronta reorganización de la República, esto es, a la salvación de la patria.

Ixtlán de Juárez, estado de Oaxaca, 11 de octubre de 1916.

Por la División "Integridad Nacional" y demás elementos restauradores del Norte de la República, general de División José Isabel Robles. (Firmado)

Por la División de la Sierra de Juárez y demás elementos restauradores del Estado Libre y Soberano de Oaxaca, general de División licenciado Guillermo Meixueiro. (Firmado)

all the recent works on regional history but few Oaxacan sources.

BIBLIOGRAFÍA

1. Fuentes de los archivos

Archivo General de la Nación (AGN)
I Archivo Particular de Alfredo Robles Domínguez (ARD)
II Fondo Zapata (no clasificado)
Archivo General del estado de Oaxaca (AGEO)
Archivo Histórico de la Defensa Nacional (AHDN)
Archivo de Venustiano Carranza (AC)
Documentos políticos del diputado federal por Oaxaca Rafael Odriozola (Colegio de México)
Oficina del Registro Público, documentos de la Secretaría de Relaciones Exteriores (FO) Londres.

2. Documentos Publicados

Fabela, Isidro y Josefina E. de Fabela (Comps.), (1960-73) *Documentos Históricos de la Revolución Mexicana*, Comisión de Investigaciones Históricas de la Revolución Mexicana, 27 volúmenes, México.

OAXACA: Mensaje leído por el C. Lic. Heliodoro Díaz Quintas, gobernador interino del estado, ante la XXVI Legislatura del mismo, Oaxaca, Imprenta del Estado, 1911.

OAXACA: Mensaje leído por el C. Lic. Miguel Bolaños Cacho, gobernador constitucional del estado, ante la XXVI Lesgilatura del mismo. Oaxaca, Imprenta del estado, 1912.

OAXACA: Mensaje leído por el C. Lic. Miguel Bolaños Cacho, gobernador constitucional del estado, ante la XXVII Legislatura del mismo, Oaxaca, Imprenta del estado, 1913.

OAXACA: Mensaje leído por el C. Lic. Francisco Canseco, gobernador interino constitucional del estado, ante la XXVII Legislatura del mismo, Oaxaca, Imprenta del Estado, 1914.

OAXACA: Mensaje leído por el C. Lic. José Inés Dávila, gobernador interino constitucional del estado, e informe del C. Lic. Francisco Magro, presidente del Tribunal Superior de Justicia, leídos ante la XXVIII Legislatura, Oaxaca, Imprenta del Estado, 1915.

OAXACA: Informe que Rinde el C, General Manuel García Vigil, Gobernador Constitucional del Estado Libre y Soberano de Oaxaca a la XXVIII Legislatura del mismo, Oaxaca, 1921.

OAXACA: Informe que Rindió el C. General Manuel García Vigil, Gobernador Constitucional del Estado Libre y Soberano de Oaxaca a la XXIX Legislatura, Oaxaca, Imprenta del Estado, 1923.

Periódico Oficial del Gobierno Libre y Soberano de Oaxaca, volumen XXXV Oaxaca, 1915.

227

Periódico Oficial del Gobierno Pre-Constitucional de Oaxaca, vols. I-II, Salina Cruz 1915-16, vols. III-VII, Oaxaca, 1916-20
Periódico Oficial del Gobierno Provisional del Estado Libre y Soberano de Oaxaca, vol. I, Oaxaca, 1920.
Pérez Jiménez, Gustavo (1959), *Las constituciones del estado de Oaxaca* México, Costa Amic.

3. PUBLICACIONES ESTADÍSTICAS

Mexican Year Book

Londres	1910
Los Angeles	1920-21
Los Angeles	1922-24

México: Dirección general de estadística. Estadísticas sociales del porfiriato 1877-1910, México, 1956.
Estadísticas económicas del porfiriato: fuerza de trabajo y actividad económica por sectores, México Seminario de Historia Moderna de México, 1965. México, El Colegio de México.
Censo de 1910: División territorial del estado de Oaxaca, 1918. Secretaría de Agricultura y Fomento.

4. LIBROS, ARTÍCULOS, TESIS, DOCUMENTOS

Aguilar Camín, Héctor (1977), *La frontera nómada: Sonora y la Revolución Mexicana*, México, siglo XXI.
(1980), "The Relevant Tradition: Sonoran Leaders in the Revolution" en Brading (Comp) *Caudillo and Peasant in the Mexican Revolution*, Cambridge University Press, pp. 92-124.
Ramírez, Francisco Alfonso (1948) *Hombres notables y monumentos coloniales de Oaxaca*, México.
(1970), *Historia de la Revolución Mexicana en Oaxaca*, México, Instituto Nacional de Estudios Históricos de la Revolución Mexicana.
Anderson, Dudley (1980), "Saturnino Cedillo: a Traditional Caudillo in San Luis Potosí, 1890-1938" en Brading (Comp.) *Caudillo and Peasant in the Mexican Revolution*, Cambridge Universty Press, pp. 140-169.
Bailey, David C. (1978), "Revisionism and the Recent Historiography of the Mexican Revolutión", en *Hispanic American Historical Review* 58: 1 pp. 62-79.
(1979), "Obregón: Mexico's Accommodating President" en G. Wolfskill y D. W. Richmond (Comps.) *Essays on the Mexican Revolution*, Austin, Texas University Press, pp. 82-99.
Barret, Ward (1970), *The Sugar Hacienda of the Marqués del Valle*, Minneapolis, University of Minnesota Press.
Bazant, Jan (1975), *Cinco haciendas mexicanas: tres siglos de vida rural en San Luis Potosí 1600-1910*, México, El Colegio de México.

Beals, Ralph L. (1975), *The Peasant Marketing System of Oaxaca*, University of California Press, Londres/Berkeley.

Beezley, William H. (1973), *Insurgent Governor; Abraham González the Mexican Revolution in Chihuahua*, Lincoln, Nebraska.

Benson, Nettie Lee (1945), "The Plan of Casa Mata", *Hispanic American Historical Review*, 25, pp. 45-56.

Bernstein, Harry (1967), "Regionalism in the National History of Mexico" en H. Cline (Comp.) *Latin American History: Essays in its Study and Teaching*, 1898-1925, 2 vols. Austin, University of Texas, pp. 389-394.

Bernstein, Marvin D. (1966), *The Mexican Mining Industry 1890-1950*, Albany, The State University of New York.

Berry, Charles R. (1969), "La ciudad de Oaxaca en vísperas de la Reforma, *Historia Mexicana*, 19:3 pp. 23-61.

(1970), "The Fiction and Fact of Reform: The Case of the Central District of Oaxaca" (1856-67), *The Americas*, 26:3 pp, 277-290.

(1981), *The Reform in Oaxaca 1856-76*, Lincoln, University of Nebraska Press.

Berzunza Pinto, Ramón (1956), "Las vísperas yucatecas de la Revolución", *Historia Mexicana*, 6:1 pp. 75-88.

(1962), "El constitucionalismo en Yucatán", *Historia Mexicana*, 2:2 pp. 274-295.

Bonilla Jr. Manuel, (1962), *El régimen maderista*, México Editorial Arana.

Borah, Woodrow (1948), "The Cathedral Archives of Oaxaca", *Hispanic American Historical Review* 28, pp. 640-645.

(1951), "Notes on the Ciil Archives in the City of Oaxaca", *Hispanic American Historial Review* 31, pp. 723-750.

& Sherbourg, F. Cook (1968), *The Population of the Mixteca Alta 1520-1960*, Berkeley, University of California Press.

Brading, David (1973), "Creole Nationalism and Mexican Liberalism", *Journal of Inter-American Studies and World Affairs*, 15:2, pp. 139-191.

Branch, H. M. (1917), "The Mexican Constitution of 1917 Compared with the Constitution of 1857", Suplemento de los *Annales of the American Academy of Political and Social Science*, Filadelfia.

Bustillo Bernal, Ángel (1968), *La Revolución Mexicana en el Istmo de Tehuantepec, y realidades en las muertes del C. gral. don Jesús Carranza, su hijo y su sobrino, y del C. Lic. don José F. Gómez (Che Gómez) caudillo juchiteco*, México, Editora Mexicana de Periódicos, Libros y Revistas.

Buve, Raymond (1974), "Patronaje en las zonas rurales de México", *Boletín de estudios Latinoamericanos y del Caribe*, 16, pp. 3-15.

(1975), "Peasant Movements, Caudillos and Land Reform during the Revolution in Tlaxcala, México" (1910-17), *Boletín de Estudios Latinoamericanos y del Caribe*, 18 pp. 112-152.

(1980), "State Governor and Peasant Movilisation in Tlaxcala", en Brading (Comp.) *Caudillo and Peasant in the Mexican Revolution*, Cambridge University Press, pp. 222-245.

Calvert, Peter (1968), *The Mexican Revolution 1910-1914: The Diplomacy of Anglo-American Conflict*, Cambridge University Press.

(1969) "The Mexican Revolution: Theory or Fact?", *Journal of Latin American Studies*, 1:1 pp. 51-68.

(1969), "The Institutionalisation of the Mexican Revolution", *Journal of Inter-American Studies and World Affairs*, vol. 14. pp. 503-517.

Carr, Barry (1980), "Recent Regional Studies of the Mexican Revolution", *Latin American Research Review*, 15:1, pp. 3-14.

Carrillo Arronte, Ricardo (1973), *Ensayo analítico metodológico de planeación interregional en México*, Fondo de Cultura Económica.

Cassidy, Tom (1981), *Haciendas and Pueblos in 19th Century Oaxaca*, tesis para optar al Doctorado en Filosofía, University of Cambridge.

Chance, John (1979), *Race and Class in Colonial Oaxaca*, Stanford University Press.

Coatsworth, John H. (1974), "Railroads and the Concentration of Land Ownership in the Early Porfiriato", *Hispanic American Historical Review* 54:1, pp. 48-71.

— (1976), *El impacto económico de los ferrocarriles en el porfiriato*,2 vols., Sepsetentas.

Cockcroft, James D. (1968), *Intellectual Precursors of the Mexican Revolution 1900-1913*, Austin, University of Texas Press.

Córdova, Arnaldo (1973), *La ideología de la Revolución Mexicana: La formación del nuevo régimen*, México.

Cosío Villegas, Daniel (Comp.) (1955-1972) *Historia moderna de México*, 9 vols. Editorial Hermes, México.

Covarrubias, Miguel (1946), *Mexico South: The Isthmus of Tehuantepec*, Nueva York, ALfred A Knopf.

Coy, Peter(1971), "A Watershed in Mexican Rural History: Some Thougts on the Reconciliation of Conflicting Interpretations", *Journal of Latin American Studies*, 3:1, pp. 39-57.

Cumberland, Charles C. (1952), *The Mexican Revolution: Genesis Under Madero*, Austin, University of Texas.

(1972), *The Mexican Revolution: The Constitutionalist Years*, Austin, University of Texas.

CRPPEO (1964), *Desarrollo Económico en los Valles Centrales de Oaxaca*, Comité regional de Productividad y Promoción del Estado de Oaxaca.

Díaz Díaz, Fernando (1972), *Caudillos y Caciques: Antonio López de Santa Anna y Juan Álvarez*, México.

De la Fuente, J. (1949), *Yalalag: una villa zapoteca serrana*, Serie Científica, Museo Nacional de Antropología, México.

Drake, Paul W. (1970), "Mexican Regionalism Reconsidered", *Journal of Inter-American Studies and World Affairs*, 12:3, pp. 401-415.

Dulles, John W.F. (1961), *Yesterday in Mexico: A Chronicle of the Revolution 1919-1936*, Austin, University of Texas press.

Eiser-Viafora, Paul (1974), "Durango and the Mexican Revolution", *New Mexico Historical Review*, 49:3, pp. 219-240

Esteva, Cayetano (1913), *Nociones Elementales de Geografía Histórica del Estado de Oaxaca*. México.

Falcone, Frank S. (1974), *Federal-State Relations during Mexico's Restored Republic: Oaxaca: A case study 1867-72*, Tesis para optar al Doctorado en Filosofía, Universidad de Massachussetts.

Fowler Salamini, Heather (1976), "Adalberto Tejeda and the Veracruz Peasant Movement", en *Contemporary Mexico* (Comps. Wilkie etc.), pp. 274-292.

(1978), *Agrarian Radicalism in Veracruz 1920-38* Lincoln, University of Nebraska Press.

(1980), "Revolutionary Caudillos in the 1920's: Francisco Múgica and Adalberto Tejeda" en Brading (Comp.) *Caudillo and Peasant in the Mexican Revolution*, Cambridge University Press, pp. 169-193.

Friedrich, Paul (1970), *Agrarian Revolt in a Mexican Village*, Englewood Cliffs, New Jersey, Prentice Hall.

Gamas Torruco, José (1975), *El Federalismo Mexicano*, México, Sepsetentas.

Gerhard, Peter (1975), "La evolución del pueblo rural mexicano 1519-1975", *Historia Mexicana* 24, pp. 566-578.

Gómez Jara, Francisco A. (1970), *El Movimiento Campesino en México*, México, Editorial Campesina.

González, Pablo (1971), *El Centinela Fiel del Constitucionalismo*, Saltillo, Textos de Cultura Historiográfica.

González y González, Luis (1958), "El agrarismo liberal" *Historia Mexicana* 8, pp. 469-492.

(1968), *Pueblo en vilo: Microhistoria de San José de Gracia*, México.

(1973), *Invitación a la Microhistoria*, México.

González Navarro, Moisés (1958) "Indio y Propiedad en Oaxaca", *Historia Mexicana*, 8:2, pp. 175-191.

(1969), "Tenencia de la tierra y población agrícola, 1877-1960", *Historia Mexicana*, 19:1 pp. 62-86.

(1972), "Venganza del Sur", *Historia Mexicana*, 21:4, pp. 677-692.

Goodman, Margaret Ann (1970), *The Effectiveness of the Mexican Revolution as an Agent of Change in the State of Yucatán*, Tesis para optar al Doctorado en Filosofía, Columbia University.

Grieb, Kenneth (1968), "The Causes of the Carranza Rebellion: A Reinterpretation", *The Americas* 24, pp. 25-32.

Gruening, Ernest (1928), *Mexico and Its Heritage*, Nueva York.

Hale, Charles A. (1968), *Mexican Liberalism in the Age of Mora 1851-53*, New Haven, Yale University Press.

Hall, Linda B. (1980), "Alvaro Obregón and the Agrarian Movement 1912-20" en Brading (Comp.) *Caudillo and Peasant in the Mexican Revolution*, Cambridge University Press, pp. 124-140.

Hamnett, Brian R. (1971), *Politics and Trade in Southern Mexico 1750-1821*, Cambridge University Press.

Hansen, Roger D, (1971), *The Politics of Mexican Development*, Baltimore, John Hopkins.

Hart, John M. (1978), *Anarchism and the Mexican Working Class 1860-1931*, Austin, University of Texas Press.

Henderson, Peter V.N. (1973), *Counter-Revolution in Mexico: Félix Díaz and the Struggle for National Supremacy (1910-20)*, Tesis para obtener el Doctorado en Filosofía, University of Nebraska, pp. 372-389.

(1975) "Un gobierno maderista: Benito Juárez Maza y la Revolución en Oaxaca", *Historia Mexicana*, 24:3.

(1981), *Félix Díaz, the Porfirians and the Mexican Revolution*, Lincoln, University of Nebraska Press.

Hernández Chávez, Alicia (1979), "La defensa de los finqueros en Chiapas 1914-20", *Historia Mexicana*, 28:3, pp. 335-369.

Hunt, Robert (1968), "Agentes Culturales Mestizos, Estabilidad y Cambio en Oaxaca", *América indígena*, 28:3.

Huntingdon, Samuel (1968), *Political Order in Changing Societies*, New Haven y Londres, Yale University Press.

Ibarra, Isaac M. (1975), *Memorias del general Isaac M. Ibarra*, México.

Iturribarría, Jorge F. (1953), "El Partido Borlado", *Historia Mexicana*, 3 pp. 474-495.

(1953), "Oaxaca: La Historia y sus Instrumentos", *Historia Mexicana*, 2, pp. 459-76.

(1955), *Oaxaca en la Historia*, México, Editorial Stylo.

(1974), "Oaxaca antes, en, y después de la Independencia", *Humanitas*, 15, pp. 529-543.

Jacobs, Ian (1980), "Rancheros of Guerrero: the Figueroa Brothers and the Revolution" en Brading (Comp.) *Caudillo and Peasant in the Mexican Revolution*, Cambridge University Press, pp. 76-92.

(1982), *Ranchero Revolt: The Mexican Revolution in Guerrero*, Austin University of Texas Press.

Joseph, Gilbert M. (1980), "Caciquismo and the Revolution: Carrillo Puerto in Yucatán" en Brading (Comp.), *Caudillo and Peasant in the Mexican Revolution*, Cambridge University Press, pp. 193-222.

(1982), *Revolution from Without: Yucatán, México and the United States 1880-1924*, Cambridge University Press.

Katz, Friedrich (1976), "Agrarian Changes in Northern Mexico in the Period of Villista Rule, 1913-15", *Contemporary Mexico* pp. 259-273.

(1976), *La Servidumbre Agraria en México en la Época Porfiriana*, México, Sepsetentas.

(1980), "Pancho Villa, Peasant Movements, and Agrarian Reform in Northern Mexico, en Brading (Comp.) *Caudillo and Peasant in the Mexican Revolution*, Cambridge University Press, pp. 59-76.

Kearney, Michael (1972), *The Winds of Ixtepeji: World View and Society in a Zapotec Town*, Nueva York, Holt-Rinehart-Winston.

Kern, Robert y Dolkart, R. (Comps.) (1973), *The Caciques: Oligarchical Politics and the Systems of Caciquismo in the Luso-Hispanic World*, Albuquerque, University of New Mexico Press.

Kirshner, Alan (1976), *Tomás Garrido Canabal y el Movimiento de los Camisas Rojas*, México, Sepsetentas.

Knight, Alan (1974), *Nationalism, Xenophobia and Revolution: the Place of Foreigners and Foreign interests in Mexico 1910-15*, Tesis para obtener el Doctorado en Filosofía, University of Oxford.

(1980), "Peasant and Caudillo in Revolutionary Mexico 1910-17", en Brading (Comp.) *Caudillo and Peasant in the Mexican Revolution*, Cambridge University Press, pp. 17-59.

(1981), "The Mexican Revolution: Ideology and Practice 1915-20", Conferencia presentada en el Congreso Anual de la Sociedad para Estudios Latinoamericanos, Universidad de Birmingham.

Knudse Terry (1974), "When did Francisco Madero Decide on Revolution", *The Americas*, 30 pp. 529-534.

Liceaga, Luis (1958), *Félix Díaz*, México, Editorial Jus.

Lieuwen, Edwin (1968), *Mexican Militarism: The Political Rise and Fall of the Revolutionary Army 1910-40*, Albuquerque, University of New Mexico Press.

Lloyd, Mecham J. (1938), "The Origins of Federalism in Mexico", *Hispanic American Historical Review* 18. pp. 164-182.

Love, Joseph L. (1974), "An Approach to Regionalism" en Richard Graham y Peter H. Smith (Comps.), *New Approaches to Latin American History*, Austin, University of Texas Press, pp. 137-155.

Márquez, J. M. (1916), *El Veintiuno: Hombres de la Revolución y sus Hechos*, México.

Meyer, Jean (1973), *Problemas Campesinos y Revueltas Agrarias 1821-1910*, México, Secretaría de Educación Pública.

(1976), *The Cristero Rebellion: The Mexican People Between Church and State 1926-29*, Cambridge University Press.

Meyer, Michael C. (1967), *Mexican Rebel: Pascual Orozco and the Mexican Revolution 1910-15*, Lincoln, Nebraska.

(1971), "The Militarisation of Mexico 1913-14", *The Americas*, 27, pp. 293-306.

(1972), *Huerta: A Political Portrait*, Lincoln, Nebraska.

Michaels, Albert L. (1970), "The Crisis of Cardenismo", *Journal of Latin American Studies*, 2:1, pp. 51-79.

Michaels. Albert L. y Marvin Bernstein (1976), "The Modernisation of the Old Order: Organization and Periodisation of 20th Century Mexican History", en *Contemporary Mexico* (Comps. Wilkie, etc.), pp. 687-710.

Moreno Toscano, Alejandra y Enrique Florescano (1976), "El sector externo y la organización espacial y regional de México (1521-1910)", *Contemporary México* (Comps.) Meyer, Wilkie), pp. 62-96.

McBride, George M. (1923), *The Land Systems of Mexico*, Nueva York, American Geographical Society.

Niblo, Stephen & Perry, Laurens (1978), "Recent Additions to 19 th Century Historiography", *Latin American Research Review*, 3, pp. 3-45.

Niemeyer, E. V. Jr. (1974), *Revolution at Querétaro: the Mexican Constitution Convention of 1916-17*, Austin, University of Texas Press.

(1978), *Oaxaca: Una Lucha Reciente 1960-78*, Ediciones Nueva Sociología. Artículos de Francisco A. Gomezjara, René Bustamente, Cuauhtémoc González Pacheco, Francisco José Ruiz Cervantes, Miguel Lozano, y Silvia Millán Echegaray.

Paige, Jeffrey M (1975), *Agrarian Revolution*, Nueva York.

Pérez, Amado (1975), *Apuntes sobre la Revuelta orozquista serrana-ixtepejana de 1912*, Oaxaca.

Pérez García, Rosendo (1956), *La Sierra de Juárez*, 2 vols. México, Gráfica Cervantina.

Perry, Laurens Ballard (1978), *Juárez and Díaz: Machine Politics in Mexico*, Northers Illinois University Press.

Powell, T. G. (1974), *El Liberalismo y el Campesinado en el Centro de México (1850 a 1876)*, México, Sepsetentas.

Quintero Figueroa, Adelina (1975), "La trayectoria política de Rafael Odriozola, primer liberal oaxaqueño", *Historia Mexicana*, pp; 456-481.

Quirk, Robert E. (1960), *The Mexican Revolution 1914-15: The Convention of Aguascalientes*, Bloomington, Indiana.

Raby, David L. (1970), *Rural Teachers and Social and Political Conflict in Mexico 1921-1940*, Tesis para obtener el Doctorado en Filosofía, University of Warwich.

Richmond, Douglas (1976), *The First Chief and Revolutionary Mexico: The Presidency of Venustiano Carranza 1915-20*, Tesis para obtener el Doctorado en Filosofía, University of Washington.

——— (1976), "El nacionalismo de Carranza y los cambios socio-económicos 1915-20", *Historia Mexicana*, 26:1, pp. 107-131.

——— (1979), "The Authoritarian Populist as Nationalist President", en G. Wolfskill y D. W. Richmond (Comps.), *Essays on the Mexican Revolution*, Austin, University of Texas Press, pp. 48-80.

Richmond, Douglas (1980), "Factional Strife in Coahuila 1910-20", *Hispanic American Historical Review*, 60:1, pp. 49-68.

Rosas, Basilio (1965), *Un Gran Rebelde: Manuel García Vigil*, México, Editorial Luz.

Ross, Stanley R. (1955), *Francisco I. Madero: Apostle of Mexican Democracy*, Nueva York, Columbia University Press.

——— (1957), "La Muerte de Jesús Carranza", *Historia Mexicana* 7, pp. 20-44.

Ruiz, Ramón Eduardo (1976), "Madero's Administration and Mexican Labour", *Contemporary Mexico* (Comps.) Wilkie, Meyer, etc., pp. 187-203.

Saúl (1972), *Mi Madre y yo: Sucesos Históricos de la Mixteca*, Ediciones Botas, México.

Schryer, Frans J. (1980), *The Rancheros of Pisaflores: the History of a Peasant Bourgeoisie in 20th Century Mexico*, University of Toronto Press.

Shulgovski, Anatoli (1968), *México en la Encrucijada de su Historia*, México, Ediciones de Cultura Popular.

Smith, Peter H. (1976), "Continuity and Turnover Within the Mexican Political Elite 1900-71", *Contemporary Mexico* (Comps. Wilkie, Meyer, etc.), pp. 167-186.

Stone, Laurence (1966), "Theories of Revolution", en *World Politics*, XVIII, Núm. 2, pp. 159-177.

Taylor, William B. (1972), *Landlord and Peasant in Colonial Oaxaca*, Stanfor, University of California Press.

Tamayo, Jorge (1956), *Oaxaca en el Siglo XX*, México.

Tannenbaum, Frank (1968), *The Mexican Agrarian Revolution*, Nueva York, Macmillan (Handen, Conn, Archon Books).

Taracena, Alfonso (1921), *Apuntes Históricos para la Historia de Oaxaca*, México.

(1974), *Historia de la Revolucón en Tabasco*, Villahermosa, México, Ediciones del Gobierno de Tabasco.

Turner, John Kenneth (1911), *Barbarous Mexico*, Londres.

Ugalde, Antonio (1973), "Contemporary Mexico: From Hacienda to PRI, Political Leadership in a Zapotec Village", en Kern (Comps.) *The Caciques*, Albuquerque, Nuevo México, pp. 119-135.

Vanderwood, Paul (1970), "Genesis of the Rurales: Mexico's Early Struggle for Public Security", *Hispanic American Historical Review* 50:2, pp. 323-344.

(1976), "Response to Revolt: The Counter Guerrilla Strategy of Porfirio Díaz", *Hispanic American Historical Review*, pp. 551-579.

Vázquez Cruz, Leovigildo (1959), *La Soberanía de Oaxaca en la Revolución*, México.

Warman, Arturo (1976), ... *Y Venimos a Contradecir: Los Campesinos de Morelos y el Estado Nacional*, Ediciones de la Casa Chata, México.

Wasserman, Mark (1980), "The Social Origins of the 1910 Revolution in Chihuahua", *Latin American Research Review*, 15, pp. 17-38.

Waterbury, Ronald (1975), "Non-Revolutionary Peasants: Oaxaca Compared to Morelos in Mexican Revolution", *Comparative Studies in Society and History*, 17:4, pp. 410-442.

Werner Tobler, Hans (1980), "Peasant Mobilisation and the Revolution" en Brading (Comp.) *Caudillo and Peasant in the Mexican Revolution*, Cambridge University Press, pp. 245-255.

Whitecotton, Joseph (1977), *The Zapotecs: Princes, Priests and Peasants*, University of Oklahoma Press.

Wilkie, James W., Meyer Michael C. y Edna Monzón de Wilkie (Comps.) (1976) *Contemporary Mexico*, documentos del IV Congreso Internacional de Historia Mexicana, University of California Press.

Wilkie, James W. (1970), *The Mexican Revolution: Federal Expenditure and Social Change Since 1910*, Berkeley, University of California Press.

Wolf, Eric R., Hansen, E.C. (1967) "Caudillo Politics: A Structural Analysis", *Comparative Studies in Society and History* 9, pp. 168-179.

Wolf, Eric (1971), *Peasant Wars of the 20th Century,* Londres, Faber.

Wolfskill, G. y Richmond, D.W. (Comps.) (1979), *Essays on the Mexican Revolution: Revisionist Views of the Leaders*, Austin, University of Texas Press.

Womak, John (1970), *Zapata and the Mexican Revolution*, Nueva York, Vintage.

Young, Kate (1976), *The Social Setting of Migration: Factors Affecting Migration from a Sierra Zapotec Village in Oaxaca, Mexico*, Tesis para obtener el Doctorado en Filosofía, Universidad de Londres.

Zagoria, Donald S. (1976), "Peasants and Revolution", *Comparative Politics*, 8:3, pp. 321-326.

INDICE

Second Part is weaker and less developed than
the first part
   1. Deals with Carrancismo through decrees
   2. Carrancista campaign that had difficulty in
regaining controls. Calls it a disaster by 1920
   3 yet shows that Sovereignty movement is in not
better condition — fragmented, divided, some leaders
willing as Herrera to sign peace agreement.
   4 "Triumph" in joining Obregón against Carranza is
transitory as for Peláez

Epilogue — useless

Its organization is strange in that

Se terminó de imprimir este libro el
30 de noviembre de 1988 en
Robles Hermanos, y Assc. S.A.
Acueducto 402-4-B C.P. 14370;
se imprimieron 3000 ejemplares
y estuvo al cuidado de *Eduardo Mejía*.

He uses FO but not SD

Anti-revisionist like Knight
1) Maderismo seen as radical, 1911-12
   as a political revolt
2) Combines urban phenomena with
   rural jacquerie = Maderismo
3) Sees as revolt for local autonomy
   against center as not counter-revolutionary
   but in defense of State's rights & sovereignty

Café in Oaxaca, p 117, 121
Liberalism means for Garner only federalism
+ state autonomy. This allows a large
number of Oaxaqueños to fall under this
rubric. Makes tradition only one in Oaxaca
- which seems to downplay role of Church &
socio-economic factors. A glorification of liberalism
                         Tears Cañaverismo apart (p 128)
Good discussion of caudillismo & links with
new generation (p 115 →)
Very much influenced by Héctor Camín (p 128)
He tears apart Cañaverismo for being eclectic & conservativ
pragmatic but he can't apply same standards
to Sovereignty Movement liberalism who allied
with Felix Diaz + Zapata (p 128)

Main source for chapter on Cañaverismo is
Periódico Oficial de Oaxaca. Good section on
municipios united even if only the laws & not the
practice (pp. 128 →) Anti-camonizista

Selected sources - British archives
                    Defense
                      VC
Classification of a pol. movement upholding status quo
led by elites + emerging middle class leaders